안중근 자료집 제25권

중국인 집필 안중근 소설 Ⅰ

-영웅의 눈물

편역자 신운용(申雲龍)

한국외국어대학교 사학과 졸업
한국외국어대학교 대학원 사학과 졸업(문학박사)
한국외국어대학교 사학과 강사
(사)안중근평화연구원 책임연구원

안중근 자료집 제25권
중국인 집필 안중근 소설 Ⅰ-영웅의 눈물

1판 1쇄 펴낸날 | 2016년 03월 26일

기 획 | (사)안중근평화연구원
엮은이 | 안중근 자료집 편찬위원회

총 괄 | 윤원일
편역자 | 신운용

펴낸이 | 서채윤
펴낸곳 | 채륜
책만듦이 | 김미정·김승민·오세진
책꾸밈이 | 이현진·이한희

등 록 | 2007년 6월 25일(제2009-11호)
주 소 | 서울시 광진구 자양로 214, 2층(구의동)
대표전화 | 02-465-4650 | 팩스 02-6080-0707
E-mail | book@chaeryun.com
Homepage | www.chaeryun.com

© (사)안중근평화연구원, 2016
© 채륜, 2016, published in Korea

책값은 뒤표지에 있습니다.
ISBN 979-11-86096-31-4 94910
ISBN 978-89-93799-84-2 (세트)

이 책은 '안중근 의사 전집 발간 연구사업'으로 서울특별시의 인쇄비 지원을 받아 만들었습니다.

안중근 자료집 제25권

중국인 집필 안중근 소설 I

-영웅의 눈물

(사)안중근평화연구원

채륜
CHAE RYUN

발간사 _ 하나

안중근 의사의 삶과 교훈

'안중근의사기념사업회'에서는 2004년부터 역사, 정치, 경제학자들과 일본어, 한문 번역 전문가들을 모시고 안중근전집발간위원회(위원장: 조광 교수, 고려대학교 명예교수)를 구성하여 안중근 의사와 관련된 자료를 모아 약 40여 권의 책으로 자료집을 발간하기로 하였습니다. 안중근 자료집 발간의 참뜻은 100년 후 안중근 의사가 오늘 우리에게 요구하는 시대정신을 확인하고 실천하는 계기를 만들자는 것입니다. 이를 위해 자료집 발간에 앞서 역사적 안중근과 오늘의 안중근정신을 확인하고 연구할 필요가 있다는 것을 자료집 발간위원들과 정치, 경제, 역사, 인권 등 여러 분야의 전문가들이 제언하고 동의하였습니다. 이에 따라 우리 사업회에서는 안중근 의사 의거와 순국 100주년을 준비하면서 10여 차례의 학술대회를 개최하였습니다. 특히 2008년 10월 24일에는 한국정치학회와 공동으로 한국외국어대학교에서 "안중근 의사의 동양평화론"을 주제로 학술대회를 하였고, 의거와 순국 100주년에 안중근 의사의 정신을 실천하기 위한 방안을 모색하는 국제학술대회를 개최하고 지속적으로 안중근 의사의 뜻을 실현하기 위한 연구 사업을 위해 노력하고 있습니다. 2004년 이후 학술대회 성과를 묶어 안중근 연구 총서 5권으로 이미 출판하였습니다. 특히 안중근 의사의 의거와 순국 100주년을 맞아 남북의 동포가 함께 개성과 여순감옥에서 안중근 의사를 기억하며 남북의 화해와 일치를 위해 노력하기로 다짐한 행사는 참으로 뜻깊은 사건이었습니다.

역사를 기억하는 것은 역사적 사실로부터 미래를 지향하는 가치를 확인하는 것입니다. 일본 제국주의의 잔혹한 식민지 통치와 2차 세계대전의 잔혹한 역사적 잘못에 대해 이미 일본 국민과 학자들도 비판과 반성을 통해 동아시아 국가들과 화해를 시대적 가치로 제시하고 있습니다.

그럼에도 불구하고 한국현대사학회가 중심이 된 교과서포럼과 교학사 역사교과서 논쟁에서 보여준 식민지근대화론을 주장하거나 이에 동조하는 학자들, 특히 국사편찬위원장을 역임한 이태진 교수, 공주대학교 이명희 교수, 권희영 한국학중앙연구원 교수, 안병직, 박효종, 이인호, 유영익, 차상철, 김종석 교수 등이 보여준 언행은 비판받아 마땅하다고 생각합니다.

특히 "정신대는 일제가 강제동원한 것이 아니라 당사자들이 자발적으로 참여한 상업적 매춘이자 공창제였다."(교과서포럼 이영훈 교수), "그 시기(일제강점기)는 억압과 투쟁의 역사만은 아니었다. 근대 문명을 학습하고 실천함으로써 근대국민국가를 세울 수 있는 '사회적 능력'이 두텁게 축적되는 시기이기도 하였다."(박효종 교수)고 주장하며 분명한 사실조차 왜곡하려는 현대사학회와 교과서포럼의 구성원들에게 진심으로 안타까움을 넘어 인간적 연민을 갖게 됩니다.

안중근 연구 사업은 안중근 자료집이 역사적 사실에 한정되지 않고 우리 역사와 함께 진화하고 발전하기를 바라는 자료집 발간에 참가하는 위원들과 우리 사업회의 소망이 함께하고 있습니다. 2009년 안중근 의사 의거 100주년을 맞아 자료집 5권을 출판한 이후 많은 어려움으로 자료집 발간이 지체되는 것을 안타까워한 서울시와 서울시의회 의원들의 지원으로 자료집 완간을 위한 계획을 수립하게 되었습니다. 앞으로 순차적으로 40여 권의 자료집을 3년여에 걸쳐 완간할 것입니다.

저는 지난 85년부터 성심여자대학교(현재 가톨릭대학교와 통합)에서 〈종교의 사회적 책무〉라는 주제로 20여 년간 강의를 했습니다. 강의를 하면서 학생들로부터 새로운 시각과 신선함도 배우고 또한 학생들을 격려하며 자극하기도 했습니다. 새 학년마다 3월 26일 안중근 의사 순국일을 맞아 〈안중근 의사의 삶과 교훈〉을 학생들에게 강의하고 안중근 의사의 자서전, 공판기록 등 그와 관련된 책을 읽고 보고서를 제출토록 과제를 주고 이를 1학기 학점에 반영했습니다. 학생들은 누구나 숙제를 싫어하지만 학점 때문에 내 요구에 마지못해 응했습니다. 그런데 학생들의 보고서를 읽으면서 저는 큰 보람을 느끼곤 했습니다. 그중 큰 공통점은 거의 모든 학생들이 "안 의사에 대해서는 어린 시절 교과과정을 통해 일본의 침략자 이토 히로부미(伊藤博文)를 사살한 분 정도로만 알고 있었는데 그분의 자서전을 읽고는 그분의 투철한 신념, 정의심, 교육열, 사상, 체계적 이론 등을 깨달았고 무엇보다도 우리 민족의 선각자, 스승임을 새삼 알게 되었다"고 고백했습니다.

　그렇습니다. 우리에게 귀감이 되고 길잡이가 되는 숱한 선현들이 계시지만 안중근 의사야말로 바로 지금 우리 시대에 우리가 되새기고 길잡이로 모셔야 할 스승이며 귀감입니다.

　그러나 스스로 자신을 낮추며 나라와 겨레를 위해 목숨까지 바친 안 의사의 근본정신은 간과한 채 거짓 언론과 몇몇 무리들은 안 의사를 형식적으로 기념하면서 안 의사의 삶을 장삿속으로 이용하기만 합니다. 참으로 부끄럽고 가슴 아픈 일입니다. 그뿐 아니라 나라를 빼앗긴 피눈물의 과정, 일제의 침략과 수탈을 근대화의 계기라는 어처구니없는 주장을 감히 펼치고 있는 이 현실, 짓밟히고 삭제되고 지워지고 조작된 역사를 바로 잡기 위한 역사학도들의 피눈물 나는 노력과 뜻있는 동지들의 진정성을 아직도 친일매국노의 시각으로 훼손하고 자유당 독재자 이승만, 그리고 유신체제의 군부독재자 박정희 등 이들의 졸개들이 으쓱거리고 있는 이 시대는 바로 100년 전 안중근 의사가 고민했던 바로 그때를 반영하기도 합니다.

　역사와 국가공동체 그리고 교회공동체의 모든 구성원들은 조선 침탈의 원흉 이토 히로부미를 안 의사가 제거하였다는 업적과 동양 평화와 나라의 독립을 위하여 헌신하시고 제안한 방안들을 얼마나 지키려 하였는지, 일본의 한국병탄(倂呑)에 동조하거나 협력하였던 외국인 선교사들을 거부하고 직접 하느님의 뜻을 확인하려하신 그 신앙심에 대하여 진심으로 같이 고백하였는지 이제는 깊게 반성하여야 합니다. 확인되지도 않는 일본인들 다수가 안 의사를 존경하는 것처럼 호도하고 안 의사의 의거의 정당성을 일본과 그에 협력하였던 나라들에게 당당하게 주장하지도 않았으면서 그 뜻을 받들고 있는 것처럼 때가 되면 모여서 묵념하는 것이야말로 역사를 모독하고 안 의사를 훼손하고 있다는 것도 이 기회에 함께 진심으로 반성하여야 합니다. 심지어 안 의사 연구의 전문가인 양 온 나라에 광고하면서 진정한 안 의사의 의거의 정당성과 사상과 그 생각을 실현하려는 방안을 하나도 제시하지 않고 있는 사람들의 속내를 과연 무엇이라고 해석하여야 합니까?

안중근 자서전의 공개과정과 내용

안중근은 의거 후 중국 여순 감옥에 갇혀 죽음을 앞두고 자신의 삶을 되돌아보면서 〈안응칠 역사〉를 기술하였습니다. 아직 원본은 발견되지 않았지만, 1969년 4월 일본 동경에서 최서면 씨가 한 일본인으로부터 입수한 〈안중근 자서전〉이라는 필사본과 1979년 9월 재일동포 김정명(金正明) 교수가 일본 국회도서관 헌정연구실 '7조 청미(七條淸美)' 문서 중에서 '안응칠 역사'와 '동양평화론'의 등사 합본을 발굴함으로써 더욱 명료해졌습니다(신성국, 의사 안중근(도마), 지평, 36~37, 1999).

우리 안중근의사기념사업회와 (사)안중근평화연구원에서는 안중근 자료집 발간과 함께 안중근 자서전을 새롭게 번역하여 출간할 계획입니다. 〈안중근 자서전〉은 한자로 기록된 문서로 한글번역 분량은 신국판 70여 쪽에 이르지만 해제를 덧붙여야하기에 그 두 배에 이를 것입니다. 안 의사는 감옥생활 5개월 동안 감옥에서 유언과 같은 자서전 〈안응칠 역사〉를 집필한 뒤 서문, 전감, 현상, 복선, 문답 등 5장으로 구성된 〈동양평화론〉의 서문과 전감은 서술하고 나머지 3개장은 완성하지 못한 채 순국하셨습니다.

안 의사는 자서전에서 출생과 성장과정(1879~1894) 등 15세 때까지의 회상을 서론과 같이 기술하고, 결혼, 동학당(東學黨)과의 대결, 갑신정변(1894), 갑오농민전쟁(1895)에 대한 청년시절 체험을 얘기하고 있습니다. 이어 그는 19세 때인 1897년 아버지와 함께 온 가족이 세례 받게 된 경위와 빌렘(J. Wilhelm, 한국명: 홍석구)신부를 도와 황해도 일대에서 선교에 전념하던 일을 증언하면서 특히 하느님 존재 증명방법과 그리스도를 통한 구원론, 각혼, 생혼, 영혼에 대한 설명, 하느님의 심판, 부활영생 등의 기본적 교리를 천명하고 있습니다. 이 증언을 통해 우리는 그의 돈독한 신앙과 19세기 말엽의 교리체계를 이해하고 확인할 수 있습니다.

안 의사는 빌렘신부를 도와 선교에 힘쓰면서 교회공동체나 주변의 억울한 사람들을 만나면 그들의 권리나 재산을 보호하기 위하여 스스로 위험을 감수하고 앞장섰습니다. 우리는 신앙인으로서 청년 안중근의 열정과 정의심을 몇 가지 사례를 통해 확인할 수 있습니다. 당시 서울의 세도가였던 전 참판 김중환(金仲煥)이 옹진군민의 돈 5천 냥을 빼앗아간 일이 있었는데 이를 찾아주기 위해 서울까지 가서 항의하고 꼭 갚겠다는 약속을 얻어내기도 했습니다. 또 다른 일은 해주 병영의 위관 곧 오늘의 표현으로는 지방군부대 중대장 격인 한원교(韓元校)가 이경주라는 교우의 아내와 간

통하여 결국 아내와 재산까지 빼앗은 횡포에 대해 법정투쟁까지 벌이면서 사건을 해결하려 했으나 결국 한원교가 두 사람의 자객을 시켜 이경주를 살해한 일을 회상하면서 끝내 한원교가 처벌되지 않는 불의한 현실을 개탄하였습니다. 안중근 의사의 이와 같은 정의감과 불의한 현실적 모순에 대한 그의 고뇌와 갈등을 우리는 여러 대목에서 확인할 수 있습니다. 이 자서전을 읽을 때마다 우리는 19세기 말 당시의 상황과 안중근 의사의 인간미를 새롭게 깨닫고 그의 진면목을 대하게 됩니다.

선교과정에서 안 의사는 무엇보다도 교육의 필요성을 절감하고 빌렘신부와 함께 뮈텔(G.Mutel, 한국명: 민효덕)주교를 찾아가 대학설립을 건의하는데 두 번, 세 번의 간청에도 불구하고 뮈텔은 "한국인이 만일 학문을 하게 되면 신앙생활에 좋지 않을 것이니(不善於信敎) 다시는 이러한 얘기를 꺼내지 말라"라고 거절했습니다. 고향으로 돌아오는 길에 안 의사는 뮈텔의 이러한 자세에 의노를 느끼며 마음속으로 "천주교의 진리는 믿을지언정 외국인의 심정은 믿을 것이 못된다" 하고 그때까지 배우던 프랑스어를 내던졌다고 술회하고 있습니다. 특히 교회공동체와 사제에게 가장 성실했던 신앙인 안 의사는 1907년 안 의사의 독립운동을 못마땅하게 여기며 독립투쟁을 포기할 때에만 비로소 성사생활을 할 수 있다면서 성사까지 거부했던 원산성당의 브레 사제(Louis Bret, 한국명: 백류사) 앞에서 당당하게 신앙을 증거하고 끝까지 독립운동을 지속했습니다. 당시 대부분의 선교사들이 일제에 영합하는 정교분리의 원칙에 따라 독립운동을 방해하고 반대하였음에도 불구하고 해외에서 무장투쟁을 펼치며 마침내 이토 히로부미를 주살하였습니다. 여기서 우리는 선교사의 한계를 뼈저리게 느끼며 하느님과의 직접적인 관계를 생각하셨던 안 의사의 신앙적 직관과 통찰력을 엿볼 수 있습니다. 특히 프랑스 사제들의 폐쇄적 자세와 인간적 한계를 극복한 성숙한 신앙인의 결단과 자세는 우리 모두의 귀감이며 사제와 주교 때문에 신앙이 흔들리는 우리 시대의 많은 형제자매들에게 안 의사는 참으로 든든한 신앙의 길잡이입니다.

일본의 침략이 노골화되자 안 의사는 가족과 함께 이주할 계획으로 상해를 방문했고 어느 날 성당에서 기도하고 나오던 길에 우연히 르각(Le Gac, 한국명: 곽원량) 신부를 만나 깨우침을 얻게 됩니다. 안 의사의 계획을 듣고 르각 신부는 프랑스와 독일의 국경지대인 알자스 지방을 예로 들면서 많은 이들이 그 지역을 떠났기에 다시는 회복할 수 없게 되었다고 설명하면서 만일 조선인 2천만 명이 모두 이주계획을 가지고 있다면 나라가 어떻게 되겠느냐 하면서 무엇보다도 ①교육 ②사회단체돕기 ③공동협심 ④실력양성을 해야 한다고 강조했습니다. 이에 안 의사는 진남포로 돌아와 돈의학교를 인수하고 야학 삼흥학교를 설립하여 후학을 위해 교사로서 봉사했습니다. 삼흥(三興)이란 국사민(國士民), 곧 나라와 선비와 백성 모두가 흥해야 한다는 그의 교육이념이기도 합니다. 또한, 안 의사는 국채보상운동에도 안창호와 함께 참여하고 스스로 사업도 하였으나 일본인들의 방해로 실패하게 됩니다.

그 후 1907년 정미 7조약으로 군대가 해산되고 경찰, 사법권 등 국가 권력이 일본에게 넘어가고 고종이 강제 퇴위를 당하자 일본의 한국의 보호와 동양 평화에 대한 주장이 한국을 일본의 식민지로 병탄하려는 의도라고 확신하고 독립군에 투신합니다. 독립군 시절 일본군인과 상인 등을 포로로 잡아 무장해제한 후 돌려보낸 일화는 유명합니다. 엄인섭 등 독립군들은 일본인 포로 2명을 호송하기도 어렵고 번거로우니 제거하자고 주장했으나 안중근은 독립군은 스위스 만국공법(萬國公法)을 지켜야 한다고 주장하며 공법에 따라 포로들을 관리할 수 없다는 이유로 이 둘을 석방했습니다. 이 일로 인해 위치가 노출되어 독립군부대는 일본군의 급습을 받고 완전히 괴멸되었습니다. 안 의사는 1달 반 동안 쫓기면서 여러 차례 죽을 고비를 넘깁니다. 이러한 과정에서 동행했던 2명의 동지들에게 세례를 베풀었고 죽을 고비마다 안 의사는 하느님께 전적으로 의탁하며 기도와 신앙으로 살아날 수 있었다고 기록하고 있습니다.

미완의 원고 〈동양평화론〉

이후 안 의사는 독자적으로 독립운동을 전개하다가 1909년 연추의 김씨댁 여관에서 11명의 동지들과 함께 대한독립의 결의를 다지며 자신의 손가락을 잘랐습니다. 안 의사는 이를 정천동맹(正天同盟)이라 했습니다. 하늘을 바로 세우고, 하늘 앞에서 바르게 살겠다는 서약이며 봉헌이었습니다. 그리고 이토 히로부미의 러시아 방문 소식을 접하고 그를 응징하기로 동지들과 계획하고 마침내 1909년 10월 26일에 하얼빈에서 침략자 이토 히로부미를 주살(誅殺)하였습니다. 이토 히로부미의 주살에 대하여 안 의사는 15가지의 죄상을 주장하였습니다. 그러나 그 근본적인 죄과에 대해 대한국의 독립국으로서의 지위 보장에 대한 명백한 약속 위반과 동양평화를 해치는 주범으로서 온 세상을 기만 죄로 죽음이 마땅하다고 주장하였습니다. 동양의 평화를 이루는 구체적인 방안들을 안 의사는 자신의 미완성의 원고인 동양평화론에서 제시하였습니다. 동양 삼국의 제휴를 통하여 평화회의 체제를 구성하고 상공업의 발달을 촉진하여 삼국의 경제적인 발전을 도모하고 이의 지원을 위하여 공동은행의 설립과 삼국연합군대의 창설과 교육을 통하여 백인들의 침략을 견제 대비하여야 진정한 세계평화를 유지할 수 있다고 제안 주장하였습니다. 어느 한 나라의 군사 경제적인 발전만으로는 평화와 발전이 불가능하다는 것을 안 의사는 간파하고 있었던 것입니다. 한나라의 강성함은 필히 주변국들과의 불화의 원인이 되므로 연합과 연대를 통하여 공동의 발전과 평화를 유지하기 위한 다자간 협력 체제와 이를 위한 국제기구의 필요성에 대해 안 의사는 강력한 소신을 가지고 있었던 세계 평화주의자였습니다. 국제적인 갈등의 해결 방법들을 제안한 안 의사의 생각을 읽으면 오늘 우리에게 부여되어있는 과제들을 돌아보게 됩니다. 분단의 해소를 통한 통일을 모두가 염원하고 있지만 그 구체적인 과정을 실천하기에는 아주 많은 난관을 우리 스스로 만들어 가고 있는 현실을 직면하게 됩니다. 남과 북의 대립, 그에 앞서 치유되지 않고 있는 지역, 계층 세대 간의 갈등과 반목이라는 부끄러운 현실 속에서 안 의사의 자서전을 대할 때마다 죄송스러움과 한계를 절감하게 됩니다.

신뢰를 지킨 빌렘사제

안 의사는 대한독립군 참모중장으로서 거사의 정당성과 이토 히로부미의 죄상을 밝히는 의연한 주장에도 불구하고 여순 감옥에서 일제의 부당한 재판을 통하여 사형을 선고받고 죽음을 앞두고 두 동생들을 통하여 뮈텔주교에게 성사를 집전할 사제의 파견을 요청하였습니다. 그러나 뮈텔주교는 '안 의사가 자신의 범죄를 시인하고 정치적인 입장을 바꾸도록' 요구합니다. 곧 독립운동에 대한 잘못을 스스로 시인해야만 사제를 파견할 수 있다고 이를 거절합니다. 더구나 여순의 관할 주교인 술래(Choulet)와 일본 정부의 사제 파견에 대한 동의가 있었음에도 불구하고 뮈텔주교의 입장은 완강하였습니다. 이에 빌렘신부는 스스로 뮈텔주교에게 여순으로 간다는 서신을 보내고 안 의사를 면회하여 성사를 집전하고 미사를 봉헌하였습니다. 이 일로 뮈텔주교는 빌렘신부에게 성무집행정지 조치를 내렸으나 빌렘신부는 뮈텔주교의 부당성을 바티칸에 제소하였고 뮈텔주교에게는 공식적 문서를 통하여 주교의 부당한 명령을 지적하고 죽음을 앞둔 신자에게 성사를 집행하는 것은 사제의 의무이며 권리임을 강조했습니다. 바티칸은 성사집행이 사제로서의 정당한 성무집행임을 확인하였습니다. 그러나 뮈텔과의 불화로 빌렘은 프랑스로 돌아가 안중근을 생각하며 여생을 마쳤습니다.

〈동양평화론〉의 저술을 마칠 때까지 사형 집행을 연기하기로 약속한 일본 법원의 약속 파기로 순국을 예견한 안 의사는 동생들에게 전한 유언에서 나라의 독립을 위하여 국민들이 서로 마음을 합하고 위로하며 상공업의 발전을 위하여 힘써 나라를 부강하게 하는 것이 독립의 초석임을 당부하시고 나라가 독립되면 기뻐하며 천국에서 춤을 출 것이라고 하였습니다. 사실 현재 우리나라는 부강해졌고 국민들의 소득수준은 높아졌습니다. 그러나 부의 편중으로 가난한 사람들은 점점 늘어가고 일자리가 없는 사람들의 수는 정부 통계로도 그 수를 짐작하기가 어려운 실정입니다. 그런데 국론은 분열되어 있고 정책은 일관되게 부자들과 재벌들을 위해 한 쪽을 향해서만 달려가고 있습니다. 상식이 거부되고 있는 현실입니다. 안 의사가 다시 살아나 설득을 하신다면 과연 이들이 안 의사의 말씀에 귀를 기울이겠습니까?

역사는 반복이며 미래를 위한 창조적 길잡이라고 했습니다. 오늘도 안중근과 같은 의인(義人)을 박해하고 괴롭히는 또 다른 뮈텔, 브레와 같은 숱한 주교와 사제들이 엄존하고 있는 이 현실에 대해 후대에 역사는 과연 어떻게 평가하겠습니까?

십인십색이라는 말과 같이 사람의 생각은 늘 같을 수만은 없습니다.

그러나 함께 생각하고, 역사의 삶을 공유하는 것이 우리의 도리이기에 이 자료집을 만들어 우리시대 미완으로 남아있는 안중근 의사의 참뜻을 실현할 것을 다짐하고 후대 역사의 지침으로 남기려 합니다.

자료집 발간을 위해 도와주신 박원순 시장님과 서울시 관계자분들 그리고 서울시의회 새정치민주연합 전 대표 양준욱 의원님, 임형균 의원님에게 진심으로 감사드립니다. 10년을 넘게 자료집 발간을 위해 한결같은 마음으로 애쓰고 계시는 조광 교수님, 신운용 박사, 윤원일 사무총장과 자료집 발간에 참여하고 계시는 편찬위원들과 번역과 교정에 참여해 주신 모든 분들, 출판을 맡아준 채륜의 서채윤 사장님과 직원분들 모두에게 감사와 위로의 인사를 드립니다.

안 의사님, 저희는 부끄럽게도 아직 의사님의 유해를 찾지 못했습니다. 아니, 잔악한 일본인들이 안 의사의 묘소를 아예 없앤 것 같습니다. 그러나 이 책이 그리고 우리 모두의 마음이 안 의사를 모신 무덤임을 고백하며 안 의사의 열정을 간직하고 살기로 다짐합니다. 8천만 겨레 저희 마음속에 자리 잡으시어 민족의 일치와 화해를 위한 열정의 사도가 되도록 하느님께 전구해 주십시오.

안 의사님, 우리 겨레 모두를 돌보아주시고 지켜주소서.

아멘.

2016년 3월
안중근의사기념사업회, (사)안중근평화연구원 이사장
함 세 웅

발간사 _ 둘

"역사를 잊은 민족에게 미래는 없다."

역사는 현재를 살아가는 우리에게 거울과 같은 존재입니다. 우리는 지나온 역사를 통해 과거와 현재를 돌아보고 미래를 설계해야 합니다. 암울했던 일제강점기 우리 민족에게 빛을 안겨준 안중근 의사의 자료집 출간이 더욱 뜻 깊은 이유입니다.

107년 전(1909년 10월 26일), 만주 하얼빈 역에는 세 발의 총성이 울렸습니다.

전쟁에 몰입하던 일제 침략의 부당함을 전 세계에 알리고 나아가 동양의 평화를 위해 동양 침략의 선봉에 섰던 이토 히로부미를 안중근 의사가 저격한 사건입니다. 안중근 의사의 하얼빈 의거는 이후 수많은 독립운동가와 우리 민족에게 큰 울림을 주었고, 힘들고 암울했던 시기를 분연히 떨치고 일어나 마침내 조국의 광복을 맞이하게 했습니다.

그동안 독립 운동가들의 활동상을 정리한 문집들이 많이 출간되었지만, 안중근 의사는 뛰어난 업적에도 불구하고 관련 자료가 중국과 일본, 러시아 등으로 각각 흩어져 하나로 정리되지 못하고 있었습니다.

이번에 발간되는 『안중근 자료집』에는 안중근 의사의 행적과 사상, 그 모든 것이 집대성되어 있습니다. 이 자료집을 통하여 조국의 독립과 세계평화를 위해 일평생을 바친 안중근 의사의 숭고한 희생정신과 평화정신이 대한민국 전 국민의 가슴에 깊이 아로새겨져 우리 민족의 미래를 바로 세울 수 있는 밑거름이 될 수 있기를 기원합니다.

2016. 3
서울특별시장 박 원 순

발간사 _ 셋

역사 안에 실재하는 위인을 기억하는 것은 그 삶을 재현하고 실천하는 것입니다.

지금 우리 시대 가장 존경받는 분은 안중근 의사입니다.

특히 항일투쟁기 생존했던 위인 중 남북이 함께 기억하고 있는 유일한 분이기도 합니다.

그것은 "평화"라는 시대적 소명을 실천하자는 우리 8천만 겨레의 간절한 소망이 담긴 징표라고 저는 생각합니다.

안중근 의사는 20세기 초 동양 삼국이 공존할 수 있는 평화체제를 지향했고 그 가치를 훼손하고 힘을 앞세워 제국주의 질서를 강요하는 일제를 질타하고 이토 히로 부미를 주살했습니다.

안중근 의사 의거 100년이 지난 지금 중국대륙에서 새롭게 안중근을 조명하고 있습니다. 그것은 100여 년 전 동양을 위협했던 제국주의 세력이 다시 준동하고 있다는 증거이며 안중근을 통해 공존의 아름다운 가치를 회복하자는 다짐입니다.

안중근 의사는 동양평화론을 저술하기 전에 "인심단합론"이라는 글을 남기셨습니다.

지역차별과 권력 그리고 재력 등 개인과 집단의 상대적 우월을 통해 권력을 행사하거나 집단을 통제하려는 의지를 경계하신 글입니다. 그런 행위는 공동체를 분열하고 해체하는 공공 악재가 되기 때문에 이를 경계하라 하신 것입니다.

해방 이후 지난 70년 우리 사회는 끊임없는 갈등과 분열을 경험하고 있습니다. 이런 상황을 문제로 인식하고 해결하려는 의지를 공동체가 공유하기보다 당연한 결과로 받아들이며 갈등과 분열을 사회 유지 수단으로 이용하고 있습니다.

사회구성원으로 살아가는 한 개체로서 인간은 자신의 의지와 관계없이 역사와 정치 이념의 영향을 받게 됩니다. 안중근 의사는 차이를 극복하고 서로 존중하는 공동체 유지 방법을 "인심단합론"이라 했습니다. "동양평화"는 그를 통해 이루어지는 결과입니다.

우리 사회는 민주화와 경제화 과정에 있습니다.

미완의 제도들은 갈등의 원인으로 작용하고 있으며 아름다운 공동체를 위해 많은 문제를 해결해야 한다는 것을 모두 알고 있습니다.

오늘은 어제의 결과이며 미래의 모습입니다. 지난 역사와 그 안에 실재했던 우리 선열들의 가르침은 우리에게 많은 지혜를 알려 주고 있습니다. 그 중에도 "안중근"이 우리에게 전하려는 "단합"과 "평화"는 깊이 숙고하고 논의를 이어가야 할 우리 시대 가치입니다.

안중근 의사의 독립전쟁과 공판투쟁 등 그분의 모든 행적을 담은 자료를 모아 자료집으로 만들어 우리 시대 자산으로 삼고 후대에 전하는 일에 기꺼이 동참해 오늘 작은 결실을 공동체와 함께 공유하게 되었습니다. 앞으로 이보다 더 많은 자료를 엮어 발간해야 합니다. 기쁜 마음으로 함께 결실을 거두어 낼 것입니다.

안중근 자료집 발간을 통해 많은 분들이 안중근 의사의 나라의 독립과 민족의 자존을 위해 가졌던 열정과 결단을 체험하고 우리 시대 정의 실현을 위해 헌신할 것을 다짐하는 계기가 되기를 바랍니다.

10년이 넘도록 안중근 자료집 발간을 위해 애쓰고 계시는 안중근의사기념사업회, (사)안중근평화연구원 이사장 함세웅 신부님과 임직원 여러분들에게 진심으로 존경과 감사의 인사를 드립니다.

서울특별시의회 새정치민주연합 전 대표의원
양 준 욱

편찬사

　안중근은 1909년 10월 26일 하얼빈에서 대한제국의 침략에 앞장섰던 이토 히로부미를 제거해서 국가의 독립과 동양평화에 대한 의지를 드높인 인물이다. 그에 대한 연구는 한국독립운동사 연구에 있어서 중요한 부분을 이루고 있으며, 그의 의거는 오늘날까지도 남북한 사회에서 적극적 의미를 부여받고 있다. 안중근의 독립투쟁과 그가 궁극적으로 추구했던 평화에 대한 이상을 밝히는 일은 오늘을 사는 우리 연구자들에게 공통된 과제이다.

　안중근이 실천했던 일제에 대한 저항과 독립운동은 5백 년 동안 닦아온 우리 민족문화의 특성을 가장 잘 나타내주고 있다. 조선왕조가 성립된 이후 우리는 문치주의를 표방하며 문민(文民)들이 나라를 다스렸다. 그러나 개항기 이후 근대 우리나라 사회에서는 조선왕조가 유학사상에 바탕한 문치주의를 장려한 결과에 대한 반성이 일어나기도 했다. 문치주의로 나라는 이른바 문약(文弱)에 이르게 되었고, 그 결과로 나라를 잃게 되었다는 주장이 제기된 것이었다.

　그러나 조선왕조가 표방하던 문치주의는 불의를 용납하지 않고 이욕을 경시하면서 정의를 추구해 왔다. 의리와 명분은 목숨만큼이나 소중하다고 가르쳤으며, 우리의 정통 문화를 지키는 일이 무엇보다도 중요함을 늘 일깨워주었다. 이러한 정신적 경향은 계급의 위아래를 떠나서 삼천리강산에 살고 있던 대부분의 사람들의 심중에 자리잡은 문화적 가치였다. 그러므로 나라가 위기에 처했을 때, 유생들을 비롯한 일반 농민들까지도 의병을 모두어 침략에 저항해 왔다. 그들은 단 한 번 무기를 잡아본 적이 없었다. 그렇다 하더라도 우리나라에 대한 상대방의 침입이 명분 없는 불의한 행위이고, 사특한 움직임으로 규정될 경우에는 유생들이나 농민지도자들이 의병장으로 일시에 전환하여 침략에 목숨을 걸고 저항했다. 일반 농민들도 군사훈련을 받지 않은 상태임에도 불구하고 자신의 몸을 던져 외적의 침입에 맞서고자 했다.

그러나 엄밀히 말하자면, 글 읽던 선비들이 하루아침에 장수가 될 수는 없었던 일이며, 군사훈련을 받지 않은 사람을 전선으로 내모는 일은 살인에 준하는 무모한 행동으로 비난받을 수도 있었으나 이러한 비난은 우리 역사에서 단 한 번도 일어나지 않았다. 그 까닭은 바로 문치주의에서 강조하던 정의와 명분은 사람의 목숨을 걸 수 있을 만큼 소중한 것으로 보았기 때문이다.

우리는 안중근에게서 바로 이와 같은 의병문화의 정신적 전통이 계승되고 있음을 확인하게 된다. 물론 전통시대 의병은 충군애군(忠君愛君)을 표방하던 근왕주의적(勤王主義的) 전통이 강했다. 안중근은 전통 유학적 교육을 통해 문치주의의 향기에 접하고 있었다. 그는 무인(武人)으로서 훈육되었다기보다는 전통적인 문인(文人)으로 교육받아 왔다. 또한 안중근은 천주교 입교를 통해서 유학 이외의 새로운 사조를 이해하기 시작했다. 안중근은 전통적 근왕주의를 뛰어넘어 근대의 세례를 받았던 인물이다. 그의 혈관에는 불의를 용납하지 않고 자신을 희생하여 정의를 세우고자 했던 의병들의 문화전통과 평등이라는 가톨릭의 정신이 흐르고 있었다. 이 때문에 안중근의 생애는 전통적인 의병이 아닌 근대적 독립운동가로 규정될 수 있었다.

안중근은 우리나라의 모든 독립운동가들에게 존경의 대상이 되었다. 그는 독립운동가들에게 '역할 모델(role model)'을 제공해 주고 있다. 그의 의거는 한국독립운동사에 있어서 그만큼 큰 의미를 가지고 있었다. 그렇다면 해방된 조국에서 그에 관한 학문적 연구도 본격적으로 착수되어야 했다. 그러나 안중근에 관한 연구는 다른 독립운동가에 비교해 볼 때 체계적 연구의 시기가 상대적으로 뒤늦었다. 그 이유 가운데 하나는 『안중근 전집』이나 그에 준하는 자료집이 간행되지 못했던 점을 들 수도 있다. 돌이켜 보건대, 박은식·신채호·안창호·김구·이승만 등 주요 독립운동가의 경우에 있어서는 일찍이 그분들의 저작집이나 전집들이 간행된 바 있었다. 이러한 문헌자료의 정리를 기초로 하여 그 독립운동가에 대한 본격적 연구가 가능하게 되었다. 그러나 안중근은 아직까지도 『저작전집(著作全集)』이나 본격적인 『자료집』이 나오지 못하고 있다. 이로 인하여 안중근에 대한 연구가 제한적으로밖에 이루어지지 못하고 있다. 그리고 안중근에 대한 본격적 이해에도 상당한 어려움이 따르게 되었다.

물론 안중근의 『자서전』과 그의 『동양평화론』이 발견된 1970년대 이후 이러한 안중근의 저술들을 중심으로 한 안중근의 자료집이 몇 곳에서 간행된 바도 있다. 그리고 국사편찬위원회 등 일부 기관에서는 한국독립운동사 자료집을 간행하는 과정에서 안중근의 재판기록을 정리하여 자료집으로 제시해 주기도 했다.

그러나 안중근에 대한 연구 자료들은 그 범위가 매우 넓다. 거기에는 안중근이 직접 저술하거나 집필했던 문헌자료들이 포함된다. 그리고 그는 공판투쟁과정에서 자신의 견해를 분명히 제시해 주고 있다. 따라서 그에 대해 알기 위해서는 그가 의거 직후 체포당하여 받은 신문 기록부터 재판과정에서 생산된 방대한 양의 기록들이 검토되어야 한다. 또한 일본의 관인들이 안중근 의거 직후 이를 자국 정부에 보고한 각종 문서들이 있다. 여기에서도 안중근에 관한 생생한 기록들이 포함되어 있다. 그리고 안중근 의거에 대한 각종 평가서 및 정보보고 등 그와 그의 의거에 관한 기록은 상당 분량에 이른다.

안중근 의거 직후에 국내외 언론에서는 안중근과 그 의거에 관해 자세한 내용을 경쟁적으로 보도하고 있었다. 특히 국내의 주요 신문들은 이를 보도함으로써 의식 무의식적으로 문치주의적 의병정신에 동참하고 있었다. 안중근은 그의 순국 직후부터 우국적 언론인의 탐구대상이 되었고, 역사학자들도 그의 일대기와 의거를 연구하여 기록에 남겼다. 이처럼 안중근에 관해서는 동시대를 살았던 독립운동가들과는 달리 그의 행적을 알려주는 기록들이 무척 풍부하다.

앞서 말한 바와 같이, 개항기 이래 식민지강점기에 살면서 독립을 위해 투쟁했던 주요 독립운동가들의 전집이나 자료집은 이미 간행되어 나왔다. 그러나 그 독립운동가들이 자신의 모델로 삼기 위해 노력했고 존경했던 안중근 의사의 자료집이 전집의 형태로 간행되지 못하고 있었다. 이는 그 후손으로서 안중근을 비롯한 독립 선열들에게 대단히 면목 없는 일이었다. 따라서 안중근 전집 내지 자료집의 간행은 많은 이들에게 대단히 중요한 과제로 남게 되었다.

이 상황에서 안중근의사기념사업회 산하에 안중근연구소가 발족한 2005년 이후 안중근연구소는 안중근 전집 내지 자료집의 간행을 가장 중요한 과제로 삼았다. 그리하여 2005년 안중근의사기념사업회 안중근연구소는 전집간행을 준비하기 시작했다. 그 과정에서 안중근연구소는 안중근 연구를 필생의 과업으로 알고 있는 신운용 박사에게서 많은 자료를 제공받아 이를 중심으로 하여 전집 간행을 위한 가편집본 40여 권을 제작하였다. 그리고 이렇게 제시된 기본 자료집에 미처 수록되어 있지 못한 별도의 자료들을 알고 있는 경우에는 그것을 제공해 달라고 연구자들에게 요청했다. 한편, 『안중근 자료집』에는 해당 자료의 원문과 탈초문 그리고 번역문의 세 가지를 모두 수록하며, 원문의 교열 교감과 번역과정에서의 역주작업을 철저히

하여 가능한 한 완벽한 자료집을 간행하기로 의견을 모았다.

안중근의사기념사업회에서는 안중근연구소의 보고에 따라 그 자료집이 최소 25책 내외의 분량에 이를 것으로 추정했다. 또한 자료집 간행이 완간되는 목표 연도로는 안중근 의거 100주년에 해당되는 2009년으로 설정했다. 안중근의사기념사업회는 이 목표를 달성하기 위해 백방으로 노력했다. 그러나 안중근 자료집의 간행이라는 이 중차대한 작업에 대한 국가적 기관이나 연구재단 등의 관심에는 큰 한계가 있었다. 안중근의사기념사업회는 정리비와 간행비의 마련에 극심한 어려움을 겪고 있었다. 이 어려움 속에서 안중근 의거와 순국 100주년이 훌쩍 지나갔고, 이 상황에서 안중근의사기념사업회는 출혈을 각오하고 자력으로라도 『안중근 자료집』의 간행을 결의했다. 자료집을 순차적으로 간행하기로 하였다.

이 자료집의 간행은 몇몇 분의 특별한 관심과 노력의 소산이었다. 먼저 안중근의사기념사업회, (사)안중근평화연구원 이사장 함세웅 신부는 『안중근 자료집』 간행의 비용을 마련하기 위해 많은 노력을 기울였다. 무엇보다도 이 자료집의 원사료를 발굴하여 정리하고 이를 번역해서 원고를 제공해준 신운용 박사의 노고로 이 자료집은 학계에 제시될 수 있었다. (사)안중근평화연구원 부원장 윤원일 선생은 이 간행작업의 구체적 진행을 위해 수고를 아끼지 않았다. 안중근의사기념사업회의 일에 깊은 관심을 가져준 여러분들도 『안중근 자료집』의 간행을 학수고대하면서 격려해 주었다. 이 모든 분들의 선의가 모아져서 2010년 5권이 발간되었으나 더 이상 진척되지 못하고 있었다. 여러 어려움으로 자료집 발간이 지체되는 것을 안타깝게 여긴 박원순 서울시장님과 서울시의회 새정치민주연합 전 대표 양준욱 의원님과 임형균 의원님을 비롯한 서울시의원님들의 지원으로 자료집 발간 사업을 다시 추진하게 되었다. 이 자리를 빌려 서울시 역사문화재과 과장님과 관계자들 서울시의원님들에게 심심한 감사의 인사를 드린다. 앞으로 이 자료집은 많은 분들이 도움을 자청하고 있어 빠른 시간 내에 완간될 것이라 생각한다. 이 자료집 발간에 기꺼이 함께한 편찬위원 모두의 마음을 모아 안중근 의사와 순국선열들에게 이 책을 올린다.

광복의 날에
안암의 서실(書室)에서
안중근 자료집 편찬위원회 위원장
조 광

『중국인 집필 안중근 소설 Ⅰ-영웅의 눈물』 해제

신운용*

목차

1. 들어가는 말

1909년 10월 26일 중국 하얼빈에서 이루어진 안중근의거는 중국인에게 크나큰 충격을 주었다. 이 충격은 크게 언론과 연극 그리고 문학 등의 방면에서 집중적으로 표출되었다. 언론에서는 당시 대표적인 신문인 『민우일보』·『신보』 등을 중심으로 의거과정과 재판이 상세하기 조명되었다.

소설과 함께 대중에게 큰 영향을 미치는 연극 공연에서 안중근의 중요한 소재였다. 중국 최초의 안중근 연극은 1910년 말 임천지(任天知)가 상해에서 설립한 진화단(進化團)의 『안중근이 이토 히로부미를 죽이다(安重根刺殺伊藤博文)』로 알려졌는데, 손문이 이를 "이 역시 학교"라고 평하였다.[1] 1915년 귀주에서 달덕학교(達德學校)를 창립한 황제생이 안중근연극을 하였다.[2] 1919년에는 팽배(彭湃)는 "해풍백화극사(海豐白話劇社)를 설립하여 첫 작품으로 안중근을 소재로 한 「조선망국한(朝鮮亡國恨)」을 무대에 올렸다. 이후 안중근을 소재로 한 연극은 1920년 조주(潮州) 조안현(潮安

---

* (사)안중근평화연구원 책임연구원.
1 劉秉虎 『東北亞和平與安重根』, 万卷出版公司, 2006, 80쪽.
2 戴問天, 「以音乐、戏剧教育大众：陶行知先生教育实践的一个重要侧面」, 『歌劇』雜誌, 2009.

縣)의 개원사(開元寺)에서 5·1절 경축 연극으로 『안중근이 이등박문을 격살하다(安重根刺殺伊藤博文)』가 공연되었다.[3] 또한 5·4"운동 1주년기념대회에서 조주청년도서사(潮州青年圖書社)가 『안중근이 이토를 죽이다(安重根刺殺伊藤)』를 무대에 올렸다.[4]

그리고 고무위(顧無爲) 등이 조직한 도사(導社)도 1920년~1925년에 무한 등에서 『안중근이 이토를 죽이다(安重根刺殺伊藤)』를 공연하였다.[5] 이외 많은 곳에서 안중근 연극이 공연되었는데, 주은래(周恩來)와 등영초(鄧穎超)가 천진에서 공연한 『안중근(安重根)』은 널리 알려져 있다.

문학 분야에서는 크게 전기류와 소설류로 분류하여 살펴볼 수 있다. 전기류로는 쌍영(雙影)의 『망국영웅지유서』[6], 자필(資弼)의 『안중근외전』[7], 정원(鄭沅)의 『안중근』[8]등을 들 수 있다.

소설류는 이 자료집에 실린 냉혈생의 『성세소설 영웅루』가 대표적인 작품이라고 할 수 있다. 이외에 해구(海구漚)의 『애국원앙기(愛國鴛鴦記)』[9], 예질지(倪軼池)·정병해(莊病骸)의 『망국영(亡國影)』[10], 양록인(楊鹿因)의 『회도조선망국연의(繪圖朝鮮亡國演義)』[11]의 소설이 안중근을 다루고 있다.

그런데 안중근의거에 대한 동북삼성 청국인들의 반응은 대단히 뜨거웠다. 이는 중국최초의 안중근 관련 소설인 『성세소설 영웅루』가 1911년 심양의 동지회를 배경으로 한 사실에서 증명된다. 이 소설의 의미는 유명 소설가 소군(蕭軍)이 자신의 아버지가 『성세소설 영웅루』를 읽고서 "안중근의사를 봐라, 자기와 담략이 있는 사나이 대장부가 아니냐! 너라면 그렇게 할 수 있느냐!"고 할 정도였고 소군 자신도 "안

---

3 潮州風情『闖過開元』(http://www.csfqw.com/html/49/200504221454049957.html.).

4 陳韩星主編, 앞의 책, 507쪽.

5 武漢地方誌編纂委員會主編, 『武漢市誌·文化誌』, 「武漢(話)劇團、社一覽表」, 武漢大學出版社, 1998年 2月 第1版, 155쪽.

6 雙影, 「亡國英雄之遺書」, 『禮拜六』, 1916.

7 資弼, 「安重根外傳」, 『小說新報』, 1919.

8 윤병석, 『安重根傳記全集』, 국가보훈처, 1999.

9 해구(海구漚), 「애국원앙기(愛國鴛鴦記)」, 『萬權素』7, 1914; 문정진, 「중국 근대소설과 안중근(安重根)」, 『안중근 연구의 기초』, 안중근의사기념사업회, 경인문화사, 2009; 류창진, 「한국 소재 中國 近代小說 속의 韓國 認識과 時代 思惟」, 『중국소설논총』19, 한국중국소설학회, 2004, 참조.

10 예질지(倪軼池)·정병해(莊病骸), 「망국영(亡國影)」, 上海 國華書局, 1915. 문정진, 「중국근대소설과 안중근(安重根)」, 『안중근연구의 기초』(안중근의거 100주년 기념연구논문집 2), (사)안중근평화연구원, 2010, 418~495쪽, 참조.

11 양진인 지음·임홍빈 옮김, 『조선은 이렇게 망했다: 근대 격동기 지식인의 입체적 역사소설』1-2, 알마출판사, 2015; 柳昌辰, 「繪圖朝鮮亡國演義」小考, 『中國小說論叢』21집, 2005 참고.

중근의사를 숭배하는 점은 우리부자가 한 마음이었다."라고 회상하면서 "아들에게 안중근과 같은 인물이 되라"라고 한 데서도 알 수 있다[12]

이러한 점에서 『성세소설 영웅루』를 안중근 관계 자료의 일환으로 선정하여 이 책에 번역본과 탈초본 그리고 원본을 편철하였음을 밝혀둔다. 아울러 앞으로 자세히 설명되겠지만 1914년도 판본 『수상 영웅루 국사비 전집』의 『성세소설 영웅루』과 1919년도 판본 『회도 성세 소설 국사비 영웅루 합각(繪圖 醒世 小說 国事悲 英雄淚 合刻)』의 「성세소설영웅루(醒世小說英雄淚)」도 일반에제공하기 위해 이 책에 수록하였다.

2. 『성세소설 영웅루(醒世 小說 英雄淚)』의 간행 목적과 저자

1911년 봄에 출간된 것으로 보는 『성세소설 영웅루』[13]는 현재까지 저자가 누구인지 알려져 있지 않다. 다만 필명이 냉혈생인 점이 확인되었을 뿐이다.

윤병석은 『성세소설 영웅루』의 필자를 박은식이라고 보고 있다. 그는 그 근거로 하와이 대학에 소장되어 있는 『재외배일선인유력자명부』에 『성세소설 영웅루』가 박은식의 저작으로 되어 있다는 점, 이 소설의 역사적 배경과 전개가 『한국통사』와 『안중근전』을 대본으로 삼은 '한국명망의 원인'으로 간주되는 점, 박은식이 1915년 발간된 『한국통사』에서 박은식의 『영웅루 국사비』를 일제총독부가 금서로 지목하여 수색 압수하여 불태운 목록에 들어 있다는 점, 이 소설의 자서(自序)의 필체가 박은식의 간찰 필체를 방불하여 그의 필적일 가능성이 크다는 점, 이 소설의 목적이 박은식의 '국민교화'와 같다는 점 등을 들고 있다.[14]

그러나 『재외배일선인유력자명부』에 박은식의 저서 목록에 『영웅루』가 언급되어 있지만, 이는 일제의 착각일 가능성이 대단히 높다. 왜냐하면 다음에서 보듯이 윤병석의 주장대로 『성세소설 영웅루』를 박은식의 작품이라고 단정할 수 없기 때문이다.

서(敍)

---

12 徐塞, 「蕭軍的文學道路」, 『문학평론』11, 中國社會科學出版社, 1982, 163쪽.
13 글쓴이는 이를 '1911년도 판본'이라고 편의상 명명하고자 한다.
14 윤병석, 「박은식의 민족운동과 한국사 저술」, 『한국사학사학보』6, 2002, 89쪽.

그 나라의 국민을 새롭게 하려면 먼저 그 나라의 소설을 새롭게 만들어야만 한다. 소설이란 사람들의 기재를 진작시키고 은미한 사람들에게 감동을 주는 것이다. 경술년 가을(8월) 일본이 한국을 합병하였다. 이는 중국 봉천성(奉天省, 즉 지금의 요령성)의 운명과 관계되는 중대한 일이다. 중국 존망이 경각에 달려 있다. 이 문제는 또한 중국 지사들에게 크나큰 충격을 주었다. 급히 나라를 보존할 방책을 세워야 한다.

우리 학교 동문이 이에 느낀 바가 있어 동지회를 설립하여 나에게 민기를 고취하는 소설을 써보라고 하였다. 나는 스스로 천박하고 고루하여 부끄럽기 짝이 없고, 이런 일을 감당할 능력도 없다. 동지들이 나에게 소설을 쓰라고 진정으로 청하므로 한국 멸망 원인을 찾아서 이 책을 쓰게 되었다. 그리하여 곧바로 석판으로 인쇄를 하였다. 우리나라의 여러 동지들이 이 책을 읽게 되면 열성적인 애국심이 불러일으켜질 것이다. 단연코 그러할 것이다.

여기에서 알 수 있듯이, 『성세소설 영웅루』의 저자는 양계초의 소설론[15]을 계승하여 소설의 시대적 사명을 중국인들을 계몽시키는 중요한 수단으로 보고 있다는 점, 이 소설 속 주인공의 활동 무대가 지금의 요령성이라는 점, 대한제국과 청국 동북삼성을 순치관계로 인식하고 있다는 점, 1910년 일제의 한국병탄을 크나큰 위기의식으로 받아들이고 있는 점, 같은 학교 출신의 동문으로 구성된 동지회의 권유로 대한제국의 멸망을 중국의 타산지석으로 삼기 위해 이 소설을 썼다는 점 등에서 한국인 박은식의 시각이 아니라 중국인의 시각이 반영되어 있다는 점이다.

무엇보다 이 소설 저자의 의식세계를 판단하는 데 있어 한국관은 대단히 중요하다. 이 소설에서 저자는 대한제국을 "청나라의 속국"이라고 인식하고 있다.[16] 윤병석이 『성세소설 영웅루』의 저자가 박은식이라는 주장이 옳다면 박은식은 대한제국을 청국의 소국으로 인식하고 있는 것이다. 하지만 박은식이 이 시기에 대한제국을 청의 속국으로 인식하고 독립운동을 펼쳤을 가능성은 거의 없다고 보는 것이 타당하

---

15 양계초는 「論小說與群治之關係」에서 "민중을 다스리는 방법을 개혁하려면 반드시 소설계부터 혁명을 시작해야한다. 백성을 새롭게 하고자 한다면 반드시 소설을 새롭게 하는 것부터 시작해야 한다."고 주장하였다. 이는 이 소설의 서와 일치하는 것이다. 이점에서 냉혈생은 양계초의 소설론을 계승한 것으로 보아야 한다. 이에 대해서는 문정진, 「19세기말 애국적 담론과 신소설의 정체성」, 『중국어문논역총간』 5, 중국어문논역학회, 2000, 참조.

16 신운용 편역, 『중국인 집필 안중근 소설 I-영웅의 눈물』(안중근 자료집 25), (사)안중근평화연구원, 2016, 15쪽.

다. 결국 이 소설은 중국인을 대상으로 한 중국인을 위한 소설이라는 점에서 윤병석의 주장은 신빙성이 전혀 없다고 봐야 한다.

이러한 점에서 이 소설의 필자에 대해 황재문은 양계초와의 관련성과 소설의 내용을 들어 박은식일 가능성이 완전히 없는 것으로 보고 있다.[17] 그리고 박재연은 계림 냉혈생(鷄林 泠血生)이라는 필명의 계림이 길림(吉林)과 같이 '지린'이라고 발음하고 있다는 점을 들을 저자가 길림출신이라고 주장하고 있다.[18] 이와 관련하여 김시준은 계림향(鷄林鄕)이라는 지명이 흑룡강성에도 있다는 점에서 저자의 출신을 길림이라고 특정 지울 수 없다고 하면서도 동북지역의 인사일 것이라고 주장하였다.[19]

이상에서 보았듯이, 이 소설의 저자는 박은식일 가능성은 극히 낮다. 정확히 저자가 누구인지 특정할 수 없지만, 분명한 점은 중국 동북 방언이 소설에 보인다는 점에서 중국 동북삼성 출신이거나 적어도 이곳에서 활동하면서 같은 학교 출신의 동지회의 일원이라는 사실이다.

무엇보다도 이 소설이 청대에 민간에서 유행한 민간공연의 대본으로 강창(講唱)문학의 한 분야인 고사(鼓詞) 형식을 띠고 있다는 점도 주목해야 한다. 이는 한국의 판소리와 같이 민간에 공연된 대본을 냉혈생이 강창 소설로 정리한 것임을 의미한다. 다시 말해 이 소설은 특정 소설가의 작품이라기보다도 청국 동북삼성 사람들의 현실인식을 반영하고 있는 작품이라고 할 수 있다. 다만 냉혈생이 이를 정리하여 출간한 것으로 볼 수 있다.

그런데 여기에서 주목할 점은 『성세소설 영웅루』는 1914년과 1919년 두 번에 걸쳐 다시 출간되었다는 사실이다. 1914년에 출간된 『성세소설 영웅루』는 『수상 영웅루 국사비 전집』에 포함되어 '학림[20] 냉혈생저 성세소설 영웅루 상해광익서국(廣益書局) 총발간'이라는 표제로 간행되었다.[21] 1911년도 판본과 삽화·내용은 거의 같고 다만 글자의 배열 차이가 있을 뿐인 이 소설이 1914년 10월 4일 다시 간행되었다는 사실은 「서」의 말미에 민국삼년세차갑인중추냉혈생자서(民國三年歲次甲寅仲秋泠血生自序

---

17 황재문, 「서간도 망명기 박은식 저작의 성격과 서술방식」, 『진단학보』 98, 2004, 162~164쪽.
18 박재연 교점, 『영웅루』, 학고방, 1995, 1~2쪽.
19 김시준, 「중국문학작품에 묘사된 한국독립군의 항일투쟁」, 『한반도와 만주의 역사문화』, 서울대학교 출판사, 2003, 234~236쪽.
20 1911년에는 계림으로 되어 있고 1919년본에는 계림·학림이라는 표기는 없다.
21 일본외교사료관, 『新聞雜誌出版物等取締関係雑件』 第二卷(문서번호: 1.3.1-4).

自序)라고 한 기술에서 확인된다.

이 소설이 다시 간행되자, 일제는 다음과 같은 1915년 7월 2일자 보고서에서 보는 바와 같이 민감하게 반응하였다.

지나 출판물손부의 건

수상 영웅루 국사비 전집전 8책

위 출판물은 일본의 한국병합[22]과 러시아의 폴란드병합을 설명하면서 이권의 옹호를 주창하고 있다. 특히 안중근이 이토공을 살해한 기술을 하여 전체적으로 배일 목적의 저술임이 인정된 바, 상해에서 대련 지나 서점으로 온 것을 발견하였는데 이는 공안을 해치는 것으로 인정되어 그 발매를 금하고 압수하였으므로 참고로 한 부를 보낸다.[23]

1919년도 판본은 『회도 성세 소설 국사비 영웅루 합각(繪圖 醒世 小說 国事悲 英雄淚 合刻)』라는 전집에 『성세소설영웅루(醒世小說英雄淚)』라는 제목으로 합철되어 있다.[24] 저자가 교육계에 몸담고 있다는 점, 이 소설의 출간이 대한제국의 멸망을 타산지석으로 삼기 위한 동지회의 권유에 따른 것이라는 1911년도 판본·1914년도 판본의 내용은 1919년도 판본에서도 확인되고 있다.

그러나 19119년도 판본과 1914년도 판본에서는 기술되지 않은 "저작기간이 3개월여"라는 점, "교정을 한 인물이 경동인(經同人) 진군(陳君)" 즉 경동 출신의 성이 진씨라는 점은 1919년도 판본에서만 확인된다. 구체적으로 진씨가 누구인지 알 수 없으나 냉혈생이 봉천지역 교육계에서 활동하는 동지회를 배경으로 진씨의 도움을 받아 이 소설을 완성하였다는 점은 분명하다.

그런데 『회도 성세 소설 국사비 영웅루 합각(繪圖 醒世 小說 国事悲 英雄淚 合刻)』출

----

22 병합이라는 용어는 대한제국이 스스로 일제의 판도 속으로 들어갔다는 의미로 일제는 사용하고 있다. 그러므로 이러한 용어를 사용하는 것은 부적절함을 밝혀둔다. 자세한 것은 신운용, 「국치(일)투쟁의 전개와 그 의미」, 『한국민족운동사연구』 66, 한국민족운동사학회, 2011 참고.

23 일본외교사료관, 「外交問題ニ関スル支那出版物取締ノ件」, 『新聞雜誌出版物等取締関係雜件』 第二巻(문서번호: 1.3.1-4).

24 일본외교사료관에도 소장되어 있다(『支那排日関係雜件/排日教科書』 第四巻(문서번호: 3.3.8-6)), 이는 필자도 소장하고 있다.

판연도가 1919년이라는 점은 다음의 일제 기록에서 확인된다. 특히 이 소설이 한국인과 중국인들의 항일사상을 고취할 우려가 있어 발매와 반포 금지에 혈안이 되었다는 것을 아래의 1919년 9월 22일자 보고서에서 확인할 수 있다.

> 「성세 소설 영웅루 송부에 관한 건」
>
> 별포(別包)로 첨부한 성세소설영웅루(醒世 小說 英雄淚)(학림냉혈생 저 상해광익서국총발행소(鶴林冷血生著 上海廣益書局總發行所))라는 불온출판물당지(琿春)에서 구입하여 일람한 바 그 내용이 불온하여 시국에 지나인과 조선인의 호기심을 자극하고 조선인의 불령사상을 격발할 것으로 인정되므로 특히 지나 측에 대해 이 서책의 발매반포를 금지하도록 교섭하였다. 이는 이미 다른 영사관으로부터 보고도 있었으므로 모두 보고하는 바이다.[25]

그런데 이 소설의 저자와 관련하여 양록인(楊鹿因)이 1920년 4월 익신서국(益新書局)에서 간행한 『회도조선망국연의(繪圖朝鮮亡國演義)』를 주목할 필요가 있다. 이 소설은 등장인물과 그 설정이 냉혈생의 『성세소설 영웅루』와 대단히 비슷하다. 이점에서 『회도조선망국연의』는 『성세소설 영웅루』의 모방소설이라고 할 수 있다. 이러한 주장이 옳다면 양록인이라는 중국근대 유명 소설가가 모방을 넘어 '표절'한 것이 된다. 문제는 이미 널리 퍼져 있는 『성세소설 영웅루』를 양록인이 과연 표절하였을까 하는 점이다. 출판사에서 양록인의 명성을 이용하여 간행하였을 가능성은 없을까 하는 점도 생각해 볼 여지가 있다. 이도 아니라면 양록인 자신이 쓴 『성세소설 영웅루』를 수정하여 『회도조선망국연의』를 출간하였을 가능성도 배제해서는 안 된다. 하여튼 이 두 소설이 어떤 관계가 있는지 하는 점은 앞으로 밝혀야 할 과제이다.

3. 『성세소설 영웅루(醒世 小說 英雄淚)』의 구성과 내용

이 소설은 아래에서 보는 바와 같이 제1권(1회~제5회), 제2권(6회~13회), 제3권(14회~21

---

25 일본외교사료관, 「醒世小說英雄淚送付に關する件」, 『支那排日関係雜件／排日教科書』 第四卷(문서번호: 3.3.8-6).

회), 제4권(22회~26회)으로 4권 26회로 구성되어 있다. 그 내용을 정하면 다음과 같다.

제1회 대원군이 예수교를 학대하고, 민영준이 일 병선을 잘못 쏘다

저자는 "이 책은 한국이 일본에 모욕당하다가 결국 일본에 귀속되는 사실에 관한 이야기다"라고 하여 대한제국이 패망을 소설의 소재로 삼았음을 밝히고 있다. 청국이 대한제국을 소국이라고 부르는 대한제국의 사람들이 청국인을 망국인이라고 부를 것이라고 경고하고 있다. 특히 저자는 철저한 준비를 하지 않으면 동북삼성도 대한제국의 전철을 밟을 것이라고 강조하고 있다. 여기에서 저자는 러시아와 일본에 대한 경계의식을 보이면서 대한제국을 황제와 기자의 후손이라는 시각에서 청의 속국이라는 인식을 드러내고 있다. 이는 고종이 원세개를 찾아가 종주국(청국)이 속국(조선)을 보호하는 것이 당연하다고 주장하는 장면[26]을 그린 제10회에서 보는 바와 같이 이 소설의 전반에 흐르는 기본적인 시각이다.

대한제국을 몰락시킨 일제에 대한 경계를 드러내는 동시에 청의 속국 대한제국을 일본에 빼앗겼다는 '제국주의'적 시각에서 벗어나지 못 한 청말 지식인의 한계를 여기에서 확인할 수 있다.

이후 이토 히로부미가 일본의 정계에 등장하는 과정을 그리고 있다. 명치유신을 긍정적으로 평가한 저자는 이토가 일본을 강대하게 만든 공신으로 평가하면서도 동북삼성을 침탈하려고 하는 상황을 묘사하고 있다. 또한 청국 관료들이 백성을 탄압하는 정책으로 일관하고 있고 일제의 침략에 대응하지 못하고 있다고 청국의 현실을 비판하고 있다.

저자는 조선의 현실에 대해서도 대원군의 기독교탄압을 언급하면서 "영국과 미국의 국력이 그처럼 강대한 것도 예수교 신자들의 선교활동과 관련 있습니다."[27]라고 하여 기독교를 대단히 긍정적인 모습을 보고 있다. 이후 저자는 미국에 대한 좀 과할 정도로 높이 평가하는 양상을 드러내고 있다.[28] 여기서 냉혈생의 미국인식을 읽을 수 있다. 결국 이 소설에서 안중근 등의 대한제국의 인재들이 미국 유학을 통해

----

26 이 소설에 등장하는 대부분의 영웅들은 스스로 대한제국이 청의 속국임을 자임하는 것으로 그리고 있다.
27 신운용 편역, 『중국인 집필 안중근 소설 I-영웅의 눈물』(안중근 자료집 25), (사)안중근평화연구원, 2016, 22쪽.
28 신운용 편역, 『중국인 집필 안중근 소설 II-영웅의 눈물』(안중근 자료집 26), (사)안중근평화연구원, 2016, 6쪽.

구국방책을 강구하는 것으로 설정한 이유가 드러난다.

기독교가 조선에 전파되면 조선이 강대해질 것을 우려한 이토가 자신의 하수인 무기타 하루를 통해 김굉집을 매수하여 통상조약을 맺고 운재소를 평양으로 추방하여 기독교를 탄압하는 조치를 취하게 하였다고 그리고 있다.

제2회 통상조약을 체결하고, 대원군이 귀정(歸政)하여 영사관을 공격하기 위해 군사를 일으키다

이 회에서는 양요(洋擾)를 이용하여 김굉집이 운재소를 제거하려고 하였으나 오히려 운재소가 양요를 잘 막아 13도 제독으로 승진하였다고 하면서, 이토의 간계로 오오야마 이와(大山 岩)가 강화도를 침략하였으나 민영준이 막아내는 과정을 묘사하였다. 그리고 조약을 체결하는 과정을 그리었다.

미국과 프랑스인들이 이홍장을 찾아와 일제의 강화도 침략상황을 설명하고 일제의 청국 침략 가능성을 경고하였으나 이홍장은 조선이 독립국임을 들어 조선의 내정에 간섭하지 않겠다는 생각하고 있는 것으로 묘사하였다. 그러면서 일제의 침략을 준비할 것을 역설하고 있다.

무기타 하루·하나부사(花房)가 일제의 뇌물을 먹은 김굉집과, 대원군을 앞세워 일제의 강화 침략을 호도하여 강화도조약을 체결하는 장면과 명성황후의 부상을 그리었다. 저자는 명성황후에 대해 "황후의 일처리가 사뭇 사리에 밝았기 때문에 나라 백성들도 아주 만족스러워 하였다."[29]라고 긍정적으로 평가하였다. 이러한 명성황후 평가는 소설의 전개과정에서 두드러지게 나타난다. 반면 고종을 무능하고 유약한 존재로 그려지고 있다.

특히 일제의 지원을 받는 김굉집 대원군 등의 부일세력과 명성황후와 운재소 후필 안중근 등의 세력의 대립을 이후 그려지고 있다. 우전충을 이용하여 대원군 세력의 재부상과 하나부사 등의 일본세력의 후퇴를 묘사하였다.

제3회 대원군을 폐하고 군왕과 황후가 정권을 잡고, 변법을 도모하니 신·구세력이 충돌하다

---

29 신운용 편역, 『중국인 집필 안중근 소설 I-영웅의 눈물』(안중근 자료집 25), (사)안중근평화연구원, 2016, 38쪽.

이 회에서는 우선 청국을 침략한 영국군을 응징한 말과 소의 일화를 소개하면서 외세에 대한 대항을 강조하였다. 우전충의 도움으로 권좌에 복귀한 대원군은 우전충의 미국망명에 따라 군란은 평정되어 실각하여 명성황후가 권좌에 복귀하였다고 하였다.

조선인의 일본공사관 공격을 핑계로 이토의 계략에 따라 이노우에 가오루(井上馨)·오오야마 이와(大山岩)의 조선침략 계획이 이홍장에게 알려지고 장수성(張樹聲)이 정여창(丁汝昌)과 마건충(馬建忠)을 보내어 결국 청일전쟁이 발발하였고 청국의 패전 과정을 그렸다.

한편 명성황후는 내무대신 구기(寇基)을 시켜 김굉집를 제거하는 과정을 묘사하면서 이토에게 넘어간 김옥균의 귀국에 따른 박영효 등의 부일당과 민영익 등의 부청당의 등장과 대립을 그리면서 갑신정변의 발발을 그렸다.

제4회 오제독(吳提督)이 서울에서 크게 싸우고, 형제는 화목하고 가정 편안하다

오제독(吳提督)의 갑신정변, 일본세력 진압, 김옥균의 일본 망명을 그리면서, 이토와 김옥균 등 부일세력이 조선에서 중국에 의해 내쫓긴 원인이 명성황후에 있다고 여기고 있으며 조선에서 일제의 지배력을 확보하기 위해 이노우에를 조선에 파견하여 명성황후 제거 계획을 결정하고 실행에 옮기는 과정을 그렸다. 그리고 황해도 출신으로 서울에서 살고 있던 안열공 즉 안태훈(안중근의 아버지)과 안중근을 등장시켰다. 안열공의 부인이자 안중근의 어머니가 바로 운재소 사촌여동생 장씨라고 설정하였다. 이들이 갑신정변으로 서울을 떠나 운재소에게 가는 과정을 그렸다.

제5회 길에서 안 진사는 봉변을 당하고, 인리촌(仁里村) 후필이 대의를 베풀다

일본강도를 만나 안열공을 죽고 겨우 안열공 부인과 안중근이 미국유학을 마치고 농비대를 거느리며 세상을 떠난 일곱 살까지 길러준 형과 형수의 아들 후진과 살고 있던 후필의 도움을 받고 겨우 살아나 운재소의 집으로 무사히 도착하는 장면을 묘사하였다.

평양의 운재소에게 일본 도적에 안열공이 죽고 후필의 도움으로 안중근 모자가 살아난 과정을 설정하면서, 후필에게 당한 일본 도적들이 교섭국 총리 인 박영효의 조카 임충에게 고발하여 후필을 체포하려고 것을 후필의 의형제 황백웅이 후필에게 전하는 장면을 그렸다.

제6회 한국으로 인하여 중일이 조약을 체결하고 황후는 나라를 위해 흉변을 당하다

이회에서는 우선 주방이라는 사람의 나무가 이계용이라는 노인의 집을 덮친 사건을 통하여 국권수호의 당연함이 강조되었다. 후필이 황백웅의 권유를 받아들여 황백웅의 친구로 평양에 살고 있는 이정에게 신세를 지기로 하였다.

한편 이토는 조선에서 세력을 회복하기 위해 이홍장을 천진으로 찾아가 조선의 '난'을 평정하기 위해 조약을 체결하는 것으로 설정하고, 이홍장이 청국의 속국인 조선을 평정하기 위해 일본과의 조약 체결을 비판하면서 조선의 멸망을 이홍장의 죄라고 평가하였다.

이러한 상황에서 이노우에는 일제의 조선침략 걸림돌이라고 여겨 명성황후를 없애기 위해 박영효 등의 부일세력과 모략을 꾸미고, 결국 박영효의 하수인 곽건수에게 명성황후를 죽이라고 하였다. 명성황후에게서 부일세력의 일소를 지시받은 구대감은 운재소를 구대감의 친척 구본량을 시켜 서울로 불러 부일세력 제거 계획을 세웠다. 구본량이 구대감의 아들 본봉과 평양으로 갔다. 그러나 명성황후는 곽건수에게 죽임을 당하고 만다.

이처럼 냉혈생은 명성황후의 죽음을 일제에 의한 직접적인 행위로 그리지 않고 있다. 사실 박영효는 명성황후 죽음과 관련이 있다는 증거는 어디에도 없는데도 일제의 지시를 박영효 등 부일세력의 짓으로 그리고 있다. 물론 이는 제7회의 서두에서 역사적인 사실이 아님을 스스로 실토하지만 냉혈생이 명성황후 '시해' 사건에 대한 지식의 결여에 따른 결과로 보인다.

제7회 구본량(寇本良)이 천리 밖에서 편지를 띄우고, 후필은 평양에서 주연(酒宴)을 베풀다

명성황후를 죽인 곽건수가 이번에는 반역죄를 꾸미며 구대감과 운재소를 없앨 것을 박영효에게 요청하자, 박영효는 고종의 허락을 받아 구대감을 죽인 것으로 그리고 있다. 하지만 구본량은 구본봉과 무사히 빠져 나와 평양으로 다가가 친왕 이응소의 아들 이수소에게서 명성황후가 죽은 일, 박영효가 구대감과 운재소를 해하려고 하여 구대감이 죽은 일을 듣고서 수소의 천리마를 빌려 평양으로 달려갔다. 박영효가 운재소 상경을 명하는 고종의 명령서를 곽건수에게 주어 평양으로 보낸다.

한편, 안중근 모자는 운재소 집으로 온지 3년이 되었고 운재소의 동생 재수의 아들 낙봉과 안중근이 워싱톤에 대한 이야기를 운재소에게 자세히 듣는다. 안중근이 워싱턴과 같은 선생이 필요하다고 한 안중근의 말을 듣고 선생님을 초청한다는 방을 보고 후필이 운재소의 집으로 왔다. 안중근 모자와 후필은 다시 만나게 된다.

제8회 운재소(雲在霄)가 친일당의 목을 자르고, 김유성(金有聲)이 동학부흥을 부르짖기 시작하다

후필은 만난 안중근의 어머니와 운재소에게 그동안에 겪을 일을 설명하였다. 이후 후필은 안중근·낙봉·재수·진금가·악공·손자기·왕신지·소감·조덕중 등을 가르쳤다. 이들은 나중에 모두 미국을 유학을 가게 된다.

한편 본량과 본봉은 운재소를 만나 그동안 있었던 일을 소상하게 아뢰었다. 운재소는 결국 본량을 잡기 위해 평양으로 온 곽건수를 잡아 서울로 올라가 곽건수·박영효 등 부일세력을 처단하고 명성황후의 죽음을 고종에게 알렸다.

제9회 김옥균이 완용에게 편지를 띄우고, 동학당이 전라도에서 난을 일으키다

후필과 헤어진 황백웅이 우연히 후필과 인연이 깊은 김유성과 전중포·요재천 세람의 인재를 만났다. 이 세사람은 동학을 부흥시킬 꿈을 갖고 있었다.

한편, 이토의 간계로 김옥균은 부일세력을 처단한 운재소에 대한 원한을 갚기 위해 동학당에 침투하여 동학당의 지도자가 되었다.

황백웅은 이 세 사람과 의형제를 맺고 동학당에 들어갔다. 이들이 이끄는 동학세력은 마침내 세력을 확대하여 전라도 일대를 장악하고 몇 만 명에 달하였다. 김옥균은 동학당에 들어가 독통으로 추대되고 이토의 계략이라고 하여 조정 내에 자신과 친한 이완용과 내통할 계획을 토록하고 이를 실행에 옮겼다. 김옥균의 계획대로 동학세력은 태인현을 점령하였다. 그러나 반일을 기치로 일어나 동학에 대한 이러한 설정은 역사적 사실이 전혀 아니다. 이처럼 무리한 설정은 오히려 동학에 대한 냉혈생을 비롯한 청국인들의 인식이 반영된 것으로 이해된다.

냉혈생은 이러한 점을 의식하였는지, 일제와 학정에 반대하여 일어난 동학이 김옥균·이완용 등의 부일세력과 손을 잡은 것에 대해 큰 실수라고 평가하는 것으로 처리하였다.

제10회 홍계훈(洪啓勳)은 고부에서 패전하고, 후필은 유성을 깨우치다

동학세력이 태인현을 점령하자, 태인현 지사 우징이 전주 도독 홍계훈에게 병사

3000명을 이끌고 태인현으로 출동하였다. 하지만 고부 지사 서존을 만나 고부로 가서 고부의 동학당을 진압하였으나 김유성에게 당하여 퇴각하였다.

향후 진로를 놓고 논의한 끝에 김유성, 황백웅 등이 후필에게 도움을 요청하였다. 하지만 후필은 동학당의 지도자가 되어달라는 황백웅의 요청을 듣고 전주로 가서 이들과 만난다.

한편, 홍계훈의 보고를 받고 당황한 고종은 친왕 이응번의 조언을 듣고 청국의 도움을 요청하기 위해 청국 영사관으로 원세개를 직접 찾아가 청국을 상국이라고 하면서 도움을 청하였다. 이를 받아들인 청국은 해군제독 정여창과 직예제독 엽지초가 조선으로 출병하였고, 이토는 이를 이용하여 동시에 조선으로 군대를 보내어 결국 청일전쟁이 일어나게 된다. 결국 청국이 패하는 과정을 묘사하였다.

제11회 중국이 동학당을 평정하고, 일본이 한국 정치를 개혁하다

황백웅의 편지를 받고 후필은 부일세력과 결탁하였다는 점과 청군이 출동한 점을 들어 거부하여 다른 방안을 제시할 생각으로 전주로 달려갔다. 후필은 이들에게 국가를 바로 잡으려면 공부를 해서 민지를 고양시켜야 한다며 자신의 경험과 발전된 미국상황을 들려주며 미국 유학을 권하였다.

김옥균은 후필의 가르침을 듣고 자신이 그동안 한 일들을 반성하였고 김유성도 자신의 행위가 잘못되었음을 실토하였다. 결국 지도부를 잃은 동학당은 청군의 진압으로 자멸하였다.

여기에서 냉혈생의 지향점을 잘 읽을 수 있다. 그는 현실을 무력으로 개혁하기보다 미국을 모델로 한 계몽주의적 입장에 서 있음을 알 수 있다.

한편 이토는 동학진압을 위해 청군이 출병한 것을 이용하여 조선 침략을 계획한다.

제12회 한국 때문에 중일 양국은 전쟁을 하고, 독미 양국은 강화를 주장하다

동학당 진압을 핑계로 조선에 주둔한 일제의 내정간섭을 견디다 못한 고종이 청국 영사관으로 원세개를 찾아가 '귀국은 우리나라의 조국', '순치관계' 운운하며 도움을 요청하였다. 그리하여 원세개가 야마가타 아리토모를 찾아가 조선은 청국의 속국이라는 논리로 철수를 요청하지만 야마가타 아리토모는 천진조약, 조선의 내정개혁, 일본인의 보호, 조선이 독립국이라는 명목으로 원세개의 요구를 거부하였다.

여기에서 보듯이 냉혈생은 조선과 청국이 종주국과 속국관계임을 다시 한번 강조한다. 결국 조선의 문제를 해결할 주체는 청국이라는 것이다. 이러한 의식은 단순히 냉혈생만이 갖는 사고방식이 아니라 당시 청국인의 기본적인 시각임을 이 소설은 보이고 있다.

일제의 속국 조선 장악에 자존심이 상한 청국은 결국 자보귀·위여귀의 6만 군사를 조선에 파견하여 청일전쟁이 시작된 것이다. 하지만 청일전쟁에서 청국이 일본에 패하고 만다. 그 원인을 냉혈생은 군사들의 훈련과 전투의지 부족, 이홍장의 소극적인 자세를 들고 있다.

제13회 이홍장이 마관조약을 체결하고, 일본정부가 한국을 감독하다

고야마에게 테러를 당하는 등 어려움을 겪은 이홍장은 독일과 미국의 중개로 한국의 독립국가 인정, 배상 2억 만 냥, 대만·요동반도 등의 할양, 중경·항주 등의 개방 등의 조건을 받아들여 이토와 시모노시키 조약을 체결하였다. 냉혈생은 이 조약으로 이로 "한국은 일본의 관할하에 들어갔고 중국은 무시당하였다. 일본이 한국을 얻었으므로 중국 동북삼성을 탈취할 것이다. 여러분! 두렵지 않은가? 이 땅은 황제 땅이 아니라, 우리 백성들이 이 땅의 주인이다. 땅 주인이 자기 땅을 보호할 수 없다면 결국 다른 사람에게 수모를 당하게 된다."[30]라고 강조하였다. 또한 김유생의 청일전쟁 평가를 "중국이 승전한다면 한국이 망하지 않게 되고 일본이 승전하면 한국은 아침은 있으나 저녁은 없을 것"[31]이라고 설정하여 조선인이 스스로 청국의 속국을 자처하다고 그리고 있다. 결국 냉혈생은 청일전쟁 패전을 동북삼성에 대한 직접적인 위협으로 받아들이고 있는 것이다.

제14회 약한 국력을 걱정하는 영웅이 모친과 작별하고, 학문이 깊지 못하다고 여기는 지사들이 유학길에 오르다

후필의 권유와 운재소의 재정 지원으로 안중근 등 자신의 제자들을 미국 유학을 보낸다. 이 때 안중근은 자신의 아버지가 죽은 이유와 후필과의 인연을 알게 되고 이토에게 분개하며 항일의지를 다진다. 유학을 떠나면 이상설 등과 친분을 맺게 된다.

그런데 여기에서 냉혈생은 미국을 평등한 민주주의 나라로 정치를 배워 조선을

---

30 위의 책, 134쪽.
31 위의 책, 136쪽.

구원할 방법을 미국에서 배우기 위해 유학을 가는 것으로 설정하였다. 이는 냉혈생의 미국에 대한 시각을 드러낸 것이다. 미국을 절대화하는 당시 일부 청국 지식인들의 미국인식을 여기에서 확인할 수 있다. 이는 기독교에 대해 긍정적인 시각을 같은 맥락이다. 이러한 점에서 냉혈생은 미국과 기독교에 호의적인 계몽지식인으로 판단된다.

제15회 안중근이 길에서 의로운 세 친구를 사귀고, 김유성(金有聲)이 여관에서 아홉 명의 좋은 친구들을 만나다

이 회는 후필의 제자들이 유학을 가기 위해 인천으로 가는 도중에 미국으로 유학 가던 이범윤·이상설 등을 만나는 장면으로 구성되어 있다. 조선의 미래를 짊어진 청년들이 모두 함께 미국으로 떠난다는 설정에서 미국과 기독교 중심 사고를 하는 경향이 있는 냉혈생의 지향성과 현실인식을 다시 확인할 수 있다.

제16회 영웅들이 미국학교에 들어가고 후필(侯弼)이 신문사를 열다

70일 걸려 미국에 도착한 안중근 등 유학생 일동은 미국의 문질문명과 정치제도에 매료되고 후필의 동학 미국인 화청을 만나 도움을 받아 이들은 정치학·군사학·물리학을 익혔다. 안중근은 정치학을 공부한다.

한편 후필은 후필을 형님으로 모신 김옥균의 소개로 유학생의 부모들에게서 지원금을 얻어 신문사를 연다. 신문사는 번창하였고 조선인의 계몽에 큰 역할을 하였다.

여기에서도 냉혈생이 신문을 통한 계몽을 구국의 일차적 수단으로 제시하였다는 데서 그의 지향성을 읽을 수 있다.

제17회 이토는 통감도장을 받고, 한국은 앉아서 행정권을 잃다

청일전쟁을 통해 조선에서 우월권을 강제로 확보한 이토는 이번에는 조선의 외교 내정권을 장악하기 위해 모략을 꾸며 스스로 통감에 올라 이완용의 도움을 받아 외교권 장악하고 일본인을 정부요직에 앉히는데 성공한다. 여기에서 고종을 대단히 무능한 군주로 그리고 있다. 물론 이러한 냉혈생의 평가는 이 소설을 관통하고 있지만 명성황후에 대한 평가와는 극한 대조를 이룬다.

제18회 국채를 청구하고 재정을 감독하며, 인명을 해치고 경찰권을 강탈하다

외교와 내정권을 장악한 이토는 이번에는 채무 변제로 3백만 냥을 요구하면서 변제가 불가능하면 경기도 땅을 넘기고 정부의 수입 지출을 관리하겠다며 조선의 재정권을 장악한다. 냉혈생은 조선의 상황을 예로 들어 청국의 재정권을 차지하려고 혈안이 되어 있다고 지적하여 청국인의 분발을 촉구하였다.

한편 이토는 주씨일가의 경제적 문제로 다투던 요사다 등 일본인들의 보호를 명분으로 경찰권마저 완전히 장악한다. 결국 주씨일가는 멸문을 당한 것으로 묘사되어 있다.

제19회 일본인들이 부녀강간을 일삼고, 한국은 재판권을 잃다

외교권·재정권·경찰권을 장악한 이번에는 안중근과 함께 미국 유학을 간 악공의 부인 유애대·동생 향령이 일본인들에게 욕을 당해 죽은 사건이 발생하였다. 이 사건을 이용하여 이토가 결국 재판권마저 강탈하였다.

한편, 냉혈생은 이를 청국의 교훈으로 삼아야 한다며 청국인의 분말을 촉구한다.

제20회 농부가 원한을 품고 혁명을 일으키고, 부녀가 복수하기 위해 의단(義團)을 창설하다

모든 권한을 빼앗긴 조선의 민들이 유애대와 향령 사건으로 뇌지풍가 사형시킨 일본인 세 사람의 복수를 위해 케이타니 마츠가 일본인들을 동원하여 장량·장달 형제를 죽인 사건에 주정·유복경 등의 유운포의 농민들이 '설욕회'를 만들고, 요시다에게 상해를 당한 주충 삼형제의 누나 이낭이 이삼저 등의 부녀들과 '부녀복수회'를 조직하여 일제에 저항하는 모습을 여기에서 그리고 있다. 이러한 조선인의 저항을 후필이 만든 신문의 계몽에서 비롯된 것으로 냉혈생을 그리고 있다.

여기에서도 냉혈생은 청국인에게 이와 같은 조선의 상황을 들어 청국인의 분발을 요구하는 사설을 놓치지 않았다.

제21회 본량(本良)이 귀국하여 자치를 주창하고, 악자(岳子)가 통감에 대한 복수로 저격을 하다

악공·구본량 등 13명이 3년간의 유학을 마치고 미국 육군사관학교를 졸업하고서 귀국 모임을 연다. 이때 법정대학이 5년 과정인 관계로 미국에서 더 공부해야 했던 안중근이 귀국 후 계몽 자치단체와 무장 조직의 중요성을 강조하는 것으로 설정하여 그동안 존재감이 없던 안중근을 부각시킨다.

유학을 떠난 청년들 중에서 13명과 헤어지면서 구본량과 이범윤이 자치조직을 만들어 각지에 강습회 설치를 다짐한다. 후필을 만난 구본량은 미국유학 경험담과 미국에 남아 있는 안중근 등의 근황을 들려주며 구국의 방안으로 자치를 강조하였다. 그리고 여기에서 냉혈생은 역사적 사실과 달리 김옥균이 병사한 것으로 처리한다.

유애대와 향령의 죽음과 관련된 사건을 모두 들은 악공은 구본량과 이토 처단을 상의하고 폭탄 구입을 의뢰한다.

제22회 후필이 제자를 위해 죽고, 구본량(寇本良)이 허름한 옷을 입고 도주하다

구본량이 구한 고성능 폭탄을 받은 악공이 조선의 민심을 살피기 위해 평양을 방문한 이토 처단을 시도하였으나 결국 악공을 현장에서 즉사하고 실패하고 만다. 이토는 현상금 500냥을 걸자 악공과 후필에 대해 잘 알고 있는 관부가 그 배경이 후필임을 알린다. 이러한 사실을 일본 영사관과 후필의 신문사에서 차 심부름을 하던 임중수가 후필에게 알린다. 관부와 일제 경찰이 신문사를 습격하였으나 후필과 구본량을 자리를 피하였으나 결국 후필을 죽고 만다. 이토는 민심을 사기 위해 악공과 후필의 장례를 후하게 지내게 한다.

다시 냉혈생은 후필과 같은 인물이 청국에 드물고 관부와 같은 자들이 많음을 상기시키며 매국자들의 처단을 강조한다.

제23회 안 의사(安義士)가 귀국하여 선생님을 추모하고, 운재수(雲在峀)가 애국회를 만들다

아들 낙봉의 편지를 받은 운재소는 가족에게 알린다. 안중근의 어머니에게도 안중근의 안부를 전하였다. 냉혈생은 안중근이 졸업시험에서 1등한 것으로 설정하여 안중근이 총명한 인물임을 강조한다. 이는 어린 안중근이 총명하였다는 설정의 연장선이라고 하겠다.

안중근·운낙봉·김유성·이상설 등의 법정대학 졸업생들이 귀국을 한다. 귀국한 안중근과 운낙봉은 악공·후필의 사망 등 그동안 있었던 일을 모두 듣는다. 이에 안중근은 대단히 분개하여 이토처단의 의지를 다졌다. 분노는 극에 달한다. 안중근·운낙봉·후진 등이 후필의 묘를 찾아 후필의 공적을 회상한다. 이때 김유성·황백웅·요재천 등의 찾아와 후필을 함께 추모하며 구국의 방안으로 '애국회' 설립을 결의하고 통지문을 전국에 보냈다. 이에 따라 유학 동지를 비롯하여 수많은 인재들이 운재소의 집으로 몰려든다. 유운포 낙산의 유경복의 집에 본부를 설치하여 안중근·후진·운낙봉은 이토 처단 임무를 자진해 맡고, 복수회·설요회와 연합하는 등 본격적인 활동에 들어갔다.

제24회 안 의사(義士)는 길에서 옛친구를 만나고, 이토 통감은 하얼빈에서 흉변을 당하다

조선을 완전히 장악한 이토는 동북삼성의 침략계획 수립을 위해 만주방문을 계획하고 일왕의 허락을 얻어 만주로 출발한다. 이 정보를 입수한 애국회에서 상의한 결과 안중근이 이토처단을 자임한다. 결국 구본량의 도움으로 안중근이 이토를 처단하였다. 이토 처단 장면을 냉혈생은 다음과 같이 그리고 있다.

> 그가 손에 총을 잡고 이토 히로부미를 향해 총을
> "탕! 탕! 탕!"
> 7발 쏘았다.
>
> 이토가 총탄에 맞고 땅에 쓰러지는 것이 보였다. 가와카미는 오른팔에 총을 맞았고 코이케 왼쪽 다리에서도 피가 솟아 나왔다. 러시아 병사들이 불상사가 일어난 것을 보고 달려가 자객 안중근을 붙잡아 더 이상 쏠 수가 없었다.
>
> 안중근은 큰 소리로 "한국만세!"를 세 번 외치고 나서 병사들에게 붙잡혀 관청으로 이송되었다. 이토가 쓰러지는 것을 보고서 황급히 달려가 부축한 일본인들은 이토는 가슴에 총알 두 발을 맞았고 피를 흘리고 있는 것을 보고 크게 놀랐다.
>
> 그래서 급히 사람들이 영사관으로 호송해 갔고 일본과 러시아 의사들을 불러왔다. 그 의사들이 영사관에 도착하였지만 이토는 이미 죽은 상태였다.[32]

또한 냉혈생은 안중근을 "영웅은 웃음을 지으면서 형장으로 나갔다. 죽었지만 얼굴색이 그대로여서 마치 살아 있는 것과 같았다. 이 사람이 바로 한국의 첫 번째 영

---

32 신운용 편역, 『중국인 집필 안중근 소설 Ⅱ-영웅의 눈물』(안중근 자료집 26), (사)안중근평화연구원, 2016, 105쪽.

웅으로 그의 이름은 청사에 길이 빛나리라."[33]라고 평가하였다.

반면, 이토에 대해서도 냉혈생은 "이토는 69세를 일기로 일생을 마친 아시아의 지혜로운 대영웅이라고 하겠다. 다만 이토는 마음 씀씀이가 너무 악독하여 충의지사들이 가만히 있지 않았기 때문에 죽을 수밖에 없었다. 이토는 다시는 통감으로 남의 나라를 유린하고 태평스럽게 지내지 못하는 한국 백성에게 포악한 짓을 할 수 없게 되었다. 이번 방문길에 죽었으니 일본과 그 나라 국민을 위해 죽었다고 하겠다."[34]라고 하여 이중적으로 평가하는 모습을 보였다. 이는 제국주의에 대한 철저한 인식의 부족에서 기인하는 것으로 보인다. 이러한 점에서 미국에 대한 그의 평가는 당연한 것이다.

한편 안중근의 유해를 평양으로 모셔 이상설 등이 장례를 지낸 것으로 설정하였지만 이 또한 사실과 거리가 멀다.

제25회 이완용이 영달을 위해 나라를 팔아먹고 김홍주(金洪疇)가 패하여 도주하다

일제의 탄압으로 폭동이 일어나자 테라우치가 한국 병탄을 선언한다. 이를 전해 들은 이완용은 고종 황제에게 보고하였으나 황제는 무능하게 대응한다. 일진회를 창설한 이용구는 일본과 합치면 한국이 1등국이 된다는 명목으로 일제의 한국병탄을 찬성하는 의견서를 정부에 제출하였고 고종황제도 받아들인다. 결국 29일 조약이 체결되고 한국은 이날 망한 것으로 묘사하고 있다. 애국회는 조약 발표를 듣고 이상설 등이 봉기를 촉구하는 연설을 하였고, 이홍주가 40~50만 명을 모아서 저항을 하나 후피의 제자와 미국 유학생으로 구성된 애국회의 인사들이 모두 죽고, 이상설과 김홍주만 살아남는다. 물론 조약이 체결되었다는 것은 역사적 사실이 아니다.

제26회 나라가 합병되니 영웅호걸 눈물만 훔치고, 나라가 분할되기 전 나랏일에 관심을 갖다

이상설과 김홍주는 남양군도 페낭으로 망명하여 그곳의 동향회의 하평강을 만나 고국의 현실을 피를 토하면서 전하였다. 이평강이 한국의 현실을 생각하며 피눈물을 흘리며 통탄하였지만 어찌할 수 없었다. 냉혈생은 이처럼 일제의 한국 병탄이

---

33 위의 책, 105~106쪽.
34 위의 책, 105쪽.

후의 상황을 설명하면서 청국의 현실을 비판하였다. 더 나아가 냉혈생은 "한국은 봉천·길림과 인접해 있고 원래 동북삼성의 병풍지로서 담장 밖의 울타리에 비유할 수 있다. 담장이 있으면 이리떼가 마당에 감히 들어오지 못하는 법이다. 담장이 없다면 어찌 마당으로 들어오는 것이 어렵겠는가? 현재 이리떼가 이미 마당을 넘보고 있다. 바라건대. 여러분은 빨리 묘수를 내어 침입을 막아야 한다."[35]라고 청국인들에게 경고를 하면서 다음과 같은 시로 영웅루를 마무리하였다.

> 대세가 기울어가니
> 충의와 지혜로 구국할 때가 되었도다.
> 상하가 서로 통하여 막힘이 없으니
> 민심은 유수를 타고 정처 없이 흘러가누나.

4. 맺음말

위에서 보았듯이, 안중근의거에 가장 적극적으로 반응한 나라는 중국이었다. 의거 직후 중국의 민우일보는 안중근의거를 "인도(人道)철학을 극변시켰다."고 극찬하였다. 이는 인류의 철학을 본질적으로 바꾸었다는 의미이다. 이러한 평가는 "한중의 반일 공동투쟁은 안중근의거로부터 시작된다."라는 주은래의 언급에 맞닿아 있는 것이다.

중국에서의 안중근에 대한 평가와 찬양은 국내에서보다 다양하게 전개되었다. 대체로 언론을 중심으로 의거의 의미와 재판과정을 중심으로 한 신문 등의 언론보도, 안중근의 위대성과 일제의 침략성을 중국에 알리는 연극과 소설을 들 수 있다. 연극의 경우, 임천지(任天知)의 진화단(進化團)이 『안중근이 이토 히로부미를 죽이다(安重根刺殺伊藤博文)』를 필두로 주은래와 등영초의 안중근 연극으로 절정에 이르렀다.

소설의 경우, 여러 편이 저술되었는데, 그 중에서도 냉혈생이 상해에서 출간한 『성세소설 영웅루』는 소군의 증언에서도 확인되듯이 안중근을 소재로 한 소설 중에서

---

35 위의 책, 116쪽.

가장 대중의 사랑을 받았다. 특히 "안중근은 젊은 날의 영웅."이라고 한 파금(巴金)과 아들에게 "안중근과 같은 인물이 되라."고 교육한 소군의 경우에서 보듯이 중국인들의 영웅이었던 안중근이 반일투쟁의 소재로 등장하는 것은 대단히 자연스러운 현상이었다.

이러한 점에서 이 소설을 안중근 관계 자료로써 이 책에 수록하는 것은 당연한 일이다. 냉혈생이라는 필명으로 알려진 이 소설의 저자가 누구인지는 아직까지 밝혀져 있지 않다. 윤병석은 박은식을 냉혈생으로 특정하여 『백암 박은식 전집』에 수록하였다. 하지만 위에서 밝힌 바와 같이 박은식이 냉혈생일 가능성은 거의 없다는 것이 최근의 연구 결과이다.

여전히 냉혈생의 실명이 밝혀지지 않았지만 이 소설을 통해 냉혈생의 의식구조를 어느 정도 파악이 된다. 즉, 이 소설은 중국인들의 안중근 인식을 넘어서 전반적인 한국 인식과 역사의식을 엿볼 수 있다는데 의미가 있다. 4권 26회로 이루어진 이 소설의 전반에 흐르는 한국인식은 "한국은 청국의 식민지"라는 것이다. 이는 안중근의 독립의식과 중국인식과 완전히 반대로, 소설 속의 고종과 후필 등 주요 인물들이 "스스로 한국을 청국의 속국으로 인정한다."는 설정에서 극명하게 드러난다.

이러한 인식 위에서 냉혈생에게 청일전쟁 패전으로 한국을 일제에 빼앗긴 것은 대국으로서 자존심에 큰 금이 가는 일이었다. 말하자면 청일전쟁은 한국을 위해 일본과 싸운 것은 아니라 자신들의 자존심을 위한 것이었다. 안중근의거도 청국인들의 '분함'을 씻어주었다는 의미에서 중국인들이 안중근을 평가한 것으로 이해된다.

이 소설은 한국이 일제에 망한 원인을 고종의 무능력과 관료의 부패, 부일세력의 부상 등에서 찾고 있다. 물론 이러한 한국의 상황은 청국의 반면교사라고 냉혈생은 강조하고 있다. 냉혈생은 후필을 내세워 일제의 한국 지배정책의 폭력성을 드러내면서 한국인들의 투쟁을 그리고 있지만 역사인물에 대한 지나친 왜곡은 역사 현실감을 떨어뜨리는 한계를 보이고 있다. 특히 제24회에서 안중근의거를 그리고 있지만 안중근이 왜 이토를 처단할 수밖에 없었는가 하는 근본적인 고뇌를 이 소설에서는 엿볼 수 없다는 점은 역사소설로서의 의미를 떨어뜨린다.

무엇보다 한국인의 구국방책을 기독교와 미국유학에서 찾는 것으로 설정한 점은 냉혈생의 의식구조를 적나라하게 드러내고 있다. 이 점에서 그는 서구 특히 미국 지향적인 지식인으로 평가할 수 있다. 이러한 의식 구조는 근대 한국인의 정신세계를 파악하기에는 큰 장애요인이 되었음이 분명하다.

中國人 執筆 安重根 小說 I-英雄淚 中國語本

중국인 집필 안중근 소설 Ⅰ-영웅의 눈물 원본(原本)

제1권

제2권

중국인 집필 안중근 소설 I

-영웅의 눈물

번역본

범례 ——

- 이 책은 냉혈생(冷血生)의 『醒世 小說 英雄淚』(제1회~제13회)를 번역·탈초하고 원본을 수록한 것으로 제목을 『중국인 집필 안중근 소설 I-영웅의 눈물』이라고 하였다.
- 이 책은 크게 번역문, 탈초문, 원문으로 구성되어 있다.
- 중국어 인명, 지명은 한글 발음으로 표기하였다.
- 한자로 된 러시아 지명은 가급적 러시아어로 표기하였다.
- 독자의 이해를 돕고자 편역자가 주에서 본문의 내용을 설명하였다.

그 나라의 국민을 새롭게 하려면 먼저 그 나라의 소설을 새롭게 만들어야만 한다. 소설이란 사람들의 기재를 진작시키고 은미한 사람들에게 감동을 주는 것이다. 경술년 가을(8월) 일본이 한국을 합병하였다. 이는 중국 봉천성(奉天省, 즉 지금의 요령성)의 운명과 관계되는 중대한 일이다. 중국 존망이 경각에 달려 있다. 이 문제는 또한 중국 지사들에게 크나큰 충격을 주었다. 급히 나라를 보존할 방책을 세워야 한다.

우리 학교 동문이 이에 느낀 바가 있어 동지회를 설립하여 나에게 민기를 고취하는 소설을 써보라고 하였다. 나는 스스로 천박하고 고루하여 부끄럽기 짝이 없고, 이런 일을 감당할 능력도 없다. 동지들이 나에게 소설을 쓰라고 진정으로 청하므로 한국 멸망 원인을 찾아서 이 책을 쓰게 되었다. 그리하여 곧바로 석판으로 인쇄를 하였다. 우리나라의 여러 동지들이 이 책을 읽게 되면 열성적인 애국심이 불러일으켜질 것이다. 단연코 그러할 것이다.

냉혈생자서

차례

이토 히로부미
(伊藤博文)

김옥균
(金玉均)

민부
(閔富)

민비
(閔妃)

이완용
(李完用)

이왕
(李王)

제1권

1 제1회 대원군이 예수교를 학대하고, 민영준이 일 병선을 잘못 쏘다

> 망망한 하늘에 별들이 걸려 있고 과거와 지금이 같지 않도다.
>
> 나라 보전책은 다른 데 있지 않고 단지 만민의 철혈(鐵血)에 있도다.
>
> 인민들이 각자 책임을 다 한다면 어찌 구차하게 아무 일도 하지 않고 지낼 수 있으랴?
>
> 모든 일을 간신에게 맡기니 멸망할 날이 결코 멀지 않도다.
>
> 한국의 역사가 우리에게 분명히 보여 주고 있다. 나라를 지키려면 민심을 불러 일으켜야 하거늘 그렇지 않으면 멸망이 코앞에 닥치리라.

시구가 끝나니 시(詩) 속에서 책 한권이 펼쳐진다. 이 책의 제목은 바로 《영웅루》이다. 이 책은 한국이 일본에 모욕당하다가 결국 일본에 귀속되는 사실에 관한 이야기다. 이 책에는 충신과 효자들이 나라를 위해 몸을 바친 이야기, 간신과 도적들이 부귀영화를 누리기 위해 나라를 팔아먹은 고사, 충효와 절의 등 많은 내용이 담겨져 있다.

여러분 잘 생각해 보시라. 우리 중국 사람들이 평소에 한국인들을 소국인이라고 부르고 있는데, 이 소국인들을 잘 보아라. 망국의 날에도 많은 애국 영웅들은 늘 있었다. 지금 우리 중국은 이처럼 점차 약해지고 있다. 또한 동북삼성을 한번 둘러보시라. 이제 곧 일본과 러시아에 분할 당할 것이다. 그런데도 우리 청국인들이 저 소국인들에게 뒤지지 않을 수 있을지 두렵다. 그날이 현실이 되어 우리 앞에 다가오면 이번에는 그들이 우리를 보고 망국인이라 부르리라!

어느 분이 이렇게 질문할 수도 있다. 일본은 한국을 멸하고 왜 또 중국을 멸하려고 하는가? 여러분은 잘 알지 못한다. 이 몇 해 동안 항간에서 떠도는 소문을 들어보지 못하였는가? 다들 외국이 우리 중국을 분할하려고 하고 있다는 것을. 그것이 무슨 뜻인가 하면 바로 우리 중국을 수박으로 여기고 몇 조각으로 싹뚝싹뚝 베어서 그들 외국인들끼리 한 조각씩 나누어 먹는다는 것이다.

우리 동북삼성은 일본과 러시아와 인접해 있어 분할 당하게 되면 필시 먼저 일본과 러시아에게 분할될 것이다. 일본은 동북삼성을 침략하기 위해서 먼저 한국을 멸망시켰다. 한국은 우리 길림·봉천과 붙어 있다. 한국을 침략한 후 이쪽으로 군사를 움직이면 필경 큰 일이 일어날 것이다. 현재 일본과 러시아의 관계는 대단히 좋다. 그들의 목적은 서로 힘을 합하여 우리 동북삼성을 나눠 가지려는데 있다. 한국은 이미 일본에 망하였으니 동북삼성도 멀지 않아 끝장날 것이다.

한국이 망할 때 많은 영웅호걸들이 나라를 위해 서슴없이 목숨을 바쳤다. 우리는 아직까지는 분할당하지 않았지만 모두 한국 백성의 처지를 보니 가슴이 아파 눈물을 흘리지 않을 수 없다. 왜 그런가 하면 일본은 처음부터 한국과 우리나라를 모두 멸망시키려고 하고 있기 때문이다. 이제 한국은 망하였다. 일본이 아직까지 우리를 분할하지 않은 이유는 무엇인가? 뭐라 해도 우리 국민을 무서워하기 때문이다. 그들이 곧 마수를 뻗치려고 벼르고 있는데도, 우린 아직도 한국의 멸망에 전혀 관심을 돌리지 않고 있다. 이를 생각해보면 어찌 가슴이 아파 눈물을 흘리지 않으랴?

또 한 가지 문제가 있다. 우리 동북삼성 사람들은 러시아인을 좋아하나 일본인을 싫어한다. 모두 일본은 가난한 나라이고 러시아는 부유한 나라라고 말한다. 러시아인들이 우리 땅 이곳에 건너고 나서 누구나 그들 덕에 돈을 벌어 좋아하고 있다. 하지만 그게 인심(人心)을 사려는 계략인 것을 알고나 있는가? 《국사비(國事悲)》라는 책 한권이 있다. 여러분이 그 책을 보게 되면 그들 모두 왜 이렇게 사이가 좋은 척 하는지 잘 이해가 될 것이다. 만일 그 《국사비》와 이 소설을 읽는다면 일본과 러시아가 망국인을 악독하게 학대한 사실을 잘 알 수 있을 것이다. 참으로 입에 담기에도 거북하여 듣는 이는 참으로 난감하다.

우리나라가 당면한 이 위급한 상황 속에서 우리 백성들이 어떻게 애국할 것인가를 잘 생각해 보시라. 절대 러시아를 지지해서는 안 된다. 그 나라도 좋은 나라가 아니다. 이 말에 딴 뜻이 있는 것은 아니다. 다만 책을 읽는 여러분이 망국의 참상에 대해 잘 이해하기 바랄 뿐이다.

쓸데없는 말은 줄이고 지금부터 본론에 들어가겠다. 여러분들은 자리에 조용히 앉아 계시라. 내가 잠깐 목을 축이고 나서 대단한 이야기는 아니지만 천천히 들려주겠다.

이야기를 시작하겠다. 혼돈 초에 천지가 개벽하고 음양이 교태하여 인간이 태어났다. 반고(盤古) 때 인간은 몸에 나뭇잎을 걸치기 시작하였고 인황(人皇)씨 때에야 비로소 옷을 지어 입었다. 복희(伏羲)씨가 불을 지펴 음식 만드는 법을 만들었고 신농(神農)씨가 풀을

맛보며 만든 의학이 오늘까지 전해졌다. 황제(黃帝) 때 세상에 문물이 흔해지고, 관예악이 새로워졌다. 역대 제왕이 모두 그의 후손이다. 그러므로 우리 한인(漢人)은 황제의 자손이라 불린다. 황제 이후를 당우(唐虞)라고 불리는데 천하를 양보하고 인륜을 중요시하였다.

요순(堯舜) 때 홍수가 자주 범람하니 근심으로 여기고 망망한 대지에 몸 둘 곳이 없었다. 나중에 우왕(禹王)이 산천을 누비며 강물을 다스리니 강토를 구주(九州)로 나누고 만민을 안정시켰다. 제순(帝舜)이 우의 공로를 크게 평가하여 천하를 넘겨주고 군(君)으로 삼았다.

하가(夏家) 천하 4백년 끝에 걸왕(桀王)이 무도하여 간신을 크게 믿으니 성탕(成湯)이 기의(起義)하여 남소(南巢)에 유배되고 은이 천하를 통일하였다.

상가(商家) 천하 6백년에 주신(紂辛)이라는 군주가 나타났다. 주왕이 달희녀(姐姬女)를 총애하니 임신부의 배를 갈았으며 현인(賢人)을 해부하여 심장을 꺼냈다. 천하가 그 살인 행위와 악행에 치를 떠니 주무(周武)가 맹진(孟津)에서 관병(觀兵)하였다. 목야(牧野)에서 주왕 토벌을 맹세하고 그의 아들 녹부(祿父)를 은왕에 봉하였다.

주왕에게 기자라고 부르는 배다른 형제가 있으니 한 마음으로 주씨의 신하가 됨을 거부하였다. 나중에 기자(箕子)는 한국 땅을 분봉되고 비로소 한국(韓國)이라는 나라를 세웠다. 한 무제 때 한국은 삼한(三韓)에 빼앗겨 한국인을 한민족(韓民族)이라고도 부르게 되었다.

당태종이 요나라를 토벌하고자 동해를 건너와 명장 개금(蓋金)의 목을 자르니 대대로 중국에 참배하고 해마다 공물을 바치며 신하로 처신하였다. 한국인을 따져보면 황제 후손이고 중국인과 같은 인종이고 같은 문화를 가지고 있다. 오늘날 사람들이 한국 멸망을 알고 있으면서 왜 관심을 보이지 않고 있는가? 이 모두가 한국의 기왕지사로 상세한 내용은 본론에서 말하겠다. 오늘은 다른 사람 이야기를 하지 않고 먼저 일본의 이토 히로부미(伊藤博文)에 대해 이야기 해보자.

일본의 명치유신 초년에 서경(西京)지역에서 이토 히로부미라고 하는 영웅 한 인물이 태어났다. 이 사람은 어려서 글 읽기를 게을리 하지 않아 몸에 경륜이 가득하였고 왕을 섬기고 나라를 세우려는 의지로 충만되어 있었으며, 그 기세는 우주를 찌를 듯하였다. 자기 고장에서 무슨 일이 생길 때마다 그는 목숨을 돌보지 않고 용맹하게 전진하여 해결하였다. 어느 날 방에서 우울해 있다가 붓을 들어 자기가 생각하는 바에 따라 다음과 같이 시 한 수를 지었다.

호기가 당당하여 태공(太空)을 가르고
일동(日東)에 왕의 위엄을 키울 이 그 누구인가.
고루(高樓)에 올라 석잔 술을 기울이니
천하의 영웅들 눈에 다 보이누나.

그가 이 한편의 시를 짓자마자 각 지방의 서생들이 알게 되었다는 것이다. 한 사람이 두 사람에게 전하고, 두 사람이 세 사람에게 전하면서 전하고 전하여 국왕의 귀에까지 전해졌다. 국왕이 이 시를 보더니 급히 문무백관을 조정에 불러 들였다. 문무백관이 금란전(金鑾殿)에 모여와 예식을 마치자, 국왕은 시종관에 명하여 의자를 가져오게 하여 대신들을 들어오게 하여 앉도록 하였다.

중신들이 사은(謝恩)하고 자리에 앉아마자

"폐하께서 저희들을 부르셨는데 무슨 분부하실 일이라고 있으신가요?"

라고 왕에게 물었다.

국왕이 "오늘 과인에게 중요한 일 하나가 있어 그대들을 불렀소. 과인의 이야기를 들어보시오."라고 하였다.

명치왕이 입을 열기 전에 은은히 웃음을 머금고 있었다. 여러 신하들은 그 이유를 몰라 어리둥절하고 있자, 왕은 이렇게 말하기 시작하였다.

"일본은 국토가 작아 탄환만한 땅에 불과하니 국세를 키우려면 현인을 중용해야 하오. 몇 년 안에 백성이 불어나면 근심거리가 생길 텐데 어디에 가서 식민지를 구하겠소? 현재 중국은 여전히 꿈속에서 헤매고 있고, 저 한국은 내정이 수습되지 않아 여전히 백성들이 우롱당하고 있소. 내가 보건대 한국은 우리에게 유용한 가치가 있고, 이어서 동북삼성도 먹을 수 있소. 이 두 가지 일이 비록 쉬운 일이기는 하지만, 우선 우리의 내실을 튼튼히 다져야 하오. 들건대, 히로부미라는 이가 박식하다고 하니 짐이 그를 외교관으로 발탁하여 먼저 유럽과 미주 각국으로 보내 선진 정치를 배워 오게 한 다음 입헌을 준비하고 내실을 공고히 하려고 하오. 헌정이 완료된 후 잠식책(蠶食策)을 시행하면 그때 가서 땅이 없다는 것은 문제가 아니고 아마 인재가 부족한 게 더 큰 문제일 것이오. 그래서 과인이 그대들을 불러 왔으니 그대들은 각자 소견을 이야기해 보시오."

일왕의 말을 끝내자 내각상서(內閣尚書)는

"성서러운 폐하"
라고 하였다.

일왕이 이렇게 한마디 하자 내각상서(內閣尚書) 기도(木戶)[1]가 몸을 일으키며
"폐하께서 이토를 등용하고자 하시는 일은 쉬운 일입니다. 제 집에 무기타 하루(麥
田春)이라는 자가 있사옵니다. 이 사람은 이토 히로부미와 사이가 좋아 제 앞에서 늘
이토를 인재라고 과찬하곤 합니다. 폐하께서 예물을 준비하시어 무기타 하루에게 명
하여 내일 데려 오라고 한다면 이토가 폐하를 뵙지 않을 수 있겠사옵니까?"
라고 아뢰었다.

일황(日皇)이 이 말을 듣고 껄껄 웃으며 "일이 묘하게 되었소. 과인은 지금 누굴 보
낼까 무척 걱정하고 있었는데, 무기타 하루가 마침 적격이겠군."
라고 하였다.

급히 시종관을 불러 천 천필과 황금 5백 냥을 준비하라고 하였다. 왕이 초청장을
직접 만들어 기도의 집(木戶府)에 사람을 보내 무기타 하루를 불러오라 하였다.

무기타 하루가 금란전에 와서 땅에 엎드려 "폐하! 소인을 무슨 일로 불렀사옵니
까?"라고 외쳤다.

국왕은 "여기에 있는 서한과 세금(細錦) 1천필과 황금 5백 냥을 갖고 서경으로 가
서 이토 히로부미를 청해 오너라. 내일 출발하여 속히 꼭 다녀오도록 하여라."라고
명하였다.

이에 무기타 하루가 "잘 알겠사옵니다."라고 대답하였다.

그리하여 서한과 예물을 가지고 집으로 돌아갔다. 일황은 이어 퇴조하고 대신들
은 각자 귀가하였다.

한편, 무기타 하루는 기도의 집으로 돌아와 하루 밤을 묵었다. 다음날 아침식사를
한 뒤 행장을 꾸며 노비와 시종 둘을 데리고 말 세 마리에 행장·예물·서한을 말위에
잘 동여매고 서경을 향해 출발하였다.

나라를 위해 현인을 모시러 떠나는 무기타 하루는 말을 타고 가면서

---

1 기도 다카요시(木戶孝允).

　　"우리 왕이 오늘 구현조(求賢詔)를 내리어 나에게 서경으로 가서 이토 히로부미를 불러오라고 하셨다. 이토 히로부미는 본디 당대의 호걸로서 만일 출세한다면 필히 나라를 위해 큰 공을 세울 것이다."

　　라고 중얼거렸다.

　　무기타 하루가 말위에서 중얼중얼하면서 둘러보니 때는 봄날이라 들에는 백화가 만발하고 강변에는 버드나무가 금빛 가지를 늘어트리고 줄지어 있었고 언덕 위 밭에는 새싹들이 움트고 있었다. 숲 속에서 지저기는 새소리와 집집마다 부녀자들의 웃음소리가 들려왔다. 낚시꾼이 강가에서 낚시대를 내리고 나무꾼이 깊은 산 속에서 도끼를 휘두르고 있었다. 삼리길 도화진(桃花鎭)을 지나고 또 오리길 행하촌(杏花村)을 지났다. 행하촌 술맛 소문이 인근에 자자하고, 도화진은 미녀 출생지로 소문이 나 있었다. 길가의 꽃과 술은 길손의 발걸음을 멈추게 하고 있었다. 하지만 볼일이 있는 터라 술과 미녀도 그들의 발걸음을 잡아두지 못하였다. 줄여서 말하건대, 길을 빨리 달려 어느덧 이토의 집 앞에 당도하였다. 말에서 잽싸게 내리니 한 사람이 마당에서 걸어 나오고 있다.

　　무기타 하루는 손을 흔들며 그 사람에게
　　"이 집이 이토라는 분의 집이 맞습니까?"
　　라고 물었다. 하인이
　　"맞아요. 손님은 어디에서 오시는 분이신가요?"
　　라고 물었다. 무기타 하루는
　　"질문은 나중에 하고 빨리 주인에게 도쿄에 사는 무기타 하루가 찾아왔다고 전하시오."
　　라고 하였다. 하인은 말을 듣더니 황급히 상방(上房)으로 달려갔다. 마침 이토가 방에서 책을 보고 있었다.
　　"어르신께 아뢰옵니다. 문밖에 무기타 하루라는 손님이 와 있습니다."
　　하인이 이렇게 말하자, 이토는 황급히 안채에서 나와 문밖으로 향하였다. 두 사람은 서로 인사를 나누었다. 이토는 하인에게 시종과 말을 잘 보살펴달라고 한 다음 무기타 하루를 안채로 안내하라고 하였다. 두 사람이 자리를 잡고 몇 년간 만나보지 못하여 그리웠노라고 덕담을 나누었다. 잠시 후에 하인이 차를 올렸다.
　　차 한 모금 마신 후 이토가
　　"오늘 무슨 일로 아우가 이곳까지 찾아왔는가?"

라고 물었다. 무기타 하루가

"형님은 모르고 계실 테지만 국왕께서 형님이 지은 시를 보고 인재라 여겨 동생에게 형님을 모셔오라고 명하여 이렇게 왔습니다. 국서와 예물이 여기 있으니 형님께서 한번 보시지요."

라고 하였다. 이토가 받아본 서한에는 겸허한 내용이 가득하고 이토의 출세(出世)를 간절히 바라는 마음이 담겨 있었다. 이토는 한번 보고 난 뒤 이렇게 말하였다.

"나라의 사랑을 한 몸에 가득 받고 내 어찌 견마지로(犬馬之勞)를 하지 않겠는가?"

곧바로 하인에 명하여 행장을 꾸미게 하였다. 이튿날 무기타 하루를 따라 집을 떠나 토쿄로 달려갔다. 밤에는 여관에 묵고 낮에는 길을 재촉하여 연일 달렸다. 드디어 도쿄에 도착하여 곧바로 국왕을 찾아뵈었다. 국왕은 이토를 보더니

"그대의 명성은 귀에 못이 밝히도록 들었소이다. 오늘 만나 영광이오. 그대는 과인이 나라를 통치하는데 어떤 가르침을 주겠소?"

라고 말하였다. 이토가

"폐하께서 원하신다면 말씀 올리겠사옵니다."

라고 대답하였다.

이토가 화기애애한 얼굴로 공손하게 이렇게 말하였다.

"폐하 만세! 현재 유럽 각국이 대단히 강성해 진 것은 선진적인 헌정을 모든 나라가 똑같이 실시하고 있기 때문입니다. 저는 먼저 서양 여러 나라에 가서 그들 나라의 정책을 배우려고 합니다. 학문을 넓혀야만 큰 일을 이룰 수 있다고 생각하고 있습니다. 이렇게 하지 않으면 우리나라를 언제 부흥시킬 수 있겠습니까?"

일황이 듣고 크게 기뻐하며

"그대의 견식이 과인과 같구려. 그럼 짐을 싸서 내일 유럽으로 출발하구려."

라고 하였다. 이토가

"잘 알겠습니다. 내일 바로 출발하겠습니다."

대답하였다.

책은 간단하게 서술하는 것이 좋습니다. 복잡하게 서술하면 헷갈릴 뿐이기 때문입니다.

이날 이토의 미국행에 군주와 신하들이 배웅하러 길게 줄을 지어서 나와 있었다. 이토는 조정의 원로들과 작별하고 배에 올랐다. 미국에 도착한 후 1년간 머물렀고 이어서 영

국으로 가 5·6년을 보냈다. 그리고 러시아·프랑스·이태리·오스트리아 등 나라를 돌아보 았다. 출국한 후 10년이라는 시간이 걸렸다. 10년간 10개국이 넘는 나라의 정세를 돌아 보고 이제야 배를 타고 귀국길에 올랐다.

이토는 조정에 나와 일황 앞에서

"신은 유신을 실시하여 일본을 부흥시키고자 합니다."

라고 아뢰었다. 이에 대해 명치 천황은

"과인은 오래전부터 유신의 뜻을 품고 있었소. 오늘 그대가 실행하려는 제의에 대찬성 이오. 과인은 그대를 조정의 재상에 임명하오. 부디 충성을 다하여 어김이 없도록 하시 오. 그대가 정치 개혁에 관한 문제를 전적으로 책임지시오."

라고 명하였다. 이로부터 유신을 실행해나기 시작하고 일본의 국력은 날마다 강대해 졌다. 여러분들은 일본이 강대해 졌다는 것을 들어 잘 알고 있지만, 그들이 문제를 해결 하는 방법은 우리와 다르다는 사실을 모르고 있다. 현인을 중용하고 좋은 생각이 있으면 곧바로 실행에 옮겼다. 모든 일은 민심에 따라 처리하였다.

하지만 우리나라의 탐관오리와 무식한 놈들은 강압정책만 일삼고 민심을 전혀 돌아보 지 않고 있다. 여러분은 지금부터 관청에 의탁하지 말고 자기의 본업에 충실하는 것이 가 장 현명한 일이다. 이 이야기는 여기에서 마치고 프랑스와 미국의 일본주재 영사관들을 살펴보겠다.

명치 천황이 이토를 중용하고 유신을 실시한 일은 프랑스 영사 찰림(札林)과 미국 영사 안니씨(安泥氏)를 크게 놀라게 하였다.

어느 날 양국 영사와 같이 한 자리에서 찰림은 이렇게 말하였다.

"아우, 일본이 유신을 실시하여 민심이 날로 강해지고 있는 걸 알겠지. 향후 동아 시아는 필히 그들 세상으로 변하게 될 것이오. 우리가 이 소식을 자국에 알려야 한 다고 보오."

그럼 여러분은 이렇게 질문하실 수 있다.

"그만두시오. 뭘 모르시나 본데, 프랑스와 미국은 다른 나라로 사용하는 언어와 문자가 서로 다른 데 어떻게 대화가 가능하단 말인가?"

여러분은 현재 각국에서 큰 일을 처리할 때 전부 영어를 사용한다는 사실을 잘 모르고 있다. 그 두 나라가 사용하는 언어는 달라도 교류할 때에는 모두 영어로 대 화한다. 향후 어떤 나라건 간에 이런 의혹을 가질 필요는 없다.

이어서 안니씨가

"형님의 말씀이 아주 지당합니다."라고 대답하였다.

그리하여 두 사람은 각기 서한을 작성하여 전보국에 가서 자국으로 전보를 보냈다. 이에 대해서 더 이상 말하지 않겠다.

먼저 프랑스 황제에 대해 이야기해 보자. 그날 조정에 나가니 외무부 대신이 서한을 올렸다. 프랑스 황제가 펼쳐 보니 거기에는 이런 내용이 쓰여 있었다.

"일본주재 영사 찰림이 엎드려 우리 황제 만세를 기원하나이다. 현재 일본은 이토를 재상에 임명하여 유신을 실시하고 있는데 민심의 기세는 하늘을 찌를 듯 높습니다. 그는 한국을 식민지로 만들고 중국 동북삼성을 침범하려고 하고 있습니다. 폐하께서 조속히 대책을 강구하시길 바랍니다. 그렇지 않으면 그들이 우리의 이익을 선점하게 될 것입니다."

프랑스 황제는 찰림의 편지를 보고 마음속으로 중얼거리기 시작했다.

그래서 황제는 대신들에게

"일본 명치유신의 기세가 엄청나다고 하오. 우린 이에 어떻게 대처하면 좋겠소."

내무부 대신 아네(阿根)가 대답하였다. "폐하, 걱정하지 마십시오. 우리는 미국에서 어떻게 나오는지 며칠 지켜보고 나서 그들과 연합하여 처리하는 것이 좋을 듯합니다."

라고 말하였다. 이 말을 듣고 난 뒤, 황제는

"그대의 말이 짐의 마음에 드오."라고 말하고

급히 외무부에서 몇 사람을 선정하여 미국에 건너가 그곳 상황을 알아보도록 하였다.

며칠 후 상황을 염탐하러 갔던 사람들이 돌아와

"그날 미국도 일본주재 영사가 보낸 전보를 접하고 국회에서 회의를 소집하였다고 합니다. 토론 결과 예수교 신자들을 한국에 파견하기로 합의를 보았답니다. 선교라는 미명하에 그들 인민을 개화한다면 일본이 어떻게 할 수 없을 거라고 하였습니다."

라고 보고하였다. 황제는 고개를 끄떡이며

"이 방법이 그럴듯하오."

라고 하였다. 그래서 프랑스에서도 예수교 신자들을 한국에 보내 선교하도록 하였는데 이건 나중에 이야기하겠다.

이야기가 우리나라 동치(同治) 초년으로 돌아간다. 한국 국왕이 세상을 하직할 때 태자가 없었다. 대신들의 상의를 거쳐 대원군 이정응(李昰應)의 아들 이희(李熙)를 국왕으로 추대하였다. 갓 7살이다 보니 나라를 다스릴 수 없기에 대원군은 김굉집(金宏集)을 재상으로 삼고 자기는 섭정왕이 되어 나라를 다스렸다. 이 김굉집은 원래 탐욕스럽고 법을 무시하는 간신이었다. 그는 정병하(鄭秉夏)·박영효(朴泳孝)·김옥균(金玉均) 등 소인배들을 추천하였다. 대원군 또한 황음무도(荒淫無道)한 자로서 국정을 뒷전으로 하므로 모든 백성들이 그를 원망하였다.

이 날 이른 아침에 황문관(皇門官)이 이렇게 아뢰었다.

"폐하께 아룁니다. 밖에 프랑스와 미국에서 온 5백 여 명 예수교 신자들이 와 있습니다. 그들은 우리나라에서 선교하려고 합니다."

이 말을 들은 대원군은 여러 대신들에게

"그들이 선교하러 왔다고 하는데 이 일을 허락하면 좋겠소? 아니면 불허해야겠소?"

라고 물었다. 그러자 대신들 중에서 병부상서 운재소(雲在霄)가 나서서

"선교는 좋은 뜻을 가진 것으로 각하께서 절대 거절하지 마소서."

아뢰었다. 이 말은 들은 대원군은

"그들이 좋은 뜻에서 왔다면 우리에게는 무엇이 이득이인지 그대들은 자신의 의견을 말해 보시오."

라고 하였다. 운재소가

"각하는 모르고 계십니다. 제가 상세히 아뢰겠나이다."

라고 대답하였다.

운 상서(尚書)는 얼굴에 웃음을 짓고 공손한 자세로

"각하, 제 말을 들어보소서. 예수교는 하느님을 믿는 종교로서 선교활동으로 무식한 사람들을 개화시키고 있습니다. 그들의 선교 내용은 전부 애국과 관련된 진실한 말들로 백성들이 주인이 되어 자기 나라를 다스리는 것을 주장하고 있습니다. 영국과 미국의 국력이 그처럼 강대한 것도 예수교 신자들의 선교활동과 관련 있습니다. 솔직히 말씀드리면 우리나라 국민들은 아직 개화되지 않았습니다.

어느 누가 나라를 보호하고 다스리는 법을 잘 터득하고 있습니까? 예수교는 지금 우리를 대신하여 국민을 개화하려고 하고 있습니다. 이 어찌 고마운 일이 아니겠습니까? 희망컨대 각하께서는 전혀 의심하지 마시고 성지를 내려 우리나라에서 선교하도록 해주십시오. 전하는 말에 의하면 일본은 지금 유신을 실시하고 있으며 곧 우리나라와 통상할 것이라고 합니다. 때가 되어 우리 백성들이 개화되지 못한다면 누가 앞장서서 일본과 맞서 싸우겠습니까?

만일 모든 것이 외국인 손에 넘어 간다면 나라 보존과 보호가 어렵게 됩니다. 게다가 중국도 요즘은 국력이 약해져 누가 우리를 보호해 주겠습니까? 지금 빨리 서둘러 백성을 개화해야지 그렇지 않으면 나중에 큰 수모와 고통을 당하게 됩니다. 강성한 국력은 만백성에게 달려 있고, 백성들이 강해져야만 나라도 튼튼해 질 수 있습니다. 지금 세상에서 독립된 나라로 떳떳이 살아가려면 백성을 개화하는 방법 외에는 더 좋은 방법이 없습니다. 각하께서는 빨리 새로운 정책을 세워야 합니다. 절대 다른 사람에게 의지하여 우리나라를 보호해서는 안 됩니다."

라고 아뢰었다.

운 상서의 말이 끝나자, 대원군이 입을 열어

"그대가 방금 한 말들을 들었소. 그대 생각에도 일리가 있다고 보오. 그럼 이 일을 그대에게 맡기겠소. 숙고하여 잘 처리하기 바라오."

라고 하였다.

은안전(銀安殿)에서 나와 운재소(雲在霄)는 대궐 밖으로 향하였다. 그곳에서 예수교 신자들이 성지를 기다리고 있었다.

운재소(雲在霄)는 가까이 와서 그들에게 인사를 하였다. 인사가 오간 뒤 운재소는 이렇게 말하였다.

"우리 각하께서 성지를 내리셨소. 당신들이 자유로이 선교하는 걸 허락하였소. 여러분들은 열심히 선교활동을 하여 무지한 백성들이 다른 사단을 일으키지 않도록 하시오."

신자들은 웅성거리며 떠났다. 운재소도 교자(轎子)에 앉아 집으로 향하였다.

이야기가 두 가지 있다. 하나, 시간은 물과 같이 흘러 일본에서 유신을 실시한지도 어느덧 10년이나 지났다. 이날은 일본의 입헌 기념일이어서 만조의 문무백관이 황제와 함께 성대한 대회를 열어 기념하고 있었다.

연회석상에서 명치는 이토에게 이렇게 말하였다.

"과인은 우리나라 백성이 너무 많아 무척 걱정이오. 외국 땅을 점령했으면 좋으련만 아직 나라의 토대가 든든하지 못하여 걱정이오. 현재 헌법은 이미 세워졌고 민심 또한 아주 강해졌소. 과인은 한국과 중국을 차지하고 싶은데 무슨 좋은 방도가 없겠소?"

그러자 이토가 공손한 말투로 라고 대답하였다.

"제 생각으로 한국을 점령하는데 다음과 같은 계책이 있습니다. 첫째는 그들과 통상조약을 체결하고 영사를 서울에 두도록 하는 것입니다. 상인들을 모두 한국으로 보내 그들의 상업을 망가뜨리고 정권을 천천히 빼앗고 경찰권마저 장악하는 것입니다. 그런 다음 다른 방법으로 영사관에 우리 군대를 배치하는 것입니다. 이리하면 제 아무리 하늘을 찌를 듯한 좋은 수단과 무예를 갖추고 있더라도 어찌할 수 없게 됩니다.

그들의 수 만 명 백성과 13도 토지를 관리하여 교화시키고, 우리가 마음껏 주무르는 것입니다. 그때가 되면 한국의 지도 색상도 변하여 유럽과 미주의 여러 나라에서도 우리에게 겁먹게 됩니다. 그때가 되면 누가 간섭을 해도 겁나지 않을 겁니다.

그렇지 않으면 도전해오는 군대와 싸우는 것입니다. 한국을 다 점령한 다음 동북삼성을 분할하는 것입니다. 폐하, 제 방법이 어떠하신가요?"

이토가 계책을 설명하는 와중에 황문관이 들어와

"밖에 규슈의 상인 요시타카(吉隆)가 중요한 일이 있다면서 대인을 뵙고자 합니다."

라고 보고를 하였다. 이토가

"들라고 하라."

라고 하였다. 잠시 후에 황문관의 안내로 요시타카가 들어 왔다.

이토가 자리에서 일어나 물었다.

"무슨 일이 있는가?"

요시타카가 "소인에게 중요한 일이 있어 왔습니다. 몇 년 전에 소인은 유럽과 미주의 여러 나라들과 무역을 하였습니다. 제가 타국의 예수교 신자들이 동쪽으로 오는 것을 보았습니다. 나중에 알아보았더니 운재소(雲在霄)라는 자가 예수교들이 선교하는 것을 허락하였다고 합니다. 소인 생각에 만일 한국 사람들이 모두 예수교를 믿게 되어 유식해 진다면 우리의 계책이 어려워지리라 생각합니다. 대인께서 방도를 강구하십시오."

라고 대답하였다.

이 말을 들은 이토는 고개를 끄덕이더니 하인에게 돈 15엔을 가져오라 하여 요시타카에게 상으로 주었다. 그러나 요시타카는 이를 거절하면서 말하였다.

"이건 소인이 응당 해야 할 의무인데 어찌 감히 상을 받겠습니까?"

이토는 "나는 그대에게 상을 주는 게 아니라 다른 사람들이 따라 본 받게 하려는 걸세."

라고 하였다.

그리하여 요시타카는 돈을 가지고 물러났다.

여러분! 이 일본 상인을 보시라. 얼마나 애국심에 가득 차 있는가. 향후에 시국이 변할 때 우리 모두가 요시타카를 본받아야 한다.

일황도 요시타카의 보고를 접하고 이토에게

"그대에게 무슨 방법이라도 있소?"

라고 묻자 이토가 대답하였다. "폐하, 염려하지 마십시오. 제게 방법이 있습니다."

날이 이미 저물자 대신들은 모두 귀가하였다. 이토는 집으로 돌아가 이로쿠(伊祿)를 불러 말하였다.

"빨리 기도의 집으로 가 무기타 하루를 불러 오거라."

라고 하자

"알겠사옵니다." 라고 이로쿠가 대답하였다.

얼마 후 무기타 하루가 왔고 서재로 가게 하여 자리를 내주어 앉게 하였다.

무기타 하루가

"형님! 아우를 무슨 일로 불렀습니까?"

라고 묻자

이토가 걸어서 무기타 하루에게 가까이 와서 귓속말로 이리이리하라고 소근거렸다.

무기타 하루는

"알았다"

라며 연신 고개를 끄덕이고는 이토와 작별하였다.

어느 날 한국의 재상 김굉집(金宏集)이 집에서 한가로이 있는데 갑자기 하인이 와서 아뢰었다.

"바깥에 일본 사신 무기타 하루가 어르신을 뵙기를 청합니다."

김굉집은 이 말을 듣고 황급히 의관을 갖추고 문밖으로 마중 나갔다. 무기타 하루를 객실로 안내하여 자리를 내주어 앉게 하고서 김굉집은

"귀국에서 우리나라에 무슨 일로 왔소이까?"

라고 물었다.

무기타 하루가 대답하였다.

"소인은 우리나라 왕의 성지를 받들고 귀국과 통상조약을 체결하려고 이렇게 왔습니다."

여러분은 아마 모르고 계실 것이다. 통상조약이라 함은 다른 나라가 우리나라에 와서 상업 활동을 하고 우리나라가 다른 나라 가서 상업 활동을 하는 것으로 두 나라가 조약을 맺는 것이다.

다시 무기타 하루는 통상조약에 대해 설명하고 나서 명주 50개, 칼 2자루, 군복 1벌을 선사하면서 말하였다.

"이것은 폐국의 약소한 선물이니 받아 주십시오. 일이 성사되면 후한 사의를 표하겠습니다."

김굉집은 사절하지 않고 예물을 받으며

"소인이 이 일을 힘껏 진척시키리다. 내일 회답하겠습니다."

라고 하였다.

말이 끝나자, 무기타 하루는 김굉집과 작별하고 여관으로 돌아갔다.

이튿날 이른 아침 김굉집은 이 일을 대원권에게 고하였다. 대원군이 대신들에게

"그대들 이 일을 어떻게 보시오? 좋은 일인가 아니면 나쁜 일인가?"

라고 물었다.

홀연히 좌중에서 한사람이 걸어 나오며

"일본은 단지 우리나라의 상권을 탈취하려는 것입니다. 때문에 통상조약을 체결하려고 하는 것이므로 이 일은 절대로 아니 됩니오."

라고 하니, 여러 사람들이 그 사람을 쳐다보았는데, 병부상서 운재소(雲在霄)였다.

대원권은

"좋은 일이 아니므로 그를 돌아가도록 하라."

라고 하고서 퇴궐하였다.

김굉집이 관청에 도착하여 보니, 무기타 하루가 벌써 거기에서 기다리고 있었다. 무기타 하루가 김굉집을 보고 다시 몸을 일으키며

"상황이 어떻습니까?"

라고 묻자

김굉집이

"시원치 않습니다. 운재소(雲在霄) 그 늙은 쥐새끼 놈이 망쳐버렸습니다."

라고 대답하였다.

무기타 하루는 운재소(雲在霄)라는 이름을 듣고 반나절이나 말이 없이 사색에 잠겼다. "내가 이번에 온 것도 바로 그 놈 때문이다. 어찌 이 기회를 놓치랴! 장차 그놈과 다른 사람 사이를 이간질 시켜야 한다."

생각이 여기까지 미치자 그는 김굉집에게

"이 운재소(雲在霄)라는 사람이 예수교 선교를 허락한 사람 맞습니까?"

라고 하니 김굉집이 대답하였다.

"맞습니다."

무기타 하루가 계속

"아, 맞군요! 이 사람의 생각이 실로 좋지 않습니다."

하고 물으니 김굉집이 의아해하며 물었다.

"무슨 말입니까."

무기타 하루는 공손하게 말하였다.

"대감, 예수교에 대해 말하자면 정말로 좋은 것이 아닙니다. 예수교는 선교한다는 미명하에 귀신 이야기 따위의 허튼 소리를 할 뿐입니다. 많은 사람을 내세워 사단을 일으키고 툭하면 다른 나라에 수모를 안겨다 줍니다. 그들이 영국 국왕도 바꾸었고, 프랑스 대신도 피해를 많이 입었습니다. 영국과 프랑스 인민들은 그들로 인해 도탄에 빠진 바 있고 사직이 거의 망하였습니다. 이 예수교는 정부에 반대하는 일만 하고 있습니다. 저 예수교인들은 일단 어느 관리가 잘못하면 살생을 마다하지 않습니다. 지금 예수교가 귀국에 들어 와 있는데 아마 훗날에 귀국의 백성을 박대할 것입니다. 더 많은 귀국 국민들이 예수교를 믿으면 나중에 대감께서 무슨 수로 그들을 제압할 수 있겠습니까? 그때가 되면 대감은 부귀를 보존할 수 없거니와 목숨마저 잃을 수도 있습니다.

제가 보기에 그들을 전부 내쫓는 것은 나중 일이고, 그들이 귀국에서 소란 피는 것을

막는 것이 최선책입니다. 그리고 운재소(雲在霄)를 타지로 보낸다면 국왕께서 반드시 귀하의 관직을 높이실 겁니다. 그 다음 우리나라와 통상조약을 체결한다면 제가 귀하께 해마다 은 3천냥을 드리겠습니다. 제 말이 믿기지 않는다면 오늘 제가 서약서를 써드리겠습니다."

김굉집은 그 말을 듣고 겁이 덜컥 나서 기 죽은 목소리로 대답하였다.

"나는 예수교가 이렇게 무서운지 몰랐습니다. 내가 꼭 우리나라에서 그들을 쫓아내겠습니다. 통상조약은 귀국과 맺을 수 있도록 힘쓸 것이니 며칠만 기다려 주십시오."

무기타 하루는 말을 이었다.

"제 말을 대감이 꼭 염두에 두셨으면 합니다."

말을 마치고 난 무기타 하루는 김굉집과 작별하고 배를 타고 귀국하였다.

한편으로 김굉집은 다시 대원군 집으로 가서 대원군을 뵙고 무기타 하루가 한 말을 자세히 고하였다. 대원군은 이렇게 말하였다.

"이는 모두 운재소(雲在霄)의 뜻일세. 그럼 내일 그를 평양을 지키라고 보내어 서울에 두지 않는 것이 좋겠소이다. 예수교에 관하여 그대는 어떻게 했으면 좋겠소?"

김굉집은 대답하였다.

"저의 우견(愚見)입니다만 내일 포고를 내려 예수교 신자 전부를 떠나도록 하는 것이 좋겠습니다. 만일 그들이 떠나려 하지 않으면 우리가 다시 백성들로 하여금 그들을 죽이도록 시키는 것이 좋겠습니다. 예수교 신자 한 사람당 헌상금을 거는 것입니다. 그러면 신자들도 죽을까 겁이 나서 떠나갈 것입니다."

이에 대원군은

"좋소, 그렇게 하세."

라고 하였다.

다음 날 먼저 운재소(雲在霄)를 평양을 지키라고 보내고 나서 예수교 신자들을 추방한다는 포고문을 붙였다. 백성들은 포고문을 보고 예수교 신자들을 학대하기 시작하였다.

참으로 우매하고 무도한 대원군은 오로지 예수교 교인을 학대하려는 마음으로 포고문 1장으로 즉각 그들을 국내에서 쫓아냈다. 포고문 내용인 이러하였다.

"교인 1명을 살해하면 국왕이 5냥을 상으로 내리고, 2명을 살해하면 9냥 10분(十分)을 준다."

무지한 백성들은 포고문을 보자 마음으로 기뻐하며 칼과 창을 들고 살인하였다. 10여 일이 지나자 무수한 예수교인 신자들이 살해 되었다. 백성들은 신자들의 목을 들고 상금을 타러 갔다. 예수교 신자들은 모두 정신을 잃고 황급히 밤낮을 가리지 않고 고국으로 도망갔다. 그들은 하루만에 본국에 도착하여 각자의 국왕에게 편지를 올렸다. 프랑스와 미국의 황제는 편지를 보고 대장에게 군대를 수집하도록 하였다. 연병장에 대포 3백 여 문과 3만 군인이 모였다. 대병력이 한국에 이르러 많은 사람을 죽여 산이 무너지고 땅이 갈라져 천지가 혼란스러워졌다.

여러분! 이후의 일을 알려고 하신다면 다음 회를 기다려 들어보시라.

한국의 대원군이 무도하고 아둔하게 일 처리하였다. 그는 예수교의 한국 선교를 쓸 데 없는 짓으로 여겼다. 굉집을 크게 믿고 법을 무시하니 강산도 그를 버렸다. 프랑스와 미국 두 나라가 군사를 보냈는데도 한국은 꿈속을 헤매고 있네.

시구가 끝나고 이야기는 이어진다. 위에서 말했듯이, 프랑스와 미국의 군대가 한국을 정벌한다는 급보가 서울로 날아 왔다. 저 대원군은 다만 노하기만 할 뿐 혼비백산하여 김굉집에게

"이를 어찌하면 좋은가?"

라고 하니 김굉집이 대답하였다.

"각하, 염려하지 마세요. 저에게 프랑스와 미국 군대를 물리칠 수는 계책이 있습니다."

이에 대원군이 "그대에게 무슨 고견이 있소. 빨리 말해보시오."라고 재촉하였다.

김굉집은

"각하는 모르시겠지만, 제 말을 잘 들어보시기 바랍니다."라며 만면에 웃음을 가득 띠우면서 이렇게 대답하였다. "예, 제가 아뢰겠습니다. 운재소(雲在霄)가 지금 평양 땅을 지키고 있고, 민영준은 황해도에 진주하고 있습니다. 그들은 현재 모두 10만 군대를 거느리고 있습니다. 두 사람에게 미국과 프랑스를 치게 한다면 그들은 능해 해낼 수 있습니다. 운재소(雲在霄)에게 인천을, 민영준에게 화양(華陽)[1]을 지키라고 하면 됩니다. 프랑스와 미국 병선이 당도하면 해안에서 포격하면 됩니다. 제아무리 많은 군대가 쳐들어온다고 해도 반드시 큰 바다에서 모두 죽게 될 것입니다. 각하께서 조속히 성지(聖旨)를 내려 두 사람에게 군대를 움직이라 하소서."

이 말을 다 듣고 나서 대원군은 크게 기뻐하여 서둘러 두 가지 명령을 내렸다. 하나는

---

1 강화도.

평양으로, 다른 하나는 황해도로 보냈다. 성지를 받은 운재소(雲在霄)는 군대를 소집하여 인천으로 갔다. 이날 대부대가 인천에 도착하고 해안에 병영을 설치하였다. 대포 30문을 걸어 놓고 프랑스와 미국 병선이 나타나기를 기다렸다.

이날 양국의 병선이 일제히 나타하자 인천에서 포격을 하였다. 대포 소리가 쾅쾅 울리자, 바다물이 하늘로 치솟았다. 연이어 포탄 30발을 발사하여 프랑스 병선 1척을 침몰시켰다. 그 두 나라는 형세가 불리함을 보고 뱃머리를 돌려 돌아가 버렸다. 운재소가 큰 승리를 거둔 것이다.

운재소는 인천에서 승리하고 점병식(點兵式)을 마쳤다. 부상병은 겨우 30명밖에 안되었다. 또한 이어 바다에 침몰한 프랑스 병선을 건져 대포 3문과 수많은 소총을 얻었다. 그러고 나서 군대를 이끌고 평양으로 돌아가고 승전보를 서울로 보냈다.

대원군은 운재소(雲在霄)가 승리하였다는 소식을 듣고서 너무나 기뻐 성지를 내려 운재소(雲在霄)를 13도 제독(提督)으로 삼았다. 13도 제독이 무엇인지 정확하게 모를 것이다. 13도란 우리 중국의 20개 성에 맞먹는다.

그 때 김굉집은 운재소(雲在霄)가 승전을 거두어 승진하였으며 벼슬을 받았다는 소식을 들었다. 그는 원래 운재소(雲在霄)를 해하려는 마음을 품고 있었는데 일이 이렇게 꼬일 줄을 누가 알았으랴. 마음속으로는 좋아하지 않았다. 이에 대해서는 더 이상 말하지 않겠다.

무기타 하루가 일본에 돌아간 뒤로 예수교를 한국에서 쫓아내고 또 프랑스와 미국 군대와 싸운 소식을 들었다. 이번 일에 무기타 하루의 공로가 컸기 때문에 그를 외무성 시랑(侍郞)에 임명하였다. 이에 대해서는 더 이상 말하지 않겠다.

일본 공장에서 2천 여 명의 병사를 태울 수 있는 1호 병선을 만들었다. 이날 일황(日皇)이 조정에 나오자 이토가 보고를 올렸다.

"폐하, 저에게 계책이 하나 있습니다."

지혜가 깊고 넓은 이토는 한국을 잠식하려는 일념뿐이었다. 그는 이렇게 말을 이었다.

"우리나라에서 1호선을 성공적으로 제작하였습니다. 이 배는 2천명을 태울 수 있습니다. 신은 이 배를 띄워 한국 해안의 모든 형세를 알아보려고 합니다. 한편으로 배의 속도가 얼마나 빠른지를 시험해 보고 또 다른 한편으로는 한국 연해를 정탐하려 합니다. 그들이 해안선을 잘 파악한다면 앞으로 아주 유리하리라 여겨집니다. 폐하께서 윤허하신다면 제가 육군성에 가서 군대를 선정하겠습니다."

일황은 다 듣고 나서 대답하였다.
"그대의 말에 과인이 동의를 하지 않을 수 없소. 그대가 잘 알아서 처리하오."

이토 후작은 일황이 윤허하자 얼굴에 웃음꽃이 피어났다. 그는 육군성으로 서둘러 가서 정병 5백 명을 뽑았다. 그리고 그는 이름은 오오야마 이와(大山 岩)라는 대장을 보냈다. 오오야마 이와는 병사들을 거느리고 배에 올랐다. 배를 타니 배 굴뚝에서 검은 연기가 풍풍거리며 하늘 높이 날아갔다. 배가 바다 위를 날듯이 잠깐 사이에 7·8리 바닷물을 가르면서 전진하였다. 배는 태산처럼 든든하고 평온하였다.

외국인들은 참 묘하다. 이런 신선(神仙)같은 물건을 만들었다. 일본과 한국의 거리는 약 1만리나 되지만 열흘도 못 되어 한국에 도착하였다. 이날 한국 국경 내에 이르렀고 이어서 화양(華陽)만에 도착하였다. 일본병선에 관한 이야기는 나중에 하고 민영준에 관한 이야기를 먼저 하겠다.

앞에서 말하였듯이 황해도를 지키고 있던 민영준은 국왕의 성지를 받았다. 그 성지는 화양만(華陽灣)을 지키고 프랑스와 미국 군대가 쳐들어오면 병선을 물리치라고는 것이었다. 후에 운재소(雲在霄)가 프랑스와 미국 군대를 물리쳤지만 대원군은 그들이 또다시 쳐들어 올 것을 걱정하고 있었다. 드디어 그들에게 돌아오지 말고 영구히 그곳을 지키라고 명하였다.

이날 해안에서 망원경으로 6·7십리 밖의 바다를 둘러보고 있는데, 배 한척이 화살처럼 빠르게 앞으로 달려오고 있었다. 혹여 이렇게 질문하시는 분이 있을 수 있다. 6·7십리 밖을 어떻게 볼 수 있는가? 여러분은 만원경에 대해 잘 모르고 있을 것이다. 6·7십리는 말할 것도 없고 6·7백리나 되는 곳도 아주 선명하게 볼 수 있다.

저 민영준은 깃발을 달지 않은 배 한 척을 발견하였다. 일반적으로 어떤 배라도 깃발을 달고 있다. 다른 사람이 그 깃발을 보고 어느 나라 배인지를 분간해 낼 수 있다. 그날 바다 바람이 세게 불어서 일본배는 깃발을 달지 않았다. 그래서 민영준은 프랑스나 미국 배로 여기고 크게 놀라 즉시 지휘소로 달려가 명령을 내렸다.

일개 소영웅 민씨 영준은 병선을 보고서 너무 놀라고 당황하여 지휘소로 들어갔다. 화살을 쏘아서 명령을 내려 병을 집합시켰다. 먼저 포병 5백명과 비호영(飛虎營) 5천명을 집합시켰다. 예비부대 2천명도 대기시켜 수시로 전투에 투입시킬 수 있도록 하였다.

이어 육군 부대를 점검하고 나서 줄을 지어 병영을 나오기 시작하였다. 선두에서 군악대가 걷고 기마대와 많은 병사들이 뒤따랐다. 나팔소리가 크게 울리고 서양북 소리가 하늘땅을 진동시켰다. 총신은 마치 옥수수와 같고 칼날에 반사되는 햇빛이 눈에 부셨다. 군대가 해안에 도착하자 모두들 눈이 휘둥그레졌다.

눈이 왜 휘둥그레졌을까? 다름이 아니고 다들 눈을 크게 뜨고 바다에서 달려오는 그 배를 보고 있었기 때문이다. 자! 내 말을 들어보시길 바랍니다.

민영준은 또다시 망원경을 들고 자세히 보았다. 배와 해안의 거리는 불과 20리에 지나지 않았다. 명령이 떨어졌다.

"포병들은 듣거라! 포격하라!"

포병 장병들이 일시에 힘찬 목소리로 대답하였다.

"알겠습니다!"

포문을 열고 폭약을 장착하고 탄알을 집어넣었다. 마차바퀴가 삐걱거리며 돌아가더니 격자가 떨어지면서 작약이 터지면서 포탄이 날아갔다. 첫 번째 포탄은 목표를 명중하지 못했다. 두 번째 포탄도 빗나갔다. 세 번째 포탄은 묘하게도 뱃머리에 명중하였다. 포탄이 "쾅!"하고 터지면서 뱃머리에 커다란 구멍이 났다. 뱃머리가 파손되고 병사 5백 명이 부상을 입었다.

오오야마 이와는 사태가 불리해졌음을 느끼고 뱃머리를 돌려 일본으로 돌아갔다. 일황에게 상황을 보고한 결과 대부대를 파병하기로 하였다. 이 이야기는 그만두고 우리나라 대청(大淸)의 상황을 살펴보겠다.

우리나라 대청 광서 황제 원년, 그 때 이홍장이 직속총독 겸 북양대신을 맡아 천진에서 통상 사무를 보고 있었다. 외국과 관련된 일체 사건은 전부 그가 전담하여 처리하였다.

이날 미국의 프스더(福世德)라고 하는 상무대신과 프랑스의 디스니안(狄士年)이라는 교섭 위원이 함께 이홍장을 관청으로 만나러 왔다. 이홍장은 이 소식을 접하고 급히 서둘러 손님을 객실로 안내했다.

이어 이홍장은 그들에게

"귀국에서 무슨 일로 오셨소?"

라고 묻자, 양국 사신은 이구동성으로 대답하였다.

"일이 없이 여기에 오지는 않겠지요. 사실은 다름이 아니라, 몇 년 전 일본에서 명치유신을 실시하면서 한국을 병탄하고 중국을 침략하려고 하였습니다. 저희들은 그들이 한국을 병탄한다면 중국은 동북삼성을 보전하기 어렵게 된다고 여깁니다. 그렇게 된다면 우리들의 통상에 장애가 될 것으로 여겨 몇 백 명 기독교 신자들을 한국에 파견하여 무지한 백성을 교화하려고 하였습니다. 그 나라 백성들이 깨어난다면 스스로 자기 나라를 충분히 보호할 수 있습니다. 한국 백성들은 훌륭하지만 섭정왕이 무식한 사람이라서 일본인들의 이간책에 넘어가 무지한 백성들로 하여금 우리 기독교 신자들을 죽이도록 하여 죽은 신자들이 적지 않습니다.

나중에 우리가 파병하여 문책하였지만 그들은 포격을 하여 배 한척이 침몰시켰습니다. 우리는 그들이 겁나서 반격하지 않은 것이 아닙니다. 한국과 전쟁을 할 수 있지만 한국이 귀국의 속국이기 때문에 귀국의 면목을 봐서 전쟁을 하지 않았던 것입니다. 때문에 우리나라 국왕께서 우리 둘을 귀국에 파견한 것은 앞으로 이와 같은 사건이 발생하지 않도록 요청키 위해서입니다."

이홍장은 이렇게 대답하였다.

"한국은 비록 우리의 속국이기는 하지만 우리는 타국의 정사에 조금도 관섭하지 않습니다. 어느 나라가 그 나라와 전쟁을 하든 화협하든 모두 그 나라 일이기 때문입니다."

프랑스와 미국 사신은 이런 대답을 듣고 한참이나 서로를 마주 보다가

"그렇다면 저희 둘은 물러나겠습니다."

라고 하며 두 사람은 이홍장과 작별하고 귀국하였다.

여러분! 잘들 들어보십시오. 모두 우리나라가 연약하다고 하는데 우리 정치가를 보면 충분히 이해할 것이다. 한국은 본디 우리의 속국인데도 우리가 잘 보호하지도 않았다. 그 사람들은 다른 사람의 충고를 듣고서도 귀가로 흘려버렸다. 이로 인하여 일본은 마수를 뻗치기 시작하였다.

무모한 늙은이 이홍장의 말은 참말로 황당하기 그지없었다. 프랑스와 미국은 본래 좋은 뜻을 가지고 있었다. 하지만 그는 프랑스와 미국들이 '미쳤다'고 여기고 있었다. 그는 이

렇게 말하였다.

　"한국은 우리나라 지배를 받고 있지만 우리는 처음부터 그 나라 정치에 관여하지 않았다. 전쟁과 평화는 그들의 자유고 우리에게는 아무런 이득이 없다."

　후에 이 말이 일본인들 귀에 전해졌다. 일본인들이 이 말을 듣고 당연히 한국을 독립국로 여겼다. 그래서 즉시 사신을 파견하여 화양만(華陽灣) 포격사건을 따지고 저 대원군을 핍박하여 통상을 하도록 하였다. 통상이 이루어지고 나서 일본은 한국 땅에 들어갔고 이 나라 백성들은 재앙을 입게 되었다. 아무리 생각해도 한국이 멸망하게 된 이유는 우리나라 당국자가 주견이 없는 탓에 있다. 저 한국은 이미 망하였고 우리 중국도 곧 망할 것이다.

　여러분! 잘 생각해 보시라. 어떻게 하면 이 나라를 보호할 수 있겠는가를. 대청국은 본시 우리 모두의 것이니 간신배와 도적놈들이 제멋대로 하게 해서는 안 된다. 우리 모두 살길을 찾기 위해 집집마다 총 몇 자루씩 준비해 두어야 한다. 그들이 쳐들어오면 우리가 총을 들고 일어난다면 아마 우리 고향을 지킬 수 있을 것이다. 내가 한 말들을 믿을 수 없다면 집에 돌아가 방에 누워 잘 생각해 보시라. 이에 관한 이야기는 잠시 접고 일본의 상황을 자세히 보겠다.

어느 날 아침 황문관이 조정에서 일본 국왕에게 상주하였다.

"우리나라 병선을 시험한 장군 오오야마 이와가 지금 오문(午門)밖에 성지를 기다리고 있습니다."

　그러자 국왕이 불러들이라고 하니 전두관(殿頭官)이 성지를 전하였다. 얼마 지나지 않아 오오야마 이와는 내전(金殿)에 와서 알현하였다.

　국왕은 이렇게 물었다.

"그 배를 시험하였는데 빠른가? 어떤가? 한국 연안 형세는 어떠한가?"

　오오야마 이와가 대답하였다.

"폐하, 제가 상세히 아뢰겠습니다."

　그는 한국에서 병선이 포격당한 사실을 자세히 아뢰었다.

　일황이 듣더니 대노하여 말하였다.

"좋아! 한국은 정말로 무례하기 짝이 없군."

　그리고는 즉시 파병하기 전에 가서 죄를 묻도록 하였다.

　이때 이토가 아뢰었다. "폐하, 급히 서둘러서는 아니 됩니다. 신에게 계책이 있으니 한번 들어 보십시오. 가히 이 원수를 갚을 수 있습니다."

일황이

"그대에게 어떤 계책이 있소. 빨리 말해 보시오."

라고 하였다.

이토가 빙그레 웃으며 아뢰었다.

"폐하, 잘 들어 보십시오. 한국이 우리 1호 병선을 파격한 것을 트집 잡아 그들에게 책임을 추궁하는 것입니다. 병사와 장군을 파견할 필요가 없고 외교관 1명만 보내면 됩니다. 이번에도 다른 사람 말고 무기타 하루에게 은 3천냥을 주어 보내 굉집이라는 늙은 간신을 매수하는 것입니다. 통상조약과 영사를 그 일개인이 보고 있으니 그 늙은 간적(奸賊)이 돈을 보면 필시 마음을 정하여 한국의 국왕에게 통상조약을 맺도록 할 것입니다. 그때 우리는 한국에 뿌리를 뻗을 수 있습니다. 이것이 바로 소신의 소견이니 폐하께서는 잘 생각해 보십시오."

이토의 말을 듣고서 일황이 말하였다.

"그것 좋은 방법일세."

드디어 무기타 하루를 한국에 파견하여 통상조약을 개정하도록 하였다. 또 다른 지위에 있는 하나부사(花房)이라는 사람을 따로 보냈다.

또한 일황은

"통상을 허락하면 한국주재 영사를 담임하도록 하겠다."

라고 말하였다. 그리하여 두 사람은 성지를 받들고 한국으로 향하였다. 이에 대해서는 더 이상 말하지 않겠다.

위에서 보았듯이, 민영준이 그날 일본 배를 물리쳤다. 나중에 일본 배라는 것을 알았다. 화를 입을까 두려워하여 서울에 보고하러 갔다. 대원군이 이 소식을 접하고 당황하며 김굉집에게 물었다. 굉집은 마음속으로

"이번에 내가 일본을 위하여 일을 할 수 있겠군."

라고 생각하였다. 그리고는 황급히 대원군에게 아뢰었다.

"이 사건은 큰 문제가 아닙니다. 그들은 며칠 후 꼭 사람을 파견해 올 것입니다. 그때 제가 그들과 통상조약을 맺고 나면 일이 저절로 풀리게 됩니다."

굉집의 대답을 듣고 대원군이

"그럼 이렇게 하세."

라고 하였다. 이야기가 끝나자 김굉집은 대원군과 작별하고 관청으로 돌아갔다. 그때 시동이 와서 그에게 아뢰었다.

"서재에 일본 손님이 와서 대감을 기다리고 계십니다."

굉집은 그 말을 듣고 급히 서재로 건너가 무기타 하루를 만났다.

두 사람은 서로 문안을 주고받았다. 무기타 하루는 하나부사를 소개시켜 주었다. 드디어 은을 꺼내 김굉집에게 주었다. 굉집은 몇 번 사양하는 척 하다가 끝내는 그대로 받아 버렸다. 그리고는 말을 꺼냈다.

"이번에 아우께서 여기에 온 것은 십중팔구 화양만 일 때문이겠지."

무기타 하루가

"맞습니다."

라고 대답하였다.

굉집이 말을 이었다.

"그 통상조약 건에 대해 감국(監國)과 얘기를 나눴습니다. 앞으로 허락하신다더군요. 일이 성사되면 두 분이 영사가 되어 주십시오."

이를 듣고 무기타 하루는

"하나부사 대인(花房大人)는 우리가 파견하기로 한 영사입니다." 굉집이 말하였다.

"너무 잘 되었습니다."

라고 대답하였다.

날이 저물어 가는 터라 술상을 차려 무기타 하루를 잘 대접하였다. 술상을 물리고서 무기타 하루는 굉집의 집에 머물러 밤을 지냈다. 이튿날 아침 굉집은 두 사람을 데리고 조정에 나가 대원군을 뵙고 아뢰었다.

　　간적(奸賊) 굉집은 본래 성은 김(金)으로 자신의 이익을 도모하기 위해 감히 왕을 속여 가며 말하였다.

　　"우리가 일본 상선을 파격하여 5백 명을 부상시켰습니다. 그들이 우리에게 책임을 추궁할 터인데 어찌하면 좋겠습니까? 제 생각에는 우리가 그들과 통상조약을 체결하고 그들이 우리나라에 영사를 두는 것을 허락하는 것이 좋을 듯합니다."

　　대원군이 듣고서

　　"맞소이다. 나도 진작 그렇게 생각했소."

라고 대답하였다.

내전에서 바로 조약서를 작성하고 서로 서명하였다. 이어서 일본은 큰 상회 두 개를 인천과 원산에 설치하였다. 하나부사를 영사로 임명하였고 그에게 관청을 크게 지어 주었다. 일한 양국이 통상조약을 체결한 뒤로부터 일본은 이 두 곳으로 자국의 국민들을 이전시켰다. 겉으로는 장사를 한다고 하면서 암암리에 뿌리를 이곳에 깊숙이 박을 생각이었다. 이에 대해서는 더 이상 말하지 않겠다. 다만 이희(李熙) 황제에 대해 말하겠다.

20살이 되는 이희는 민영익(閔泳翊)의 여동생을 황후로 삼았다. 황후는 여려서부터 글공부를 하여 삼총사덕(三從四德)은 물론이고 모르는 것이 없어서 한국에서 첫째가는 여자 성인(聖人)으로 여겨졌다.

이날 황후가 이희에게 말하였다.

"폐하가 금년에 20세나 되도록 정사에 전혀 관여치 않으니 진정으로 국왕이라고 할 수 있겠습니까? 지금 다시 폐하께서 계속 친정하시지 않는다면 장차 우리나라에 문제가 생길 수 있습니다."

그녀가 한 몇 마디 말은 무심히 듣고만 있던 이희를 각성시켰다. 다음날 왕이 만무 백관을 만난 자리에서 대원군에게 이 말을 하니 대원군은 하는 수 없이 정권을 돌려 주었다. 이희 황제는 제위에 등극하고 대사면을 내렸다.

민영익을 내각시랑, 김병지(金炳之)를 총리대신, 박정신(朴定晨)을 내무부대신, 이완용을 외무대신, 이윤용(李允用)을 군무대신, 조병직(趙炳稷)을 법무대신에 각각 임명하였다. 김굉집을 비롯한 몇몇 사람들은 새 관직을 받지도 강직(降職)되지도 않았지만 더는 신용을 얻지 못하였다. 모든 일은 민 황후와 상의하였고, 민 황후가 결정하였다. 황후의 일처리가 사뭇 사리에 밝았기 때문에 나라 백성들도 아주 만족스러워하였다. 이에 대해서는 더 이상 말하지 않겠다.

한편, 대원군은 정권을 돌려준 이후, 국정을 관리하는 사람들 대부분이 민 황후 가문 사람들인 것을 보고 속으로 크게 불쾌하게 여겼다. 이날 김굉집을 만나서 이렇게 말하였다.

"현재 국사에 참여하는 사람들이 전부 민씨 가문 사람들일세. 우리 모두를 소외시키고 있네. 나는 계속 집정(執政)하려고 하는데 무슨 좋은 수라도 있는가?"

김굉집이

"이 일은 어렵지 않습니다. 현재 비호영(飛虎營) 총병(總兵)이 우전충(牛全忠)인데 제

친척입니다. 그에게 말해서 우리를 도와 저 민씨를 제거하게 하고서 우리가 다시 그를 병부상서에 임명시킨다고 하면 그가 따를 것입니다.”

라고 대답하였다.

이에 대원군이

“그게 정말 좋겠군.”

라고 하였다. 그리하여 두 사람은 비호영으로 갔다. 우전충이 두 사람을 안으로 모셔 앉아서 말하였다.

“두 대감들께서 무슨 일로 이곳에 오셨습니까?”

김굉집은 드디어 대원군의 뜻이라 하면서 우전충에게 자세히 설명하였다. 우전충은 다 듣고 나서 속으로 생각하였다.

“현재 일본인들이 우리 땅에 들어와 있는 것이 아주 분하고 싫다. 이 기회에 그들을 다스릴 수 있다면 좋은 일이 아닐 수 없다.”

그리하여 대원군에게 약속하고 군대를 점검하여 난을 일으키기 시작하였다.

지혜와 계략이 뛰어 난 우전충은 진정으로 일본인들을 물리치려고 하였다. 그는 훈련장에서 3천 군대를 모아 깃발을 치켜들고 밖으로 출발하였다. 병영을 나온 뒤 그는 황궁으로 향하지 않고 직접 군대를 이끌고 정동 방향으로 달려갔다.

김굉집은 무슨 생각인지도 모른 채 단지 그들을 따라 갈 수밖에 없었다. 앞서가던 부대가 일본 영사관 관청에 당도하자 그는 그곳에서 큰 소리로 부르며 대소 병사들에게 명령하였다.

“일본은 우리의 원수이다. 오늘 나와 함께 그들을 공격하자!”

병사들은 그의 명령을 듣고 관청을 물샐틈없이 에워쌌다.

방에서 사람들과 한가로이 담소하고 있던 하나부사에게 갑자기 문지기가 달려와 보고하였다.

“대인께 아룁니다. 문밖에 모르는 사람들이 몰려왔습니다. 대인! 얼른 짐을 싸서 자리를 뜨십시오. 늦어지면 우리는 몽땅 당하게 됩니다.”

하나부사는 이 말을 듣고 사람들에게

“도망가게 얼른 말을 준비해 놓아라.”

라고 명하였다.

그리고 급히 말에 올라타고 뒷문으로 서둘러 빠져 나갔다. 우전충은 하나부사가 도망가는 것을 보고 나머지 일본인을 죽여 버리라고 명령하였다.

"삼군 너희들은 나를 따라 하나부사를 추격하라. 아직 성을 빠져 나가지 못했을 것이다."

하나부사는 허겁지겁 앞만 보고 도망쳤다. 뒤돌아보니 먼지가 하늘로 솟아오르고 있었다. 보나마나 한국 군대가 추격해 오고 있는 것이다. 그는 서둘러 말채찍을 마구 휘둘렀다. 빨리도 달려 해안에 이르렀다. 하지만 망망한 바다가 앞길을 가로 막고 있었다. 앞에는 바다로 막혔고 뒤에는 추격병이 쫓아오고 있으니 위험하기 그지없는 상황이었다. 눈뜨고 죽게 되었는데 누가 감히 길흉을 알 수 있으랴?

죽을 위기에 빠진 하나부사가 어찌되었느냐 알고 싶으시면 다음 회를 보시라.

세상은 평화롭고 공평하여 남녀는 평등하다. 사람 각자에게 책임이 있다. 어찌 바깥만이 중하고 안은 그렇지 않을 수 있겠는가? 한국 황비 민 황후는 현명하여 대원군을 폐하고 정사를 맡으니 나라가 점차 다스려졌다.

위의 시구가 끝났으니 여러분은 제 이야기를 앉아서 계속하여 들어보시라.

대청은 우리 금수강산을 통일하고 소와 말 두 영웅인물을 탄생시켰다. 소와 말 영웅이 무슨 이야기인지 물으실 것이다. 여러분은 잘 모르실 테니 내 이야기를 잘 들어 보시라. 도광(道光)[1]시기 영국이 아편을 중국에 가져다 팔아 임문충(林文忠)을 격노시켰다. 임측서(林則徐)가 그들의 아편을 태워 버리자, 양국 사이에서 전쟁이 벌어졌다. 영국의 대군이 절강성 일대로 이르러 영파성(寧波城)를 점령하였다. 영파부(寧波府) 산하에 사포현(乍浦縣)이 있고 그 현 중에 노인 공(龔)씨가 있었다. 그는 소 한 마리와 말 한 마리를 키우며 오로지 두부 장사를 하며 살고 있었다.

이날 영국 사람들이 사포현에 쳐들어와 공 노인의 가업을 몽땅 약탈하고 소와 말까지 빼앗아 갔다. 그런데 그 소는 애국심으로 가득 차 있었다. 그 소는 영국군 장관을 소뿔로 들이박아 그의 배에 커다란 구멍을 냈다. 영군 도적놈들이 함께 쳐들어오자 그 소는 사정없이 이놈 저놈을 들이 박아 연이어 십여 명을 죽여 버렸다. 영국 도적놈들이 사태가 나빠지자 급기야 총으로 소를 쏘아 댔다. 잠시 뒤 총을 맞은 소는 쓰러졌다. 아아! 하나의 생명이 땅으로 돌아갔도다.

저 영국인은 또 공씨의 말을 타고 강변을 따라 염해성(鹽海城)을 침략하였다. 이때 그 말이 일부러 앞으로 넘어 지는 척 하면서 영국 도적놈을 말안장에서 떨어트려 재빨리 말발굽으로 그 자의 배와 머리를 짓밟아 영국놈을 그 자리에서 죽게 한 후에 곧바로 사라져 버렸다. 영국 도적놈들은 상황이 좋지 않음을 보고 이 소와 말은 분명 신령(神靈)일 것으

---

1 중국 청나라 선종의 연호(1821~1850).

41

로 여기고 염해를 침범하려던 생각을 버렸다. 이 일로 인하여 이 성은 평온을 되찾았다. 관부 대대인(戴大人)은 나라의 가축(國畜)을 일러 또한 이충(二忠)이라고 불렀다. 이것이 바로 소와 말 두 영웅동물에 관한 이야기다.

여러분은 잘들 들어 보시라. 동물도 도적놈에게 대항하는 정신이 있는데 만일 우리가 나라를 보호하지 않는다면 어찌 동물들을 대하겠는가? 나라를 보호한다는 것은 자기 집을 보호하는 것과 다름이 없어서 나라가 망하게 되면 어찌 자기 생명과 집을 보존할 수 있으랴? 자기 집을 보존하려면 우선 먼저 나라를 지켜야 하는 것으로서 집과 나라는 일맥상통한 것이다. 나라와 집안이 망할 때까지 그저 멍하니 기다리고 있어서는 안 된다. 그러면 부모처자가 산산이 흩어지게 되고 가업과 재산도 남의 손에 넘어가게 되는 것이니 안 빼앗기려고 해도 방도가 없는 것이다.

지금부터 외국인이 쳐들어온다면 두려워말고 목숨을 걸고 싸워야 한다. 외국인들도 물불을 가리지 않는 사람들을 무서워하기 때문에 우리가 강하게 나가면 그들도 긴장할 것이다.

여러분! 내말이 허튼 소리인지 아닌지를 잘 생각해보시라. 바로 일본인 하나부사에 대해 말하겠다.

앞에서 말한 일본영사 하나부사가 해안까지 도망가니 앞에 대해가 가로막고 뒤에서 추격병이 쫓아오는 위기일발에 저 멀리 윤선(輪船) 한 척 보였다. 그는 황급히 소리를 질렀다.

"사람 살려!"

그 배가 가까이에 오니 일본 요코하마로 무역하러 가는 영국 상선이었다. 그리하여 하나부사는 그 배에 올라 무사히 귀국할 수 있었다.

한편, 우전충은 해안까지 추격하였으나 다른 사람이 하나부사를 구한 것을 보고 일이 꼬여가는 것을 느껴 미국으로 도망갔다. 나머지 잔여부대는 하루 동안 소란을 피우다가 조용해졌다. 저 대원군 무리의 꿍꿍이가 수포로 돌아가니 가소롭기 짝이 없었다. 이에 대해서 더 이상 말하지 않겠다.

하나부사는 귀국한 후 이토를 만나 자초지종을 모두 아뢰었다. 이토가 말하였다. "지금부터 나에게는 한국과 중국을 대처할 방도가 생겼다."

악독한 이토 히로부미는 한국과 중국을 망하게 하려는 생각뿐이었다.

"한국은 본디 중국의 속국이지만 중국은 그들을 제대로 보존할 수 없게 되었다. 그들이 보호할 수 없다면 우리가 보호하면 된다. 이 절호의 기회를 놓쳐버리면 안 된다. 한국은 봉천(奉天)·길림(吉林)과 인접하고 있어서 쉽게 만주를 침략할 수 있다.

오늘 그들이 우리 영사관을 공격하였다. 내 생각으로 이것은 우리나라의 복이라고 할 수도 있다. 그들이 우리를 건드리지 않으면 우리가 건드리면 된다. 하물며 그들이 이번에 제발로 걸려들었으니 어찌 가만히 있으랴. 나는 한국을 병탄하는 명분이 없어서 늘 고민해 왔었다. 지금은 문제가 해결되었다."

그리하여 그는 또 관원을 한국으로 파견하였다. 이 관원은 이노우에 가오루(井上馨)라고 불렸고 나중에 오오야마 이와(大山巖)를 불러왔다. "네가 제1진의 대육군을 거느리고 정(井)[2]대인과 같이 한국으로 진격하라. 무도한 그 나라 왕에게 왜 우리 영사관을 공격했는지, 왜 많은 우리 상인을 살해 했는지 따져라. 우리 상인을 살해한 것은 큰 문제가 아니라 해도 한국은 우리나라가 입은 50여만 금의 손실을 배상해야 한다. 그렇지 않으면 우리가 그대와 대군을 파병할 것이다. 그리고 우리가 영사관에 병을 계속 주둔시키고 우리나라 영사와 상인을 보호하도록 하거라.

또 한 가지는 사신을 파견하여 우리에게 배상하고 사죄해야 하고, 유족에게 은을 지급해야 한다. 배상할 돈이 없다면 외채를 빌려서라도 갚아야 하고 혹은 나라 땅을 담보로 해야 하는데 원치 않는다 해도 그대로 따라야 한다. 그대들 둘은 한국 왕에게 이렇게 말하라. 그가 어떻게 대답할지 지켜보자."

두 사람은 일제히 대답하였다.

"알겠습니다."

그리고는 배를 타고 기세등등하게 한국으로 향하였다.

일본이 군사를 일으켜 죄를 물은 것은 여기에서 자세히 말하지 않겠다. 또한 우리나라 주일공사에 대해서 이제 말해 보겠다.

이와 같이, 일본이 오오야마와 이노우에를 한국으로 문책을 보낸 사실에 일본 주재 중국공사 여서창(黎庶昌)은 크게 놀랐다. 이 소식을 접하고 그는 말하였다.

"한국은 원래 우리 속국인데 일본이 지금 손을 써서 한국 정권을 탈취하려고 하

---

2 이노우에.

는 것은 중국에 대단히 불리하다. 만일 한국이 일본에게 넘어가면 일본은 우리 동북
과 아주 가까워진다. 그때가 되면 우리 동북삼성도 아마 위험에 처하게 될 것이다."
라고 말하였다.

그리하여 급히 서한을 작성하고 전보국에 가서 서둘러 북양대신에게 전보를 쳤다.
이때 북양대신 이홍장(李鴻章)이 총괄하고 장수성(張樹聲)이 실무를 보고 있었다. 이
날 장수성이 여서창의 전보문을 살펴보았다. 거기에는 이렇게 쓰여 있었다.

"일본주재 영사 여서창이 우리나라 북양장(北洋張) 대신께 보고를 올립니다. 대원군이
난을 일으켜 아무 이유 없이 일본 영사 관청을 공격하였습니다. 지금 일본은 한국에 병사
를 보내 문책하려고 합니다. 오로지 한국의 군왕과 백성에게 수모를 안겨 주려고 하고 있
습니다. 저 조그마한 섬나라 일본은 타고난 천성이 이리의 심보와 같습니다. 이토 히로부
미는 오로지 한국과 중국을 침략하려는 정책을 세웠습니다. 중국의 동북삼성을 침략하기
위해 먼저 한국에 마수를 뻗치려고 합니다. 한국과는 사사로이 통상조약을 체결하고 영
사 하나부사를 배치했습니다. 일본 영사관을 공격하였기 때문에 한국에 일본 군대를 주
둔시켰습니다.

우전충이 일본인 몇 명을 살해하였습니다. 일본은 지금 50만 금 배상금을 요구하고
있습니다. 일본 세력이 우리보다 강해지면 그때는 우리 동북삼성을 보존하기가 어려울
것입니다. 지금 일본은 한국으로 파병했는데 우리도 당연히 얼마간의 군대를 보내야 합
니다. 만일 전쟁이 일어나면 우리가 먼저 한국의 난을 진압하여 어떤 경우라도 일본이 쳐
들어오게 해서는 안 됩니다. 일본은 원래 탐욕스럽기 그지없는 가난한 이리떼와 같은 나
라이므로 그들의 생각을 알고 대비해야 합니다.

대원수님! 이 일을 절대 우습게 보시지 말아주시길 바랍니다. 중국의 이익과 대단히
밀접한 관련이 있습니다. 대인께서 조속히 한국에 군대를 보내어 난을 일으킨 자를 먼저
처치하고 나서 일본과 강화를 논의해야 합니다. 이렇게 해야만 백성을 보호할 수 있습니
다. 이는 세상이 다 알고 있는 일로써 대원수님께서 깊이 생각하시기 바랍니다."

직예총독(直隸總管) 장수성은 여서창의 서한을 보고서 읊조렸다.
"일본이 한국으로 파병하여 문책하고자 하는 것은 우리나라와 아주 밀접한 관계
가 있다. 내가 만일 한국을 구하러 가지 않으면 앞으로 우리에게 불리하게 되어 만인
의 질책을 받을 것이다."

그래서 그는 제독 정여창(丁汝昌)과 마건충(馬建忠)에게 쾌속선 두 척과 5천 명 병사를 거느리게 하여 발해만으로 출발하도록 하였다. 배는 하룻날 하룻밤을 지나 한국에 도착하였다. 이때 일본군대도 한국에 도착하였다. 우리 군대들은 먼저 대원군을 폐하고 난에 참가한 170여 명을 죽였다. 일본은 우리나라가 한국의 난을 평정한 것을 보더니 한국에게 배상금과 영사관 설치, 군대 주둔을 요구하였다. 더욱이 사신을 파견하여 일본에 사죄할 것을 요구하였다.

한국은 할 수 없이 55만 냥만 배상하겠다고 하였다. 그런데 지금은 돈이 없으니 먼저 빌린 것으로 하여 3분(分)의 이자를 주고 부산을 담보로 내놓았다. 일본은 또 다케후시 이치로(竹添一郎)라는 새 영사 한명을 파견하였고, 병사 2천 명을 주둔시켰다. 우리나라는 일본이 공사관에 병사를 주둔시키자 3천 명 군대를 한국에 주둔시켰다. 한국은 김옥균을 파견하여 일본에 가서 사죄하였다. 이렇게 되자, 남아 있던 양국의 군대는 철수하였다. 이에 대해서는 자세히 말하지 않겠다.

한편, 한국의 대원군이 물러났다. 이희 황제는 워낙 연약하고 무능한 사람이었다. 때문에 국사는 민 황후가 전담하여 처리해 나갔다. 어느 날 한가해지자 민 황후가 이희 왕에게 이렇게 말하였다.

민 황후는 입을 크게 벌려 환하게 웃으며 말하였다.

"폐하, 제 말을 잘 들어 보십시오. 우리 한국이 개국 이래 현재까지 평화롭게 지내고 있습니다. 지금 응당 국정을 개혁해야 합니다. 일본이 우리를 속이고 모욕한 것 다름이 아니라 아름다운 우리 땅을 넘보고 있기 때문입니다. 이번에는 일본에게 수모를 당했습니다. 우리나라의 강산과 사직을 잘 보호해야 합니다."

이희 왕은

"그대의 말에 일리가 있소. 나랏일은 그대가 알아서 처리하시오."

라고 대답하였다.

왕의 이 말을 듣고 나서 황후는 국내의 모든 일을 잘 처리하여 학당, 순경 제도를 일제히 세웠다. 법정과 의회를 세우고 성 서쪽에 농업국과 재정국을 세웠다. 비호영은 육군부대로 대체하고 화약장(火藥場)은 공정국(工程局)으로 변경시켰다. 수개월밖에 안 되는 사이에 국정을 하나하나 완비시켰다.

이에 이희왕은 기뻐하며 말하였다.

"그대가 이렇듯 나라를 잘 다스리니 나중에 누가 감히 우리나라를 업신여기겠소."

이에 황후는 이렇게 대답하였다.

"그런데 한 가지 해야 할 큰 일이 남아 있습니다. 바로 매국 간신 김굉집에 관한 것입니다. 일본이 우리나라에 온 것은 전적으로 간신 김굉집이 끌어들인 탓입니다. 제 생각으로는 그 간신이 나라와 사직을 팔고 있으므로 없애 버리는 것이 좋겠습니다."

이말을 듣고서 이희 왕은

"모든 일은 그대가 알아서 처리하시오. 그대가 말한 대로 하시오."

라고 하였다.

그리고는 성지를 보내 내무대신 구기(寇基)를 파견하였다.

구기는 병사를 거느리고 금부(金府)로 향했고 얼마 안 지나서 금부에 도착하였다. 그러고는 명령을 내렸다.

"모두 듣거라. 집안의 사람을 죄다 묶어라!"

병사들은 금부내의 사람을 전부 묶어 놓았다. 도합 83명이었다. 한사람도 도망가지 못하였다. 그리고 그들을 끌고 거리로 향하였다.

길가에 백성들은 그들에게 손가락질하면서,

"간신의 지은 죄는 하늘이 용서할 수 없다. 이에 이른 것은 간신이 자초한 것이다. 누구도 이제는 감히 사욕을 채우기 위해 일본놈들과 쉽게 결탁하지 못할 것"

이라고 이루 말할 수 없는 욕을 다 하였다.

감참대신(監斬大臣) 구기는 범인들을 법원으로 끌고 간 다음 한 사람씩 팻말을 달았다. 그리고는 그들 모두를 꿇어앉게 하고 망나니들을 대기시켰다. 때가 되자, 망나니에게 명하여 목을 칼로 베도록 하였다. 추혼포(追魂炮)가 세 번 울리자 간신놈은 저세상으로 사라져버렸고, 그 집안사람들도 모두 죽었다.

일을 끝마치고 구 대감은 성으로 돌아가 보고서를 올렸다. 구 대감은 보고서를 올리고 나서 댁으로 돌아갔고 이희 황제도 궁으로 돌아갔다. 이에 대해서는 자세히 말하지 않겠다. 김옥균이 일본에게 사죄한 이야기를 말하겠다.

김옥균은 왕의 명을 받들고 일본에 사죄하러 갔다. 이날 일황을 만나 사죄서(謝罪書)를 올렸다. 이때 이토 히로부미가 옆에서 말하였다.

"귀국에서 수고가 많았습니다."

이에 옥균이 대답하였다.

"우리나라가 귀국에 죄를 지어 응당 사죄해야 하므로 왔습니다. 어찌 수고라고 하겠습니까?"

각자 예의를 지켜 대화를 마친 후 헤어졌다. 그러고 나서 김옥균은 여관으로 가서 묵었다. 김옥균은 여관에서 속으로 이렇게 생각하였다.

"일본은 유신을 실행해서 강대해졌다. 우리 국력은 현재 아주 약하고 모든 국사를 민씨 가족이 장악하고 있다. 내가 이토에게 가르침을 받고 도움을 청하는 것이 어떻겠는가? 나도 유신으로 우리나라를 강성하게 만들고 싶다."

생각이 여기까지 미치자 그는 결단을 내렸다.

다음날 그는 이토를 찾아 자기의 생각을 말하였다. 이토는 속으로

"내가 도와주면 한국도 유신을 실시하겠단 말이지. 한국에서 유신을 실시하면 반드시 내란이 일 것이다. 그 틈을 타면 우리에게 좋은 기회가 올 것이다."

릭 생각하였다.

그리하여 그는 옥균에게 말하였다.

"유신을 실시하려고요? 좋은 생각입니다. 그럼 제가 우리나라 영사에게 편지를 보내겠소. 그에게 병사를 주어 그대를 돕도록 하는 것이 좋지 않겠소?"

옥균이 기뻐하며 대답하였다.

"대단히 고맙습니다. 나중에 일이 잘 풀리면 제가 후하게 사의를 표하겠습니다."

그리고는 이토와 작별하고 귀국하였다.

귀국한 후 옥균은 만무백관이 모인 조정에서 이렇게 말하였다.

"지금 우리의 국력은 아주 약합니다. 반드시 외국의 도움을 받아야만 나라를 보존할 수 있습니다. 그럼 우리가 일본에 의지하겠습니까? 아니면 중국에 의탁하겠습니까?"

그러자 대신들이 웅성거리며

"중국은 약해서 안 되고 일본은 약아 빠져서 믿을 수 없다"

고들 하였다.

이어서 사대와 친일 두 당이 생겨났다. 사대당은 중국에 의지하는 것을 원하였고 친일당은 일본에 의지하기를 바랐다. 박영효·김옥균·정병하(鄭秉夏)·조의연(趙義淵)·우범선(禹範善)·이간홍(李束鴻)·이만래(李萬來)·이신효(李臣孝)·권영진(權榮鎭)은 일본에 의지하려고 하였다. 중국에 의지하려는 대신은 민영익·민영준·구 대감(寇儒臣)·친왕(親王) 이시좌(李是佐)·이응번(李應藩) 등이었다. 그날 김옥균의 제의에 양당의 의견이 일치를 보지 못하고 각자가 자기 의견을 내세워 결국 흐지부지해졌다.

김옥균의 마음속에는 유신을 실시하려는 생각뿐이었다. 집으로 돌아가자 그는 하인에게 분부하였다.

"빨리 가서 박 대감, 정 대감, 이 대감을 모셔 오너라."

하인이 떠나고 얼마 안 지나서 그들 세 사람이 김옥균 집 객실에 모였다.

세 사람은 김옥균에게 물었다.

"대감께서 무슨 일로 저희들을 불렀습니까?"

그러자 김옥균은 대답하였다.

"여러분, 제 말을 잘 들어 보십시오."

라고 하고서 웃으면서 말하였다. "잘 들어보시길 바랍니다. 지금 우리나라는 아주 좋지 않습니다. 일본과 중국 사이에 끼어 있습니다. 일본은 지금 매우 강대해지고 있고 중국은 약해지고 있습니다. 중국을 믿게 되면 아마 실망하게 될 것입니다. 저 민씨 형제가 군사를 장악하고 있고, 그 여동생이 조정의 대권을 장악하고 있습니다. 그들은 오로지 가난한 중국에 의지하려고 하는데 아마도 강산을 말아 먹으려는 것 같습니다.

이토 히로부미는 우리가 정변을 일으키는 것을 바라고 지지한다고 했습니다. 지금 중국과 프랑스가 전쟁 중입니다. 우리는 이 기회에 정변을 일으켜야 합니다. 우선 민씨 형제를 죽이고 국왕을 압박하여 새 법을 반포해야 합니다. 다른 사람들이 동의하지 않겠지만 걱정하지 마십시오. 일본 영사관이 우리를 보호할 것입니다. 여러분! 이렇게 하는 것이 어떻겠습니까? 다른 의견이 없다면 실행에 옮기도록 합시다."

세 사람은 기다렸다는 듯이 박수를 치며 기뻐하였다. 그리고는 일본 영사관으로 가서 일본 영사와 상의하였다. 그 영사는 바로 병사 2천명을 보내주었다. 병사들을 거느리고 그들은 황궁으로 달려갔다. 마침 저 민씨 형제가 그곳 있었다. 병사들은 눈이 빨개지도록 찾아 이리 뛰고 저리 뛰었다. 칼을 높이 들어 내리쳤다. 가장 애석한 일은 두 영웅이 황천길로 간 것이다.

이 사건으로 친왕 이응번은 너무나 놀랐다. 그는 황급히 우리 공사관으로 뛰어가 오(吳)·원(袁) 두 사람에게 자세히 말하였다. 오제독(吳提督) 이 군대를 이끌고 황궁으로 향하니 참으로 난리가 났다. 어떤 난리가 일어났는지 나중에 이야기 하고 담배 한 대를 피우면 좀 쉬겠다.

4 제4회 오제독(吳提督)이 서울에서 크게 싸우고, 형제는 화목하고 가정 편안하다

각자가 뜻을 같이 하고 문무관이 마음을 합치면 나라가 부흥될 것이고 그렇지 않으면 나라는 어찌 태평하리오!

시구가 끝나니 이야기는 계속된다. 위에서 보았듯이, 김옥균이 일본 병사들을 이끌고 가서 민씨 형제를 죽였고, 또한 왕을 압박하여 새 법을 반포하도록 하였다. 이에 놀란 친왕 이응번(李應藩)이 중국 영사관에 가서 고하니 제독 오장경(吳長慶)과 위원 원세개(袁世凱)가 3천 명 군사를 이끌고 황궁으로 왕을 보호하러 달려갔다.

한국 친왕 이응번이 중국 영사관에 가서 말하였다.
"김옥균이 일본병사를 이끌고 난을 일으켰습니다. 먼저 번 상의할 때 양측이 합의를 보지 못하여 일병을 끌고서 궁 앞에 이르렀던 것이다. 가련한 민씨 형제를 죽이고 그는 왕을 압박하여 유신을 실시하려고 하였습니다. 바라건대, 대인께서 황궁으로 조속히 병을 보내어 일병을 막아 주십시오."
오제독(吳提督) 은 전후사정을 듣고 즉시 3천 명 병사를 거느리고 영사관을 나와 황궁으로 향하였다. 길에서 마침 일본 병사들과 만났다. 양측은 서로 총을 쏘기 시작하였다. 총소리가 귀가 터지도록 크게 울렸다. 호루라기 소리와 총탄이 날아다니는 소리가 사람의 간담을 서늘케 하였다. 아침부터 점심 때까지 싸웠는데 우리가 일본군대를 물리쳤다.
다케후시 이치로(竹添一郎)는 병사들을 데리고 도망쳤다. 오제독(吳提督)은 추격하였다. 계속해서 20리 길을 추격하니 일본 병사들은 인천에 도착하였다. 오장경이 계속 추격하려고 하고 있는데 옆에 있던 원세개가 말을 하였다.
"토끼도 막다른 골목으로 몰리면 사람을 뭅니다. 막 다른 골목에 몰린 자들을 추격하지 말아야 합니다. 우리는 여기에서 멈추고 되돌아가 난을 일으킨 자들을 없애는 것이 좋겠습니다."
일리가 있다고 여긴 오장경은 발길을 돌렸다. 다들 득의양양해 하였다. 병사들이 서울에 도착하자 제독이 옆에서 입을 열었다.

이처럼, 오제독이 군대를 이끌고 한성으로 돌아와 큰소리로 말하였다.

"대소 병장들아! 잘 듣거라. 지금 바로 모두들 난을 일으킨 김옥균을 잡아라."

"예"

라고 외치는 소리와 동시에 병사들은 옥균 집에 들이닥쳐 그 집안의 어른 아이 할 것 없이 모두 죽여 버렸다. 그러나 옥균 혼자만 도망쳤다. 오장경은 가만히 생각하며 말하였다.

"그 자가 어디로 갔을까?"

몇 시간 찾아도 그림자 하나 보이지 않기 때문에 관청으로 돌아가고 말았다.

그런데, 그들이 민씨 형제를 죽였고 그가 또한 황궁으로 가서 민 황후를 죽이려고 한 것을 여러분은 모르실 것이다. 이 무렵 국왕 이희는 정변이 일어난 것을 이미 알게 되어 호위군에게 궁문을 단단히 지키도록 하였다.

옥균이 도착하여 보니 수비가 굳건하였다. 그는 그곳에서 일본 병사들이 오기를 기다렸다가 다 같이 궁으로 쳐들어가기로 하였다. 한참이나 기다려도 일본 병사들이 나타나지 않아 안달복달하고 있었다. 그때 갑자기 누군가가 보고하였다.

"큰일 났어요. 일본 병사들이 중국 병사에게 패배했어요!"

김옥균은 이 소식을 듣고서 일이 잘 못됨을 깨닫고 일본으로 도망가려고 목적지를 향해 달렸다. 다행히도 난을 일으킨 일당과 한 곳에서 만나서 함께 도쿄로 도망쳤다. 이에 대해서는 더 이상 말하지 않겠다.

한편, 일본 다케후시 이치로 영사는 패배하여 인천으로 도망치다가 뒤에서 추격하던 병사들이 돌아가는 것을 보고 안심하며 천천히 걸어가고 있었다. 그런데, 갑자기 뒤쪽에서 말발굽소리가 나서 고개를 돌려 보았더니 말을 탄 사람 몇몇이 이쪽을 향해 날듯이 달려오고 있었다. 그들이 가까이에 왔다. 다름 아니라 저 김옥균과 난을 일으킨 일당들이었다. 서로 놀란 가슴을 달래며 배를 타고 일본으로 달아났다.

젊지만 무모한 김옥균은 배에서 홀로 생각하며 중얼거렸다.

"내가 유신을 실시하여 한국을 강국으로 만들려고 하다가 패배할 줄 누가 알았으랴. 집안 어른들과 아이들이 어떻게 되었는지 모르겠구나. 아마 멸족 당하겠지. 집안의 남녀 노소가 나 한 사람 때문에 화를 입게 되었다. 가슴이 아프구나. 하지만 그 누구를 탓하겠는가? 다 내 탓이다. 이 못난 놈이 일본인에게 의지하여 왕을 압박하려는 생각이 틀렸어. 사람들이 나를 나쁜 놈이라고 욕할 테지. 난 이젠 어찌하면 좋겠는가?"

옥균은 생각하면 생각할수록 가슴이 아파났고 두 줄기 눈물이 옷깃을 적셨다. 울부짖으며 그리운 부모처자를 애타게 불렀다. 일 이렇게 된 바에 누구 탓할 것이 아니라고 생각하고 바다에 몸을 던져 저세상으로 가려고 하였다. 그 때 누군가가 걸어와서 그에게 말을 건넸다.

이처럼, 김옥균은 배 위에서 계속 울며 자진하려고 생각하였다. 하인 한 명이 옥균에게 다가가서 말하였다.

"대감, 비통해하지 마세요. 혹시 집안사람들 중에서 살아남은 사람이 있을지도 모릅니다. 만일 멸족 당했다 하더라도 우리가 지금 이대로 죽는다면 아무 소용이 없습니다. 아예 일본에 건너가 있다 몇 년 후에 돌아가 원수를 갚는 것이 좋겠습니다."

김옥균은 눈물을 훔치고 말하였다.

"상황이 이렇게 되었으니 그대로 밀어 붙이는 수밖에 없도다."

그리하여 울음을 멈추고 일본으로 향하였다.

이날 일본에 도착하여 이토 히로부미를 만나 자초지종을 설명하였다.

이토가 말하였다.

"사정이 이러하니 난감합니다. 우선 그대는 일본에 머물러 있시오. 내가 그대에게 일을 맡길 테니 일본에 있으면서 일하는 것이 좋지 않겠소?"

김옥균이 말하였다. "감사합니다. 이 은혜는 다 갚지 못할 겁니다."

라고 대답하였다.

이에 대해서 다시 말하지 않겠다.

한편, 다케후시 이치로는 일황을 뵙고 패군의 죄를 청하였다. 일황은 말하였다.

"난 그 일에 별로 신경 쓰지 않네. 돌아가서 쉬게나."

일황은 이어서 이토 히로부미를 불렀다.

"우리 군대가 한국을 돕다가 중국에게 졌다고 하더군. 우리가 어떻게 하면 두 나라에 대항할 수 있겠소?"

이토는 희색이 만면하여 일황에게 아뢰었다.

"폐하 만세! 우리가 한국과 중국을 병탄하려면 늘 그들의 권력 핵심으로 침투해야 합니다. 한국의 중국 세력은 우리보다 강합니다. 방법을 찾아 중국과 대등하게 실력을 만들어가야 합니다. 이를 계기로 삼아 중국과 조약을 체결할 필요가 있습니다. 그리고 한국과

도 몇 가지 조약을 맺어야 합니다. 먼저 한국에 군비 13만을 배상하라고 해야 합니다. 설사 외상으로라도 이자를 받아 내야 합니다. 관원을 중국에 보내 중국과 교섭하고 영사에게 임무를 맡기면 됩니다. 이번에도 다른 사람 말고 이노우에 가오루를 파견해야 합니다. 폐하께서 성지를 내려 주십시오."

일황은 그들을 한국에 보내라는 성지를 내렸다. 이에 이노우에는 왕명을 받들고 도쿄을 떠났다.

이날 한국에 도착해 보니 친일당은 서로 앞 다투어 말하였다.

"우리나라는 윗사람들이 공평하게 처리하지 않고 정사는 황후에게 모두 귀속되어 우리의 대신은 따돌림을 당하고 있습니다."

이노우에는 그들의 이런 모습을 보고서 그들을 믿고서는 일을 성사시킬 수 없다고 판단하였다. 내일 직접 저 이희를 찾아가 교섭하여 여러 가지 요구를 모두 처리하리라 생각하였다. 이어서 이노우에는 한국의 내정을 살펴보니 누가 국정을 장악했는지 모르지만, 정치가 전과 대단히 달라져 새로워진 모습에 놀랐다. 이 나라에 유능한 인재가 있다. 다른 사람에게 들을 필요가 없이 필시 저 왕비 민씨의 공로임에 틀림없었다. 이 사람을 제거하지 않으면 우리나라는 크게 당할 것만 같았다. 이러한 사정을 귀국해서 상세하게 보고하였다.

이노우에가 한국에서 일을 마친 후 한국이 일본에게 군비 13만양을 2분반(二分半) 이자로 지급하기로 한 일과 민 황후가 너무 총명하여 제거하지 않으면 후환이 클 것이라는 내용으로 서한을 작성해서 일본에 보냈다. 이에 대해서는 자세히 말하지 않겠다.

한편, 한국 서울에 성이 안이고 이름이 열공(悅公)[1]이라는 일가의 진사가 있었다. 그는 황방(黃榜) 출신으로서 운재소(雲在霄)의 사촌 여동생 장씨를 부인으로 삼았다. 안씨는 40여 살로 중근(重根)이라는 아들 하나를 두었다. 성장하여 천하의 인재가 될 세살 아들은 둥글둥글한 생김새에 아주 영리하여 7·8세 애들에 못지않았다. 부부는 아들을 보배처럼 사랑하였다.

어느 날 안 진사가 부인에게 말하였다.

---

1 안태훈.

"지금 우리나라는 내란이 여러 번 일어나고 있소. 여기에서 계속 살아야 할까? 병난이 일어날까 두렵소."

"평양으로 가서 운 대감의 집에 피난하는 것이 좋겠어요. 당신 어떻게 생각하나요?"

부인이 대답하였다.

"내가 보기에 이곳은 오래 살 곳이 아닌 것 같소. 당신 좋다고 생각하시면 그렇게 합시다."

그래서 가산을 정리하고 나서 집안의 하인들을 한 곳에 모아 놓고 말하였다.

"우리는 평양으로 이사 가려고 하는데 너희들을 전부 데리고 갈 수는 없다. 그래서 너희들에게 노자를 줄 테니 각자가 다른 곳으로 가거라."

그리하여 가지고 갈 수 없는 물건들을 그들에게 나누어 주었다. 그 시녀들은 고맙다고 절하고는 각기 제갈 길로 갔다.

친척 안성(安成)과 늙은 하녀 한 명만 데리고 갔다. 안씨 부인은 아들 안중근을 안고 작은 마차에 탔다. 안성은 마차를 몰고 늙은 하녀는 차 바깥에 앉았다. 안 진사는 말 한 필을 준비하여 타고 갔다. 안 진사는 집 문과 창고를 모두 봉하고 대문을 나서서 평양으로 향하는 큰 길에 올랐다.

이 훌륭한 진사 안열공은 평양으로 가서 재앙을 모면하려는 생각뿐이었다. 안 진사의 부인은 귀중품을 깔끔하게 정리한 다음에 문을 닫고 나가서 아이를 마차에 앉고 탔다. 안 진사는 말을 잘 탔다. 별안간 그들이 법석을 떨며 문밖에 나섰는데 마을 이웃사람들이 떠들썩하게 집에서 나와서 함께 그들을 배웅하였다.

이웃들은 이렇게 말하였다.

"진사께서 난리판을 떠나 먼저 가시는군요. 우리도 곧 뒤따르겠습니다. 이곳은 정말로 오래 살 곳이 못됩니다."

어떤 사람은 길에서 백배 조심하여 강도에게 당하지 않도록 조심하라고 당부하였다. 다른 사람은 여관에 묵을 때 꼭 도적이 있을지 모르니 잘 살피라고 신신당부하였다. 또 다른 사람은 애에게 옷을 많이 입히고 길에서 감기에 걸리지 않도록 주의하라고 하였다.

여러 사람들은 먼 마을 밖까지 배웅하면 말하였다.

"어서 길을 떠나세요. 더 지체하지 마시고요."

진사는 그들에게 답례하며 말하였다.

"여러분 대단히 고맙습니다. 오늘 우리는 비록 이렇게 헤어지만 나중에 안정되면 꼭 다시 돌아오리다."

말을 마치고 일행은 길을 떠났고 마을 사람들은 제각기 흩어졌다.

안성이 말채찍을 부지런히 움직여 잠깐 사이 십 여 리 길을 내달렸다. 진사는 말을 타면서 자주 뒤쪽으로 눈길을 돌렸다. 슬픔에 싸여 말 위에서 중얼거렸다.

"간신들이 득세하여 국정을 어지럽혀 할 수 없이 서울을 떠나는구나. 내 집과 땅을 버리다니 너무나 가슴 아프다. 따뜻한 이웃들과 동고동락하지 못하고 헤어지니 가슴이 뭉클하도다. 친척과 시녀들이 잘들 지낼지 무척 걱정이야. 가업을 버리고 평양으로 가는데 그쪽 사람들이 우리를 어떻게 대할 것인지 모르겠어."

안 진사가 고개를 들어보니 해가 막 서산에 지려고 하였다. 그래서 그는 서둘러 마차를 이끌고 여관집에 들러서 하루 밤을 묵었다. 날이 밝자 또다시 출발하였다. 첩첩 산중의 길은 울퉁불퉁 하였다. 많은 강들과 촌마을들을 뒤로 하며 길만 재촉하였다. 이렇게 밤에는 자고 낮에는 길을 연일 빠르게 달렸다.

이날도 여전히 앞을 향해 가고 있었다. 높은 산이 앞길을 막고 있었다. 거무칙칙한 밀림 속에 오가는 행인이라고는 보이지 않고 고요한 숲 속에서 새들의 울음소리가 들려 올 뿐이었다. 진사는 겁이 덜컥 나서 말하였다. "흉험한 곳이구나. 노인들이 산에 도적들이 숨어 있다고 하였다. 이곳에서 꼭 도적이 나올 것만 같다. 우리는 돌아가는 것이 좋겠다."

안성이 마차를 동쪽으로 돌려 조금 가자마자 과연 뒤쪽에서 고함소리가 들려 왔다. 말할 나위 없이 도적들에게 꼬리를 잡힌 것이다. 안 진사는 급히 소리쳤다. "안성아, 위험하다. 빨리 몰아라!"

안성은 급기야 채찍을 힘차게 휘둘렀다. 마차는 바람처럼 내달렸다. 잠시 후 총소리가 울렸다. 이번에 진사가 목숨을 유지할 수 있을는지 걱정이다.

진사의 생사가 어찌 되었는지 알고 싶으면 다음 회를 기다리시라.

서강월

자고로 영웅호걸은 때때로 명이 짧고, 뜻을 펼치자면 간난신고를 맛보아야 한다. 문왕이 유리(羑里)에 갇히고 공자가 진채(陳蔡)에서 굶으면서 우환 속에 살다가 안락 속에 죽었도다. 이들이야말로 성현의 모습이리라.

이상 시구가 끝나니 이야기는 계속된다. 위에서 보았듯이, 안 진사는 서울을 떠나 이 날 황해도 지역에 들어섰는데 앞이 높은 산과 막다른 길로 막혀 있었다. 이 산 양쪽에는 검은 송림(松林)이 있었고 중간에 큰길이 있었다.

진사가 말하였다. "이 산은 심히 흉악하니 반드시 강도가 있을 것이다. 우리는 서둘러 저쪽으로 돌아가야 한다."

그래서 안성이 마차머리를 돌려 얼마 안가서 뒤에서 고함소리가 나더니 20명 남짓한 강도떼가 나타나 진사는 재빨리 도망치기 시작하였다.

대단한 안 진사도 운이 따라주지 않았다. 단지 평양으로 피난가고 있는데 뜻밖에 도중에서 재난을 만난 것이다. 일본인이 산을 차지하고 도적질을 하면서 오가는 행인을 약탈하였다. 공교롭게도 진사가 운이 나빠 일본군 도적들을 만난 것이다.

말을 타고 앞에서 내달리는 진사를 도적들이 추격하였다. 하지만 걸어서는 말을 따라잡을 수 없었다. 그래서 도적들은 총을 들어 진사를 향해 사격하기 시작하였다. '탕탕' 소리가 나더니 진사는 말에서 떨어져 머리에서 붉은 피가 솟아 나왔다. 진사는 불행히도 길에서 목숨을 잃었다.

하지만 마차는 흔적 없이 사라져 버렸다. 도적들은 또다시 마차를 추격하였다. 그런데 이때 서쪽 산에서 병사들이 나타나 도적들을 향해 탕탕 총을 쏘아 네 사람을 죽였다. 그러자 도적들은 도망쳐 되돌아갔다. 어느 새 2백 여 명 되는 병사들이 나타나 양측에서 협공하고 있었다. 일본강도 네 사람만 겨우 도망쳤고 나머지는 모두 사로 잡혔다. 이 이야기는 더 이상 하지 않겠다. 다만 도적을 사로잡은 영웅인물에 대해 자세히 말하겠다.

한국 황해도 인리촌(仁里村)에서 영웅이 태어났다. 성은 후(侯)이고 이름은 필(弼)이라고 하였다. 자(字)는 원수(元首)이다. 어려서 부모를 여의고 이름이 좌(佐)이고, 자(字)가 원량(元良)인 형이 그를 7살까지 길렀다. 17살까지 학교에서 글공부를 하였다. 나중에 미국의 학교가 대단히 좋다는 말을 듣고 그는 형·형수와 작별하고 미국으로 갔다.

그곳 육군사관학교를 3년간 다니며 무예를 닦고 병법을 익혔다. 이후 고향에 돌아와 집에서 세월을 보냈으나 벼슬아치가 되려는 생각은 없었다. 그는 인리촌(仁里村)에서 300여명의 젊은이들을 선발하여 농비(農備)학교를 세우고, 총을 사서 매일같이 그들을 훈련시켰다. 인근에 도적이 나타나면 그는 농비병을 거느리고 곧바로 출동하였다. 그리하여 그 지방에서는 도적이 사라져 버렸다.

세월은 흐르는 물과 같이 어느새 3년이 지났다. 젊은이들은 잘 훈련되었고 200명이나 더 늘어났다. 예전과 마찬가지로 외적을 물리치기 위해 훈련을 게을리 하지 않았다. 좋은 세월을 만나지 못해 형님과 형수 모두 저세상으로 가고 후진(侯珍)이라는 7살 조카만 홀로 남겼다. 후필은 그에게 글공부를 가르쳤고 장가도 들지 않았다.

이날 그는 방에서 책을 보고 있었다. 갑자기 누군가가 달려와 15리 떨어진 곳에 있는 기봉산(奇峰山)에서 한 떼의 일본강도들이 그 산 길에서 강도짓을 일삼고 있다고 알려왔다.

후필은 이 소식을 듣고 농비대를 소집하여 토벌하러 나섰다. 마침 안성이 몰고 오는 마차를 만나 그에게 물었다.

"왜 이렇게 급히 달리는 게요."

안성이

"우리는 평양으로 가려고 길을 지나고 있는데 이산에서 한패의 일본강도들이 나타나서 이렇게 달리고 있습니다. 우리 진사는 아직도 뒤에 계시는데 죽었는지 살았는지 모르겠습니다. 빨리 가서 그를 구해주십시오!"

라고 대답하였다.

원수(후필)가

"우리가 마침 도적을 치러 가는 중입니다. 이곳에서 우릴 기다리세요. 우리가 도적을 물리친 후 산을 지나가실 때까지 호송하겠습니다."

라고 말하고 나서 그는 병사들을 거느리고 앞으로 나갔다. 과연 얼마 안가서 저쪽에서 일본강도들이 달아나는 것이 보였다. 그래서 그들은 일제히 사격하였다. 일본 도적들이 무수히 죽고 네 사람만 도망쳤다.

그 다음 산 끝까지 돌아보았는데 길 어구에 시체 한 구가 있었다. 이것은 필시 도적에게 죽은 진사임을 알고서 사람에게 시신을 수습하게 하여 안성이 있는 마차 앞으로 옮겼다.

"와서 보세요. 이 시신은 그대의 주인이 아닙니까?"

안성이 보니 바로 진사였다. 황급히 마차 앞으로 달렸다. 도착하자마자.

"마님, 큰일 났어요! 진사께서 도적에게 피살되었습니다."

라고 외쳤다

안부인은 이 말을 듣고서 황급히 아들을 늙은 하녀에게 맡기고 마차에서 뛰어 내려 보더니 통곡하기 시작하였다.

안부인이 죽은 진사를 보더니 두 눈에서 눈물을 흐리며 슬프게 울며 말하였다.

"안전한 곳으로 피난 가는 게 좋다고 여겼는데, 길에서 죽을 줄 누가 알았으랴. 이럴 줄 알았으면 떠나지 말고 차라리 서울에서 그대로 몇 년 더 사는 게 나았을 것을. 일본놈들이 난리를 치든지 말든지 그대로 있는 건데. 지금 끝내는 그 놈들 마수를 벗어나지 못했구려. 이를 어찌하면 좋단 말이오. 아들애가 4살도 안되었는데 누가 애를 가르치고 키우겠소. 여보, 당신은 너무 하오. 어이 우리 모자를 홀로 남겨 두고 혼자서 간단 말이오. 여보, 저세상에서 잠깐 저를 기다려 주시오. 내가 곧 따라 가리다."

안부인은 울면 울수록 더 고통스러웠다. 갑자기 가래가 목구멍에 걸려 넘어가지 못하고 쿵하고 땅바닥에 쓰러졌다. 그러자 옆에 있던 안성이 크게 놀라 급히 안부인에게로 달려가 보았으나 이미 숨소리가 없었다. 급기야 그도 가슴을 치면서 비통하게 울었다.

"마님, 어서 정신 차리세요. 죽으면 안 됩니다. 돌아가시면 안 됩니다. 마님! 마님이 돌아가시면 우리 도련님은 누가 보살피겠습니까?"

라고 흐느끼면서 그는 부지런히 앞뒤로 부인의 몸을 흔들었다. 마님! 마님! 하고 여러 번 불렀으나 대답이 없었다. 잠시 후 안부인이 끙끙 거리는 신음소리가 들렸다.

안성이 여러 번 소리쳐 불러보았다. 안부인이 소리를 내더니 가래를 탁 내뱉고 숨을 가다듬고 말하였다.

"하마터면 큰 일 날 뻔했네."

여러 사람들은 부인이 살아난 것을 보고 앞 다투어 말하였다.

"부인, 너무 비통해 하지 마세요. 진사께서는 이미 돌아갔습니다. 우셔도 어쩔 수 없어요."

이어서 후필이 말하였다.

"부인, 비통해 마세요. 날도 저물어 가는데 우리 먼저 진사님의 시신을 마을로 모셔 가서 관을 사서 잘 정례를 치르려야 합니다. 그런 후에 부인과 아드님을 평양까지 모셔다드리겠습니다. 이렇게 하는 게 어떻겠습니까?"

안부인은 그의 말을 듣고

"그럼 우리 모자는 이 은혜를 어찌 갚을지 모르겠습니다."계속 물었다 "의사(義士)님의 존함을 알려주십시오?"

라고 말하였다.

후필이 대답하였다.

"저는 성은 후이고 이름은 필이며 자는 원수라고 합니다. 인리촌 사람입니다.

안부인이

"그렇다면 후의사(侯義士)이시군요."

라고 하니 후필이 답례하며

"부인! 어서 마차에 오르십시오."

라고 하였다.

이에 안부인은 마차에 올라탔다. 후필은 또한 병사들을 시켜 진사의 시신을 모시고서 마을로 돌아갔다. 안부인을 자기 집에 도착하여 안정을 되찾았다. 사람들에게 명하여 관을 사와 진사의 시신을 입관하라 하였다. 다음날 길지를 택하여 진사 장례를 지냈다. 부인이 혼령을 보내고 또 하루 밤을 묵었다.

이튿날 안성에게 마차를 준비하라고 하였다. 막 출발하려고 하는데 후필이 며칠 더 묵으라고 권하며 네 사람을 보내어 호송하겠다고 하였다. 부인이 후필에게 말하였다.

"의사님! 이리와 앉아 천한 우리 모자의 절을 받으세요."

안부인의 두 눈에 아무 말 없이 눈물이 고였다.

"후의사님 제 말을 좀 들어보세요. 우리 부부가 가산을 가지고 피난길에서 재난을 당하여 바깥양반이 일본인들에게 살해되었습니다. 우리 모자도 하마터면 같이 봉변을 당할 뻔했습니다. 의사님이 병사를 이끌고 와서 우리를 구한 덕분에 우리 모자가 생명을 부지하게 되었습니다. 그리고 나서도 우리를 머물게 해주고 제 바깥양반의 장례를 지내주셨습니다. 이 은혜는 산보다 높고 바다보다 깊습니다. 우리가 죽고 사는 데 어찌 감사하지 않겠습니까? 의사님, 잠깐 마차에 올라와 앉으세요. 저희 모자의 절을 받으세요."

후필이 재삼 사양했으나 안부인이 쉽게 고집을 꺾지 않고 말하였다.

"절을 꼭 받으셔야 합니다."

후필은 할 수 없이 마차에 올라가 자리에 앉았다. 안부인 모자는 후필에게 같이 절을 올렸다. 절을 하고서 일어나면서 안부인은

"천한 저에게 한 가지 부탁이 있습니다. 꼭 들어주셔야 합니다. 선물을 하나 드릴게 있어요. 제 아이가 갖고 있는 여의주(如意珠)를 보답으로 의사님께 드리겠습니다. 사양말아 주세요."

라고 말하였다.

그 여의주를 건네자 후필이 말하였다.

"부인, 절대 달리 생각하지 마세요. 일본놈들이 기봉산에서 노략질 하면서 무고한 우리 한국 백성들을 능욕하고 있습니다. 우리 모두는 한국의 착한 백성들입니다. 외국인이 괴롭히면 응당 싸워야 합니다. 그들을 치는 것은 우리가 해야 할 의무입니다. 그러므로 이것을 그리 대단한 은혜라고 여기지 마십시오. 부인! 어서 차에 타시고 날씨가 따뜻할 때 길을 빨리 떠나세요."

안부인은 예의를 표하고 나서 차에 올랐고 호송할 네 사람의 장정이 그 뒤 따라 갔다.

후의사는 먼 곳까지 전송하러 왔다가 돌아갔다. 마차는 큰 길을 따라 바람같이 달렸다. 밤에는 여관에 머물렀고 낮에는 길을 서둘렀다. 며칠을 달려 이날 평양성에 이르렀다. 북문으로 들어가 남쪽으로 굽어들어 운 대감의 집 대문에 이르렀다. 안부인이 탄 마차가 문밖에 도착하자 집안사람들이 놀랐다.

안부인은 이날 평양에 도착한 후 호송하여 준 네 사람에게 은 20냥을 꺼내 주며 고마움을 표시하면서

"무사히 돌아가세요."

라고 하였다. 그러고 나서 운 대감의 집에 이르러 운 대감의 집 대문에 들어서 마차에서 내렸다. 집안사람들 놀라 운(雲) 부인에게 아뢰었다. 운 부인은 서둘러 문밖까지 마중 나와서 집으로 맞이하고 나서 말하였다.

"동생, 오는 길에서 수고가 많았네! 조카가 엄청 컸구나." 이때 운 대감이 그들이 왔다는 소식을 들었다. 여러 사람들이 서로 인사를 마치자 운대감이 물었다. "너는

왜 상복을 입었느냐?"그러자 안부인이 눈물을 흘리면서 대답하였다. "왜 상복을 입 었느냐고 하셨지요. 한마디로 다 말할 수 없어요."

안부인이 말없이 눈물을 흘리며 말하였다.
"오라버님! 올케! 제 말을 들어 보세요. 서울에 있을 때 일본인들이 난리를 피워 우리 부부가 이리로 피란 오려고 하였습니다. 짐을 간편하게 꾸리고 길을 떠나 하루는 기봉산 을 지날 때였습니다. 일본인들이 이 산에서 도적질을 하면서 오가는 행인들의 돈을 빼앗 았습니다. 우리 마차가 지날 때 소나무 숲속에서 함성이 들렸습니다. 깜짝 놀라 마차를 달려 도망쳤는데 이 때 그 도적들이 산을 지나가다가 총을 바깥양반에게 쏘아 죽였습니 다. 우리 모자는 그 때문에 상복을 입은 겁니다."

운대감은 그 말을 듣고
"매부가 도적들에게 죽다니 너무나 슬프구나."
라며 눈물을 흘리면서 울었다.

운대인이 울면서 말을 이었다.
"망할 일본놈들. 우리 매부가 네놈들과 무슨 원수를 졌다고 무고한 생명을 해쳤느냐! 보아라! 집안에 늙은이와 어린 것만 남았구나. 40살 늙은이와 3·4살 어린 애가 어찌 견 딜까. 어느 누가 이런 일을 당하고도 가만히 있겠느냐. 일본놈들은 다른 사람의 원한을 사기를 좋아하는구나. 개 같은 일본놈들을 만나기만 하면 살가죽을 벗기고 눈알을 뽑아 버리리라."

이처럼, 잠시 후 대인이 마음이 너무 아팠지만 참으며
"애야, 매부가 도적에게 죽은 후 너희들은 어떻게 여기까지 도망쳐 왔느냐?"
라고 묻자 안부인은 눈물이 말하였다.
"오라버님 몰라요, 들어보세요."

안부인이 말없이 그렁그렁하며 말하였다.
"자! 들어보세요. 우리 마차가 앞으로 정신없이 달리고 있는데 뒤에서 도적들이 바싹 따라오고 있었어요. 다행히도 그들이 걸어서 쫓아왔으므로 우리 마차를 따라 잡을 수 없었어요. 나중에 생명의 은인을 만났어요. 인리촌(仁里村)에 사는 의사(義士) 후필이라는 분이 병사들을 거느리고 와서 도적들을 사살하고 우리 모자를 마을에 머물게 해서 생명을 부지했습니다."

운대감이 다 듣고 나서
"후필은 참 의사로구나."
라고 말하였다. 안부인은 계속하여 전후사정을 다 말하였다.

"그 뿐이 아니에요." 그 의사가 또한 관을 사서 바깥양반을 관에 넣어 명당자리에 묻어주었습니다. 이것은 모두 후 의사님의 은혜입니다. 그리고 나서 병사를 보내어 평양까지 보내주어 무사히 왔습니다."

안 진사가 피살당한 사실, 후필이 도적들을 죽인 사실, 안진사를 장례 지낸 사실, 사람을 보내 호송한 사실을 안부인이 다 말하고 나서 운대감은
"그분이 보낸 사람은 어디 갔느냐?"
라고 하자 안부인은
"벌써 돌아갔습니다."
라고 대답하였다. 운대감은 다시
"네 남편은 이미 돌아갔다. 너희 모자는 이곳에서 살거라. 외조카가 더 크면 내가 선생을 모셔올테니 내 아들 재수(在峀)·낙봉(洛峯)과 함께 글공부를 하도록 하거라. 그런 다음 나중에 다 크면 일본놈들에게 복수하고 네 남편의 원수를 갚아라."
라고 하자 안부인이
"그럼 오늘부터 신세를 많이 지겠습니다."
라고 대답하였다
운재소가
"무슨 그런 외람된 말을 하느냐. 우린 친형제와 다름없는 사촌형제다. 다른 생각을 하지 말기를 바란다."
라고 하니 안부인은
"고맙습니다."
라고 하였다.

안부인이 운 대감 집에서 머무른 이야기는 더 이상 하지 않겠다.

이와 같이, 일본 도적들이 후필에게 사살되고 네 사람만 도망쳤다. 그 네 사람은 염탐하여 자기네를 해친 사람들이 후필의 농비대임을 알아내고서 방도를 생각하기 시작하였다.

"이 자를 없애지 못한다면 우리나라의 후환으로 될 것이다."

그래서 도적들은 황해도 교섭국에 가서 후필을 고소하였다. 교섭국이 무엇인가? 그것이 바로 외국 사람과 본국인 사이에 벌어진 일을 놓고 법에 따라 판결하는 곳이다. 네 사람은 교섭국에 가서 후필을 고소하면서 이렇게 말하였다.

"우리는 상인으로서 인천에 물건 구입하러 가는 도중에 기봉산에서 인리촌(仁里村)의 후필이 병정들을 이끌고 와 우리들을 도적놈으로 몰고서 많은 사람을 죽이고 재물과 돈을 약탈하였습니다. 우리 네 사람이 빨리 도망쳐 다행히 살아 돌아왔습니다. 교섭국 대감께서 우리를 위해 조속히 그자를 잡아 원을 풀어 주십시오."

성이 임(任)이고 이름이 충(忠)인 교섭국 총리는 박영효의 외조카였다. 이날 고소장을 받고 서 인리촌(仁里村)으로 유(劉)·진(陳) 두 관리를 보내어 후필을 잡아 오게 하였다. 이에 대한 자세한 말은 하지 않겠다.

한편, 교섭국에 성이 황(黃)이고 이름이 백웅(伯雄)이라는 선생 한사람이 있었는데 그는 후필과 결의형제를 맺었었고 부모가 다 돌아가시어 외지에서 일을 하고 있었다. 이날 이 소식을 접하고 그는 속으로 생각하였다.

"후필은 의사로서 그가 어찌 이런 일을 저지르겠는가? 필경 잘못된 것이다. 혹은 일본인이 그에게 죄를 뒤집어씌워 그를 해하려 하였던 것이 틀림없다. 내가 빨리 그에게 이 소식을 전해 화를 입지 않도록 해야겠다."

그래서 서둘러 말을 타고 인리촌(仁里村)으로 달려갔다.

말은 빨리도 달려 인리촌(仁里村)에서 머지않은 곳에 이르렀다. 인리촌(仁里村)로 들어가다가 동쪽으로 돌아가면 얼마 안 가 후필의 집이 있었다. 대문에 도착하여 말에서 뛰어내려 버드나무 기둥에 말을 매어 놓고 성큼성큼 안으로 들어갔다. 마침 후필이 마당에서 일하고 있었다. 후필이 갑자기 고개를 쳐들고 백웅인 것을 발견하고 집안으로 안내하였다.

후필은 자리에 앉자

"자네가 무슨 일로 왔는가? 내가 마중 나가지 못해 미안하네. 소문에 자네가 관청에서 서기로 일한다며?"

라고 하자 백웅이 대답하였다.

"형님에게 할 얘기가 있어서 왔습니다. 일본인이 형님이 무고한 생명을 죽였다고 고소했습니다. 그들은 형님이 패거리를 만들어 그들의 재물을 약탈하고 사람 몇을 죽였다며 지금 교섭국에 고소하였습니다. 임충(任忠)이 형님을 붙잡아오라고 명령을 내렸습니다. 곧 그들 몇몇 사람이 이리로 올 겁니다. 빨리 서둘러 도망가셔야 합니다. 늦으면 큰일 날 터이니까요. 이 소식을 전하려고 온 겁니다. 형님! 이번 재앙을 피해야 합니다."

후필은 말을 다 듣고 저도 모르게 화가 치밀어 오르는 것을 느끼며 명령을 내렸다.

"빨리 움직여서 대오를 점검하라!"

순식간에 농비대원 500명이 집합하여 일본놈들과 싸울 준비를 시작하였다.

여기까지 좀 잠깐 쉬고 앞으로의 이야기는 다음 회를 보시라.

제2권

어느 지나가는 사람이 거리에서 기세가 당당한 노인을 만났다. 어떤 사람은 무슨 일인지 몰라서 가까이 가서 노인에게

"어르신! 무슨 일로 화가 나셨습니까? 제게 말해 보세요."

하고 하니 노인이

"쓸데없이 남의 일에 간섭하지 말게나. 내가 지금 무지 바쁘네."

라고 대답하였다.

그 사람이 말을 이었다.

"제게 알려 주시면 제가 도와 드리겠습니다. 왜 그렇게 안절부절 하십니까?"

노인이 말하였다.

"정 알고 싶다면 내가 알려주지. 나는 성이 이(李)이고 이름은 계용(季用)이라 한다네. 여기에서 머지않은 곳에 내 고향이 있지.

남학(南學)이라 부르는 아들애은 글공부를 하고 나는 집에서 술을 담가다 팔면서 지냈는데, 요 몇 년간 장사가 잘 되어 돈을 모아 5무 되는 밭을 샀어. 내게는 3간이나 되는 초가집이 있다네. 한 간에는 우리가 살고, 다른 한 간에 여관을 차렸지. 어느 날 이웃에 사는 주방(周芳)이라는 사람의 나무기둥이 무너지면서 우리 집 담을 덮치지 않았겠어?

내가 그에게 어찌 할 거냐고 물으니 그가 바로 고쳐 준다고 하였네. 하지만 사흘이 지났지만 그는 우리 집 담을 고쳐주지 않았다. 담이 허물어진건 큰 문제가 아니지만 어느 누가 우리 집에 투숙하려고 하겠어. 모두들 우리 집 담이 무너져 짐을 도적이 훔쳐가지 않을까 걱정이라네. 내가 여기에서 떠들고 있는 것은 관청에 가서 주방을 고소하여 저 주방이 어찌 나오나 보려는 것이라네."

그 사람이

"이 일은 본래 큰 일이 아닙니다. 관청에 고소할 필요가 있습니까? 제 생각에는 돌아가서 그에게 잘 말하여 담을 수리하면 될 것 같습니다."

라고 하자 노인이

"나는 참을 수도 있지. 하지만 살면서 겁나는 게 없는 사람이야. 사람은 기백이 있어야 하는 거야. 누가 더 세나 봐야지. 기백이 있는 사람을 누가 감히 얕보겠는가? 기백이 없

으면 다른 사람들에게 당하고 마는 거야.

　집과 나라도 본래 마찬가지라고. 누가 나약한 사람을 건들지 않겠나? 사람마다 나처럼 행동한다면 우리는 충분히 나라를 보호하여 망하지 않게 할 수 있어. 기백이 있어야 사나이인 거야. 만일 기백이 없다면 누가 우리나라를 보호해 주겠나?"

　라고 대답하였다.

　노인은 말을 마치고 성큼성큼 걸어갔고 그 사람도 제 갈 길을 갔다. 여담은 그만하고 본론으로 들어가 다시 들어보시라.

　위에서 말한 것처럼, 후필은 병사들을 점검하고 일본과 싸우고자 하였다. 그러나 그것은 내가[1] 만든 말이지 그런 사실은 없다.

　후원수는 황백웅의 말을 다 듣고 화가 머리끝까지 올라가 펄펄 뛰더니 호기 있고 당당하게 말하였다.

　"일본 도적들이 산을 차지하고 사람을 죽였는데, 반대로 우리가 그들을 죽였다고 하는군. 정말로 괘씸한 놈들이야. 내가 가서 그들과 단판지어야 하겠어."

　백웅이 옆에서 말하였다. "형님, 이러지 마십시오. 지금 우리나라 대신들이 교섭국 임충 총리의 편을 들고 습니다. 게다가 임충은 박영효 대신의 외조카로서 그에게 따져 봐도 소용없을 것입니다. 내 생각에는 일단 다른 곳으로 피하였다가 방법을 찾아 민심을 불러일으키는 게 좋겠습니다. 그럼 다음 저 일본인들을 쫓아내고 우리나라를 지켜도 늦지 않습니다. 형님이 동의한다면 성이 이(李)이고 이름이 정(正)인 내 삼촌이 평양에서 제법사(提法司)로 있는데 그리로 가서 신세지는 게 어떻습니까?"

　후필은 그의 말을 듣고 대답하였다.

　"네 말도 맞아. 지금 그들과 옳고 그름을 따져봐야 헛수고야."

　그리하여 집안을 정리하여 재물을 갖고 조카 후진을 안고 말에 타올라 황백웅의 말대로 평양으로 떠났다.

　말을 타고 가다가 후필이 생각하였다.

　"나 후필의 운명이 참으로 기구하다. 어려서 부모를 잃고 형님과 형수가 길러 주었다.

1　냉혈생.

17살에 바다를 건너 미국에 가서 학당에서 3년간 열심히 공부하였다. 돌아와서 관직에는 나가지 않고 용감한 사람들을 훈련시켜 일본놈과 싸울 준비를 하였다.

하지만 불행하게도 형님과 형수가 돌아가시고 나만 홀로 이 세상에 남겨졌다. 그래도 용감한 백성들을 열심히 훈련시켜 일본놈들을 죽였다. 뜻밖에 이런 일이 벌어질 줄 누가 알았으랴. 일본놈들이 기봉산에서 강도질을 하면서 우리 착한 백성에게 상해를 입혔다. 그래서 병사를 거느리고 장차 그들을 치려하고 있다. 다행히도 현명한 백웅 동생이 소식을 전해주었다. 그렇지 않았다면 나는 목숨을 보존하지 못하였을 것이다. 오늘 평양으로 피난 가는데 이정이 나를 받아줄지 걱정 된다.

그리고 방법을 찾아 민심을 불러 일으켜야 하는데 성공할 수 있을지도 알 수 없다. 만일 하늘이 내 소원을 들어준다면 내 꼭 위풍당당하게 떨쳐 일어나리라. 만백성의 기개를 북돋아 우리나라를 안정시키고 부흥케 하여 저 간신들과 도적놈들을 모두 깨끗하게 죽여버리고 일본 강도놈들이 설치지 못하도록 하리라. 그럼 다음 나도 입헌국을 창립하고 조정에 공화주의를 심겠다. 한국을 독립시켜 대국의 수모를 받지 않게 하리라."

후필이 말 위에서 생각에 잠겨 있다가 태양을 바라보니 서산으로 뉘엿뉘엿 지고 있었다. 그는 여관을 찾기 시작했는데 멀지않은 곳에 초롱불이 보였다. 세 사람은 마당으로 들어가 말을 매어 놓고 그 집에 묵었다.

그 세 사람이 여관에 묵은 자세한 이야기는 그만하고 임충이 파견한 두 관리에 대해서 자세히 말하겠다.

저 유(劉)·진(陳) 두 관리가 영장을 가지고 후필을 체포하러 가는데 이틀이 지나서 인리촌(仁里村)에 도착하였다. 그때는 후필이 이미 하루 전에 떠났다. 두 사람은 며칠 동안 그를 찾아 헤매다가 끝내는 찾지 못하고 성으로 돌아가 영장을 반납하였다. 임충은 사람을 잡아오지 못한 것을 보고 자세히 수소문해 보았는데 일본인들이 고소한 것이 사실에 어긋남을 알았다. 결국 그 일은 흐지부지해졌다. 이에 대해서는 더 이상 말하지 않겠다.

한편 일본 명치왕이 이날아침 조정에 나왔다. 내시가 소리 높여 말하였다.

"여러 대신들은 잘 들으시오. 일이 있으면 보고하고 없으면 물러나시오."

갑자기 이토가 나서면서

"신에게 아뢸 말이 있습니다."

라고 하니 일황이

"무슨 할 말이 있는가?"
라고 물었다.

그러자 이토는 웃으며 말하였다.
"폐하, 제 말을 들어주십시오. 한국 김옥균이 유신을 실시하려고 합니다. 저희에게 암
암리에 도와 달라고 청하였습니다. 그런데 어떻게 그 비밀이 새나갔는지 중국 군대가 오
는 바람에 우리 일이 망쳤습니다. 서울에서 우리 군대와 한바탕 싸웠지만 우리가 패배하
여 인천으로 물러났습니다.

세력이 강한 것만을 생각했는데 중국에게 당할 줄이야 누가 알았겠습니까? 한국에서
우리의 힘은 비록 강할지라도 중국의 강대함을 따를 수 없습니다. 먼저 중국을 잡지 못
한다면 어떻게 한국을 경영할 수 있겠습니까? 한국을 장악할 수 없는데 중국을 분할한다
는 것은 더 어려운 일입니다. 그럼 먼저 좋은 수를 생각해 내서 중국과 조약을 체결하여
한국 땅에서 중국 세력과 대등하도록 해야 합니다. 폐하의 생각에 이런 방법은 어떠한지
요? 제가 중국에 한번 다녀오려고 합니다."

다 듣고 나서 일황이
"그대의 말이 옳소이다. 내 생각과 같으니 그리 하시오."
라고 분부하였다.

이토는 일황의 허락을 받고 배를 타고 서쪽으로 향하였다. 약 반달이 지나니 중국 천
진에 도착하였다. 배에서 내린 후 중국 총독관청으로 들어가 통상대신 이문충(李文忠)을
만났다.

그때 임기가 남아 있어 이홍장이 직계총독 자리에 계속 있었다. 그날 이토를 보고
이홍장은
"귀국에서 무슨 일로 이곳에 왔습니까?"
라고 하자, 이토가 대답하였다.
"중요한 일이 있어 왔습니다. 한국에는 내란이 일어나기 때문에 우리 두 나라가
이 나라 때문에 안 좋은 일이 생기고 있습니다. 생각건대, 오늘 우리 두 나라가 조약
을 체결한다면 이후로 한국에 난이 일어도 우리가 중국에 알리고 중국도 우리에게

알려 두 나라 합력하면 한국의 난을 평정할 수 있을 겁니다. 그러면 양국 상업에 도 영향이 없을 겁니다. 어찌 좋지 않겠습니까?" 이에 이홍장은 이토의 말에 찬성하여 일본과 조약을 체결하였다. 이토는 귀국하였다.

여러분은 잘 생각해 보시라! 한국은 우리의 속국으로서 난이 일어나면 한국과 평 정하면 될 일이지 어찌 일본과 함께 처리할 필요가 있습니까? 피하고 싶어도 피할 수 없는 일인데 어찌 그들이 손을 뻗치도록 내버려두는 것이 옳은 일이겠는가? 한국 의 멸망은 이홍장의 죄이기도 하다. 이에 대해서는 더 이상 말하지 않겠다.

한편, 이노우에 가오루 일본영사는 한국에서 내치 상황을 살펴보았다. 하루가 다 르게 강성해지고 있었다. 알아보니, 이런 정치는 모두 민 황후의 손에서 나온 것이었 다. 그는 생각에 잠겼다.

"이 사람을 제거하지 않으면 일본에 아주 불리할 것이다."

그리하여 계책을 생각해 냈다. 그는 연회를 연다는 미명하에 친일당 전부를 초청 하였다. 연회석상에서 그는 말을 꺼냈다.

"제가 보기에 이 자리에 참석한 여러분 모두 나라를 경영하고 세상을 구할 인재들 입니다. 그런데 그대들의 국왕은 여러분들을 중용하지 않고 오로지 민 황후에게 모 든 것을 맡기고 있습니다. 장차 그대들의 나라는 반드시 저 한 사람으로 인하여 망 하게 될 것입니다."

박영효·정병하(鄭秉夏) 등 여러 사람들이 이구동성으로

"그것은 우리도 바라는 바가 아닙니다. 단지 뾰족한 수가 없을 뿐입니다. 대인에게 고견이 있으시면 우리에게 가르쳐 주십시오."

라고 하니 이노우에가

"저에게 대단하지 않지만 생각이 있습니다. 여러분 내 생각을 듣고 싶으면 들어 보 십시오."

라고 대답하였다.

간계가 많은 이노우에는 어려서부터 마음이 이리처럼 독하였다.

"여러분이 나라를 경영하고 세상을 구하려 하지만 안타깝게도 그대들의 왕은 사람을 잘 쓰지 못합니다. 오로지 왕비 민 황후에게 의지하고 있고, 민 황후가 정권을 장악하고 있습니다. 한국은 장차 이 사람으로 인해 망할 것입니다. 여러분이 나라를 구하려면 반 드시 이 사람을 제거해야 합니다. 저에게 졸견(拙見)이 있습니다. 감히 여러분에게 아뢰니다. 돈으로 매수한 그의 측근에게 문을 잠그지 말라고 해둡니다. 그들이 길을 열어두면 장차 궁궐 속에 숨어 있다가 나올 때 민 황후의 목숨을 거두는 겁니다. 민 황후에게 대단한 재능과 지혜가 있다고 해도 결국 죽고 말겁니다. 제가 이런 방도를 말씀 드렸는데 어떻습니까? 여러분 잘 생각해 보시기를 바랍니다."

박영효가 그곳에 있다가 입을 열었다.

"제 생각에도 이 방도가 좋을 것 같습니다. 민 황후가 있는 궁의 문지기는 저의 친척입니다. 내일 제가 가서 매수하겠습니다. 돈 5백 냥을 주면 그가 반드시 해낼 것입니다. 그러니 걱정하실 필요가 없습니다. 돈만 있으면 귀신도 부릴 수 있습니다."

여러 사람들이 일제히

"좋은 방도입니다."

라고 맞장구를 쳤다.

그 사람들 모두가 만면에 희색을 띠고 있었다. 어느덧 날이 저물어 모두 가마를 타고 집으로 돌아갔다.

박영효가 집에 돌아간 후 이노우에가 알려 준 방도를 생각해보았다. 혼자말로 중얼거렸다.

"지금 새로 바뀐 궁의 문지기의 성은 곽(霍)이고 이름이 건수(建修)이다. 이 사람은 나의 친척이다. 그에게 그 일을 부탁하면 꼭 성공할 것이다."

그리고는 서둘러 하인에게 그를 불러 오라고 하였다. 곽건수가 도착하자 그에게

"대감께서 깊은 밤에 소인을 불러서 왔사온데 무슨 분부라도 있으신지요?"

라고 하니, 박영효가

"특별히 분부할 것은 없네만 해줘야할 일이 하나 있네."

라고 하였다. 건수가

"대감! 분부만 하십시오. 제가 따르겠습니다."

라고 대답하였다.

그래서 박영효는 드디어 그에게 그 이야기를 하고서 잠시 머뭇거리다가 은 5백 냥을 꺼내주면서

"이것 받게나. 일이 성공하면 다시 후하게 상을 주고 승진을 보장해주겠네."

라고 하였다. 곽건수는 그 돈을 보고 속으로 마음이 동하여

"대감! 우리는 친척입니다. 제게 이런 일쯤이야 아무것도 아닙니다. 어찌 감히 충

성을 다하지 않겠습니까."

라고 대답을 하였다.

박영효는 그의 말을 듣고 크게 기뻐하였다. 그리고 그 자리에서 자기심복 중에서 고른 힘센 장수 여덟 명을 데리고 궁 안으로 가라고 하였다. 명목은 이들이 새로 모집한 호위병이라는 것이었다. 그 여덟 명에게 궁궐의 문을 지키게 하였다. 민 황후가 나들이 할 땐 곧 죽음을 당할 것이다. 그래서 곽건수는 은을 챙기고서 사람을 데리고 득의양양해하며 관청으로 돌아갔다. 다음날 그 여덟 명에게 궁문을 지키라고 명하고 오로지 기회를 노렸다. 이에 대해서는 더 이상 말하지 않겠다.

한편, 이날 민 황후가 궁중에서 침울해 있다가 갑자기 한 가지 큰 일이 생각나서 급히 시종에게 논의할 일이 있으니 구(寇) 대감을 불러오라고 하였다. 얼마 안 되어 구 대감이 도착하고 인사를 드린 후 말하였다.

"황후께서 저를 부르셨는데, 무슨 일이십니까?"

황후가 근심에 쌓인 얼굴로 다음과 같이 대답하였다.

"내 말을 좀 들어보세요. 너무나 약한 우리 한국이 두 대국 사이에 끼여 있습니다. 중국은 비록 우리 조국이지만 형세를 보아하니 자기도 돌볼 겨를이 없는 것 같습니다. 그 나라 왕과 신하들도 선정을 베풀고 있지 않습니다. 그들을 의지하였다가는 곧 망할 겁니다.

일본은 이리와 같은 나라로서 왕과 신하들의 머리속에는 온통 나쁜 생각으로 가득 차 있습니다. 게다가 우리나라에서 내란이 자주 일어나고 간신들이 외국인들과 결탁하고 있습니다. 그들은 우리나라에 와서 자신들의 세력을 키워 계속 우리 땅을 빼앗으려고 할 것입니다. 많은 간신들은 눈앞의 이익을 챙기기에만 급급하고 나라의 대계와 민생을 제쳐놓고 있습니다.

일본은 한 마리의 호랑이에 비할 수 있고, 한국은 한 무리 양떼에 비할 수 있습니다. 양이 호랑이를 믿고 평안하기를 바라고 있으니, 저 양들은 호랑이에게 잡아먹히게 될 것은 안 보아도 뻔한 일입니다. 그 호랑이들이 이미 우리나라에 들어와 있습니다. 무슨 수를 써서라도 저들을 물리쳐야 합니다. 참고 용기를 내어 스스로 강해져야 합니다.

사람들이 하는 말을 들었습니다. 일본이 어제 연회를 열었는데 박영효 등 여러 사람이 그곳에 왔다합니다. 내가 보기에 아마 틀림없이 무슨 꿍꿍이가 있을 겁니다. 그렇지 않으면 이유 없이 술판을 벌리겠습니까? 그들이 무슨 말을 했는지 잘 모르겠지만 아마 이 나라를 망하게 할 준비를 했을 것입니다.

일본이 우리나라의 간신들을 믿고 야심을 드러냈습니다. 이는 우리나라에 친일당이 있기 때문입니다. 오늘 내가 그 간신들을 없애 버리려합니다. 그대에게 무슨 좋은 방도가 있습니까? 내가 여러모로 생각해 봤지만 별다른 방도가 없었습니다. 그래서 그대를 이곳으로 부른 것입니다."

황후의 말을 다 듣고서 구 대감이 말하였다. "황후 마마! 지당하신 말씀이옵니다. 미천한 저에게 저 친일당을 제거할 좋은 계책 하나가 있습니다. 운재소(雲在霄)가 평양을 지키고 있는데 그의 부대는 대단히 강합니다. 남모르게 서신을 보내어 재소에게 병사를 거느리고 평양을 나오도록 하는 것입니다. 대부대가 서울 땅에 이르면 간신들은 목숨의 무상함을 알게 될 것입니다."

이처럼, 구대감이 민 황후에게 간신을 없앨 계책을 말하자 황후가 말하였다.

"운재소(雲在霄)는 13도 병권을 쥐고 있습니다. 저도 평소에 그 사람의 충성심을 잘 알고 있습니다. 그러나 그 일의 비밀을 엄수해야 합니다. 새여 나가지 않도록 백배 주의를 기울어야 합니다. 일단 그들이 먼저 눈치 채면 그들을 처도 소용없을 것입니다. 오히려 우리가 당할지도 모릅니다. 내가 보기에 서신을 보내기 전에 재빨리 움직일 수 있는 사람을 준비해야 합니다. 그래야 귀신도 모르게 선수를 쳐야 간신들을 제거할 수 있습니다. 그런데 그런 사람을 고르기는 쉽지 않습니다."

구 대감이 대답하였다.

"서신을 보낼 사람은 구하기가 어렵지 않습니다. 소인의 친족 중에 이름이 본량(本良)이라는 조카가 있습니다. 집이 너무 가난하고 부모마저 돌아갔습니다. 우리 집 일을 돌보고 있습니다. 이 사람은 방년 18살로 담대하고 발이 빨라 하루에 5백 여리의 길을 갈 수 있습니다. 글공부도 몇 년간 해서 대의에 밝습니다. 바로 그가 적임자입니다. 그에게 평양으로 편지를 갖고 가게 한다면 빠르게 일처리를 할 수 있을 겁니다."

이에 민 황후는

"그런 사람이라면 내가 편지를 써줄 테니 내일 본량에게 출발하라고 하세요."

라고 대답하였다.

말을 마치고는 붓을 들어 서한을 작성하여 구 대감에게 주면서 당부하였다.

"꼭 조심해야 합니다! 비밀이 새여 나가지 않도록 말입니다. 그렇지 않으면 우리가 위험합니다."

구 대감은 몇 번이나 잘 알겠다고 대답하고 황후와 작별하고 나서 궁중을 나와 댁으로 돌아가 구본량(寇本良)을 불러

"내가 아무도 몰래 너를 보내려 하려는데 너는 어떻게 생각하느냐?"

라고 물으니, 본량은

"저는 숙부님의 은혜를 잊지 않고 있습니다. 불바다에라도 서슴없이 뛰어 들어 갈 수 있습니다. 제게 맡겨 주십시오. 다만 제가 장차 어디로 가야할지 모르겠습니다.

라고 대답하였다.

다시 구 대감이

"너를 믿는다. 여기에 편지가 있단다. 이걸 갖고 가서 평양 13도 제독 운 대감에게 전하거라. 내일 출발하도록 하고 절대로 일을 그르치지 않도록 해라."

라고 하니 본량이 대답하였다.

"알겠습니다."

하루 밤이 지나고 이튿날 아침에 구본량은 아침식사를 마치자 노자를 챙기고 보따리를 등에 메고 출발하려고 하였다. 구 대감에게 본봉(本峰)이라는 8살 아들이 있었다. 본량이 매일 함께 놀아 주어 잘 따랐다. 이날 본봉이 본량(本良)이 먼 길을 떠난다는 말을 듣고 일찍 일어나 부모에게 형을 바래다주겠다고 졸라댔다.

이에 그의 부모는 "그럼 그렇게 하거라. 하지만 일찍 돌아와야 한다."

며 응락하였다. 그래서 본봉은 하인을 데리고 본량을 따라 문을 나섰다. 이에 대해 더 이상 말하지 않겠다.

한편, 민 황후는 구 대감을 보낸 후 속이 여전히 불안하여 어쩔 줄을 몰라 하였다. 저녁이 되고 하늘에 걸린 둥근 달을 보니 걱정이 더 커져 갔다. 그래서 시녀를 불러 저 후원을 돌아보자고 하였다. 그리하여 시녀가 앞에서 인도하고 궁문을 나서는데 처량하기 그지없었다.

민 황후가 궁궐을 나오니 이슬이 맺혀있고 밤 깊었다. 후원에 차가운 가을바람이 얼굴에 불어왔다. 풀벌레가 여기저기에서 처량하게 울어대고 있었다. 가을과 겨울은 황량하나 봄과 여름에 만물이 풍요롭게 자라는 법이다.

황후가 혼자 중얼거리면서 걸어갔다.

"나는 강대한 나라를 봄과 여름에 비하고 약한 나라를 가을과 겨울에 비한다. 사람마

다 봄날과 여름날을 고대하고 가을과 겨울을 바라지 않는다. 우리나라는 지금 가을과 겨울이니 어찌하면 봄날과 여름날로 돌아갈 수 있을까?"

어느덧 자신도 모르게 후원에 와 있었다. 온갖 화초들의 잎이 다 떨어졌고 국화꽃 향기만 남아 있었다. 황후가 말하였다.

"은일군자(隱逸君子)여! 그대들은 왜 오로지 추위를 사랑하는가? 어찌하여 온갖 꽃들과 더불어 봄을 다투지 않는가? 사람도 화초와 마찬가지여서 현인들은 풀 속에 숨어 있구나!"

이어서 시녀는 월대로 황후를 모셨다. 커다란 보배와 같은 거울이 넓디넓은 허공에 걸려 있었다. 갑자기 고개를 돌려 머나먼 서쪽 하늘을 바라보니 유성 하나가 떨어지고 있었다. 희미하게 떨어지는 유성을 구하려는 사람은 없었다. 밝은 달빛 속 한기는 사람도 놀랄 만큼 차가웠다. 유성은 우리나라를 비추고 밝은 달은 일본 도쿄를 비추고 있었다. 그 유성과 달을 보니 한국은 망하려하고 있었고 일본은 흥성하려고 하고 있었다.

황후는 잠깐동안 보다가 월대에서 내려왔다. 시녀가 앞에서 초롱불을 들고 가고 있다. 바로 그들이 앞으로 걸어가고 있을 때 갑자기 어둠 속에서 몇 사람이 뛰쳐나왔다. 그들이 누구냐 하면 다름 아닌 곽건수가 이끌고 있는 여덟 명의 병사들이었다. 그들은 달려가서 황후를 급히 붙잡고 밧줄을 꺼내어 꽁꽁 묶은 후 목을 졸랐다. 두 사람이 일제히 재빨리 힘을 쓰자 황후는 아! 잠시 후 저세상 사람이 되었다.

두 시녀도 마찬가지로 화를 입었다. 그들의 시체를 후원에 있는 우물 속으로 던졌다. 한 떼의 군인들이 요란하게 떠드는 소리가 들였다. 떠들고 있는 자들은 누구일까? 바로 박영효가 보낸 병사들이었다. 부대가 황궁으로 쳐들어가 죽인 사람들의 머리에서 줄줄 흘러내린 피가 핏빛 강을 이루었다.

여기까지 계속 헐떡거리며 달려왔으니 잠깐 숨을 돌리고 다음 회를 기대하시라

나라를 튼튼하게 하는 그 길은 학문 이외 없도다. 유식한 사람이 자손을 가르침에 근본을 중요시 한다. 경전과 예의를 우선 익히게 하고 나서 고금의 역사를 통달시킨다. 선생이 친구에게 권면하고 충고하고 덕이 있으면 스스로 앞으로 나갈 수 있다.

시구가 끝나고 이야기가 이어진다. 앞에서 박영효가 병사를 보낸 것을 말하였는데 이것은 사실이 아니고 내가 꾸민 말에 불과하다. 곧바로 본론을 이야기하겠다.

위에서 보았듯이, 곽건수는 박영효가 보낸 장수 여덟 명을 거느리고 가서 민 황후를 목 졸라 죽이고 우물 속에 던져버렸다. 날이 밝자 관청으로 가서 박영효에게

"일이 성공하였습니다. 어제 밤저녁 저 민 황후가 달을 보고 있었습니다. 그 기회를 보아서 목 졸라 죽이고 우물 속에 던져 넣었습니다."

하고 하니, 박영효가 말하였다.

"잘 했어. 큰 일을 해냈구나. 자네가 내 골치거리를 없애 버렸군."

이어서 곽건수가

"어제 오후에 민 황후가 구 대감을 궁중으로 불렀는데 무슨 이야기인지 모르지만 반나절이나 했습니다. 제가 보기에 이 늙은이도 당연히 제거해야합니다. 그렇게 하지 않으면 후환이 있을 겁니다."

라고 하자, 박영효는

"나도 저 도적놈을 제거할 생각이지만 그가 운재소(雲在霄)와 가장 가깝고, 지금 13도 병권이 모두 운재소(雲在霄) 손에 있으니 구 대감을 죽이면 그가 알 테니 어찌 우리의 말을 듣겠느냐?"

라고 물었다. 이에 건수는

"맞습니다. 구 대감과 운재소(雲在霄)를 모두 죽일 수 있는 방책이 소인에게 있습니다."

라고 대답하였다

박영효가 다시

"너에게 무슨 방책이 있느냐. 얼른 고해 보거라."

라고 하니,
곽건수가
"대감! 제 방책을 들어보십시오."
라고 대답하였다.

간사하고 개 같은 곽건수는 나라의 기둥인 구(寇)·운(雲) 두 충신을 죽이려고 하였다. 그는 말하였다.
"평양을 지키고 있는 운재소(雲在霄)에게 호랑이 같은 병사가 10만 명 있습니다. 구 대감과 운재소(雲在霄)가 대단히 친밀합니다. 그러므로 우리는 교묘하게 일을 진행해야 합니다. 저에게 그들을 없앨 방책이 있는데 해볼 만합니다. 그 가장 좋은 방책은 가짜 서한을 작성하는 것입니다. 그 편지에는 구·운 사람이 반역할 마음이 있다는 내용이 있어야 합니다. 그 서신은 운재소가 쓴 것으로 해야지요. 운재소가 구 대감과 내응하도록 하기 위해서 편지를 쓴 것으로 해야 합니다. 그리고 서신을 배달하는 사람의 잘못으로 서신이 우리 집으로 보내진 것처럼 꾸미는 겁니다. 그 다음 그 서한을 국왕께 올리는 것입니다. 그럼 증거가 있는지라 황제를 핍박하여 성지를 내리게 하여 저 두 간신을 제거하는 것입니다. 그리고 우리는 평양으로도 사람을 보내 운재소(雲在霄)를 속여 서울로 올라오도록 하는 것입니다. 그가 도착하면 병권을 빼앗고 나서 그의 목을 베면 됩니다. 이는 소인의 소견인데 대인이 보기에 어떻게 생각하십니까?"
다 듣고 나서 영효는
"딱 내 마음에 든다."
라고 맞장구를 쳤다.
그리고는 급히 가짜서한을 작성하고 부랴부랴 병정들을 점검하여 거느리고 황궁으로 향하였다. 이 이야기는 여기에서 멈추고 황제 이희에 대해서 말하겠다.

한국 황제 이희는 이날 서궁(西宮)에서 밤을 보내고 아침 늦게 일어났다. 정궁에서 사람이 와서
"황후께서 엊저녁에 궁녀 둘을 거느리고 달구경 가셨다고 돌아오지 않았습니다. 한참 찾아 봤지만 어디로 가셨는지 모르겠습니다."
라고 아뢰자 이희는
"거참 이상한 일이로다!"

라고 의아해 했다.

궁중에서도 의아하게 생각하고 있었는데 황문관(皇門官)이 들어와 아뢰었다.

"박영효가 오문(午門) 밖에서 성지를 기다리고 있습니다."

이희 왕은 보고를 듣고 급히 조정으로 나갔다. 간신 박영효가 내전에서 아뢰었다.

"폐하, 폐하께 아뢸 말씀이 있습니다. 운재소(雲在霄)가 지금 구 대감과 내응하여 반역을 꾸미고 있습니다. 믿으시기 어렵겠지만 저에게 운재소(雲在霄)가 보내온 편지가 있습니다."

라며 편지를 올렸다. 이희 황제는 눈이 휘둥그레졌다. 편지에 이런 내용이 쓰여 있었다.

"운재소(雲在霄)는 머리를 조아려 구 대감에게 올립니다. 현재 우리나라 국왕은 나약합니다. 나는 금수강산을 빼앗으려고 합니다. 제가 10만 병사를 거느리고 있습니다. 바라건대 대감께서 호응하여 주십시오."

한국 황제는 편지를 다 보고나서 박영효에게

"이 편지는 어디서 난 것이오?"

라고 물으니 영효가 대답하였다.

"편지를 나르는 사람이 실책으로 제 집으로 보내졌습니다. 신(臣)이 편지를 나른 자를 잡아 놓았습니다. 이로 운재소(雲在霄)가 반역을 한 것을 알았습니다. 바라건대, 속히 성지를 내려주십시오. 신이 저 늙은 간신을 베겠습니다. 오늘 구 대감을 베지 않으면 머지 않아 제가 내전으로 쳐들어 올 겁니다."

협박을 받은 황제는 하는 수 없어 성지를 내렸다. 박영효는 황제의 성지를 받들고 훈련장에 가서 병사를 점검하였다. 그러고 나서 병사 천 명을 거느리고 구 대감 집으로 달려갔다. 구 대감 집 앞에 이르자 큰 소리로 치면서 물 샐 틈 없이 에워 쌓았다.

이처럼, 박영효는 군인들을 거느리고 가서 구 대감의 집을 에워 쌓고 대문으로 쳐들어가서 큰 소리로 말하였다.

"구 대감은 성지를 받아라."

한편, 구 대감은 방에 앉아서 구본량(寇本良)이 군대를 데려 오는 걸 걱정하고 있을 뿐 성공여부는 모르고 있었다. 그런데 갑자기 하인이 달려와 아뢰었다.

"대감마님! 소인이 듣기에 어제 밤 황후마마께서 궁을 나가서 달구경을 하신 다음 어디로 갔는지 알 수 없다고 합니다. 다들 여기저기로 찾아다니고 있답니다."

바로 이 때 또 다른 하인이 갑자기 달려 와서 고하였다.

"대감마님! 큰일 났습니다. 밖에 박영효가 거느린 병사들이 우리 집을 포위하고 지금 마당에서 대감마님에게 성지를 받으라고 합니다! 빨리 나가 보세요."

구 대감은 그 말을 듣고 깊이 생각해보니 비밀이 새어나간 것으로 여겨 급히 방문을 나섰다.

이때 박영효가

"이 역적아! 네가 이유 없이 운재소(雲在霄)를 꼬여 반역하도록 하였기에 황제께서 나에게 명하여 너를 붙잡으라고 하여 왔다. 어서 오랏줄을 받아라!"

라고 호통을 쳤다.

구 대감은 이 말을 듣고 눈이 휘둥그레졌다. 비밀이 누설된 것으로 여긴 그는 반나절이나 지나서 대답하였다.

"나와 운재소(雲在霄)가 반역하였다고 하는데, 무슨 증거가 있느냐? 황제를 뵈어야겠다."

박영효가 말하였다. "변명해도 소용없다. 황제께서 너를 지체 없이 죽이라고 명하시었다. 며칠 후 네 일당이 오면 너를 죽일 수 없을 것이다."

그리고는 군인들에게 큰 소리로

"여봐라, 뭣들 하는 거냐? 당장 포박하거라!"

라고 명령하였다.

병정들이 재빨리 달려들어 구 대감을 묶었고 온 집을 다 뒤져 사람들을 다 잡아다가 놓았다. 박영효가 세어보니 모두 37명이었다.

"듣건대, 구 대감 집의 사람이 모두 40명이라고 하던데 3명은 어디에 있느냐? 다른 사람들은 필요 없다. 저자의 아들을 어째서 잡아오지 않았느냐? 어서 나와 찾아라."

라고 박영효가 명하여 병정들이 찾아보았지만 아들은 없었다.

박영효가

"어린애가 어디로 도망갔단 말이냐? 먼저 저자들을 참수하고 나서 다시 세 사람을 붙잡아도 늦지 않는다. 성을 벗어나지 못했을 것이다."

라고 하자 그들을 마차에 실고 형장(刑場)으로 갔다.

충신 구 대감은 마차에 앉아 주룩 눈물을 흘렸다.

"병사들을 동원해 간신들을 제거할 생각뿐이었다. 이렇게 된 데는 갑자기 누설되었기 때문이지만 어디서 잘못되어 누설된 것인지 모르겠다. 저자들이 우리 가족을 모두를 죽이려 하려는구나. 폐하도 뵐 수 없으니 시비를 어디에서 가린단 말인가? 조정에는 모두가 저 간신일당과 같은 편인데 누가 내 억울함을 풀어줄 것인가? 우리 구씨 일가가 죽는 것은 큰 문제가 아니라 해도 대한의 금수강산이 다른 사람들에게 먹히는 것이 가장 안타깝구나.

들건대, 어제 저녁 황후께서 달구경하러 나가시었다가 돌아오시지 않았다고 하는데 어디로 가신 건지? 돌아가셨다면 시체라도 남았을 텐데 찾을 수가 없는구나. 아마도 저 간신배들에게 당한 것 같다. 그렇지 않다면 왜 밤새도록 그림자도 안보이겠는가. 만일 황후가 돌아가셨다면 비밀이 누설된 것일 테지.

간신배들이 조정 안에서는 황제를 협박하고 바깥에서는 착한 많은 백성을 탄압하고 있다. 간신배들은 꼭 끝장날 날이 돌아올 거야. 누가 저 간신배들을 제거한다면 죽어 구천(九泉)에 간다고 해도 원이 없겠다. 본봉이 본량을 배웅하러 어디까지 갔는지 알 수 없다. 본량이 제대로 출발했는지 모르겠다. 그들은 이런 상황을 알고 있는지도 알 수 없다. 소식을 전할 사람이 없을 것 같지만 만약 누군가가 그들에게 이 소식을 전한다면 우리 구씨가문은 혹 후사가 끊이지 않을 텐데."

구 대감이 이것저것 생각하고 있는데 어느덧 사형장에 도착하였다. 박영효가 명령을 내렸다.

"모든 병사들은 잘 들거라. 형정을 잘 에워싸고 바깥 사람들이 들어오지 못하도록 하여라. 지체 없이 저들을 참수하라."

구씨 일가를 철저하게 포위하고 있던 병사들은 이 말을 듣고 구씨 일가를 마차에서 끌어내려 나무기둥에 매어 놓았다. 망나니들이 큰 칼을 휘두르자 외마디 소리와 함께 피가 사방으로 낭자하게 뛰었다. 삽시간에 구씨 일가 모두가 목숨을 잃었고 땅바닥에는 머리가 여기저기에 흩어져 있는 것이 보였다. 형장에서 나라의 기둥을 죽인 후 박영효는 병사들을 이끌고 그 아이를 찾기 시작하였다. 온갖 곳을 샅샅이 뒤졌지만 다른 구씨 가족을 찾을 수 없었다.

이제 박영효가 구씨 가족을 찾는 이야기를 그만두고 구본량 형제에 대해서 말하겠다.

구본량 형제와 하인 세 사람이 집을 나서서 걸어가고 있었는데 본봉이 말하였다. "형님! 오늘 먼 길을 떠나니 내가 멀리까지 배웅하겠습니다. 들건대, 성(城) 북쪽

10리 밖에 집현관(集賢館)이 있다고 합니다. 아름답다고 하던데 그곳에서 구경하고 나서 형님과 헤어지려고 합니다. 형님 생각은 어떠하신지 말해보세요?"

그러자 본량이 대답하였다.

"동생! 하고 싶은 대로 하게나."

그래서 세 사람은 그곳을 향해 걸어갔다. 세 사람이 성 밖에 이르렀을 때 갑자기 말을 탄 소년이 이쪽으로 날듯이 달려오더니 말에서 뛰어 내리면서 말하였다.

"아우, 어디로 가려는 거요?"

본량이 본 즉 다른 사람이 아니라 친왕 이응번(李應藩)의 아들 이수소(李樹蕭)였다. 이 사람은 본량과 가장 친하였다. 그날 거리에서 말을 타고 가다가 본량이 등에 보따리를 매고 가는 것을 보고 급히 와서 "아우, 어디로 가려는 거요?"라고 물었던 것이다.

본량이 대답하였다.

"평양으로 친척 만나러 가는 길입니다."

이수소가

"본봉이 그와 함께 있는 것을 보고 무슨 일이냐"

다시 물으니, 본량이

"이 얘가 나를 전송하는 대신에 집현관을 구경하고 싶다면서 따라온 겁니다."

라고 대답하였다

다시 수소가

"그 성의 북쪽에 있는 집현관이 맞지?"

라고 물으니, 본량이

"맞습니다."

라고 대답하였다.

"여기서 잠깐만 기다려. 집에 가서 돈 갖고서 나도 집현관에 갈 테니."

라는 수소의 말에 본량이

"예." 그리고 또 물었다. "형님! 이 말을 어디에서 사시었습니까. 엄청 빠르네."

라고 대답하였다.

수소가

"어제 시장에서 산 거야. 이 말은 하루에 8백 리 길을 달릴 수 있어. 아우의 다리로는 이 말의 속도를 당할 수 없지."

라고 하니, 본량이

"정말 좋은 말이구나."

라고 맞장구를 쳤다.

수소는 말에 올라타고서

"나를 꼭 기다려야 해."

라고 하며 집으로 달려갔다.

본량과 두 사람은 한 시간이 안 되어 집현관에 도착하여 방으로 들어갔다.

종업원이 와서 차를 따라주면서

"세분은 무엇을 드시겠습니까?"

라고 하니, 본량이

"잠깐만요. 아직 한사람이 안 와서요."

라고 하였다.

종업원이 되돌아갔다. 그들은 차를 마시면서 한참동안 바깥 경치를 구경하였다. 하지만 수소가 나타나지 않았다. 걱정하고 있을 때 수소가 밖으로부터 허둥지둥 들어오면서

"아우! 큰일 났네!"

라고 하였다.

본량(本良)이

"무슨 일인데요?"

라고 물으니 수소가 대답하였다.

"금방 내가 집에 돌아갔다가 들은 거야. 집사람들 말에 의하면 어젯밤 민 황후께서 궁을 나와 달구경을 하였는데 돌아오지 않으셨대. 나중에 사람들이 하는 말을 들었는데 박영효가 내전에서 너희 운 대감과 함께 모반을 꾀하였다고들 하던 대. 지금 박영효가 군대를 거느리고 네 집안사람들을 전부 묶어서 형장으로 끌고 가서 목을 자른다나.

아우! 어서 빨리 도련님을 데리고 내말을 타고 도망가라! 늦어지면 끝장이야. 병사들이 지금 사방에서 너희 세 사람을 찾고 있다. 아우, 빨리 가! 도련님의 목숨이 가장 중요하잖아!"

본량은 그 말을 듣고

"일이 이렇게 되었으니 우선 도련님을 보호하여 구씨 가문을 잇도록 하는 게 중요하다!"

라며 늙은 하인에게 말하였다.

"어서 도망가세요. 나중에 잘 알아보고서 우리 집 사람들의 목숨이 어떻게 되었는지 소식을 평양으로 전해 주세요."

"그 일은 걱정하지 말고 얼른 말을 타고 떠나!"

라는 수소가 말하자 본량은 본봉을 말에 태우고서 울면서 수소와 작별하였다. 수소의 말은 잘도 달렸다. 본량은 속으로 생각하였다.

"우리 두 사람이 도망쳐 목숨을 부지할 수 있을까."

잠시 후 그들의 모습은 보이지 않았다. 수소는 하인에게

"저를 따라 오세요. 나중에 그들에게 소식을 전해야지요."

라고 하니, 그 늙은 하인은 말없이 수소를 따라 갔다.

한편, 본량이 말에게 몇 번 채찍질을 하니 말은 네 말발굽을 구름과 안개와 같이 부지런히 움직이면서 평양을 향해 달려갔다.

작은 영웅 본량은 급한 마음에 부지런히 채찍질을 하였다. 마음은 급하였지만 어쩐지 말이 늦게 달리는 것 같았다. 그 말은 본디 추풍표(追風豹)로 구름처럼 빨리 잠깐 사이에 7·8리를 달렸다. 얼마 안 지나니 서울 변계선 지역에 이르렀다.

말 위에서 집안의 어른들과 아이들을 생각하니 저도 모르게 눈물이 주룩 흘렀다.

"다른 사람 탓이 아니고 박영효 간신놈 때문이야. 내가 네놈과 원수를 진 일도 없는데 어째서 우리 집안사람들을 전부 죽였느냐? 수소 형님이 소식을 전해 주어 다행이지 아니었으면 우리 형제도 똑같이 죽음을 당했을 것이야. 우리에게 용과 같은 이 말을 주어 호랑이 굴에서 살아났지. 우리 형제는 무리에서 벗어나 길을 잃은 기러기처럼 가엾기 그지 없구나. 만일 길에서 아무 탈 없이 평양까지 간다면 이게 모두 조상의 덕분이다. 내가 몸에 황후의 편지를 가지고 있는데 아마도 중요한 일이 적혀 있을 것이야. 황후께서 어제 밤 나간 뒤로 감감 무소식이라니 십중팔구는 돌아가셨을 거야. 나는 원래 평양으로 편지를 전하는 몸이었는데 피난 가는 신세로 변할 줄 어찌 알았으랴.

길가에 시든 풀들에서 피어나는 연기가 눈을 찌르고 낭떠러지에서 자란 고목이 가을 바람에 춤추고 있다. 산속의 나뭇잎이 바람에 흩날리고 강물은 하늘처럼 새파랗게 변하였다. 먼 산 꼭대기로 상스러운 구름이 얼굴을 내밀고 초원의 외로운 목마의 울음소리가 처량하게 들려왔다. 홀몸으로 먼 길을 떠나니 그 누구도 모를 억울함을 달래며 길만 재촉하였다.

평양에 도착하면 운대감을 뵙고 조속히 파병하시라고 할 것이다. 대부대가 서울로 쳐들어가면 우리 집 원수도 갚을 수 있겠지."

이렇게 생각하면서 서둘러 600리 길을 달렸다. 먼 하늘에 달토끼가 보였다. 날이 어두워졌지만 여관에 묵지 않고 달빛을 빌어 계속하여 길만 재촉하였다.

구씨 두 형제에 대해서는 더 이상 말하지 않고 박영효에 관한 이야기로 돌려보겠다.

박영효가 구씨 가문 사람들을 모두 죽인 후 사람을 보내어 본봉을 찾아 온 거리와 동네를 샅샅이 뒤졌지만 끝내는 찾지 못하였다.

"그가 그 소식을 알고 있고, 누군가가 그를 도와 도망치도록 한 거겠지. 도망 쳤다 해도 평양에 있는 운재소에게 가겠지."

그는 생각이 여기에 미치자, 군사를 보내어 추격하도록 하였다.

여러분! 생각해보시라! 구본량이 탄 말은 바람처럼 빨랐다. 떠난 지도 몇 시간이나 되었으므로 따라 잡을 수가 없었다. 병사들은 한참동안 달려도 종적을 찾을 수 없어 돌아와 그런 사실을 고하였다.

박영효가 말하였다.

"사로잡지 못했지만 어린 아이가 어쩌리."

그리고는 내전에 나가 왕에게 아뢰었다.

"역적 구 대감을 이미 없앴지만 운재소 일당이 이 사실을 알 것이고 필시 반역을 꾀할 것입니다. 바라건대, 폐하께서 성지를 내려 곽건수를 평양으로 보내 운재소(雲在霄)를 서울로 오라고 하여 그의 병권을 빼앗은 다음 죽이소서. 그래야만 후환이 없습니다."

이희가 말하였다.

"운재소는 여러 번 공로를 세운 사람이요. 그가 반역을 하였다고 한대도 아무런 증거가 없소. 그의 병권을 빼앗는 것이 옳은 일이라 해도 서울로 오라고 하고 죽이는 것이 옳겠소?"

이에 박영효는 "폐하께서는 우둔하십니다. 사태가 이 지경에 이르렀는데 그가 반역을 꾀할 리 없다고 하십니까? 오늘 성지를 안 내리면 나는 멍청한 왕 당신부터 먼저 처치하리다."라고 소리치면서 왕 앞으로 다가갔다.

한황은 형세가 불리한 것을 보고

"알았소. 성지를 내리리다."

라며 물러섰다.

그래서 성지를 내려 곽건수에게 평양에 가서 운재소를 상경하도록 하였다.

여기에서 운재소를 조사한 것은 자세히 말하지 않겠다.

한편, 이희 황제는 궁중으로 돌아와 강산을 빼앗길까 혼자서 걱정하고는 비통에 잠겨 눈물을 흘렸다.

"조정에 충신이라고는 없고 모두 재물과 부귀만 바라는 간신뿐이로구나. 박영효가 나를 협박하여 성지를 내리게 하여 둘도 없는 우리 충신을 죽게 하였다. 그리고 군사를 파견하여 운재소를 조사하려고 하는데 만약 시키는 대로 하지 않으면 나에게 나쁜 짓을 하겠지. 재소가 그 내막을 안다면 반드시 저 간신놈들을 깨끗이 제거할 텐데."

왕이 궁중에서 혼자 중얼거리고 있는데 갑자기 초루(樵樓)에서 초경을 알리는 소리가 들려 왔다. 초루에서 초경 소리가 울려도 전혀 반응이 없다가 홀연 여걸 민씨 황후가 생각나

"황후! 그대는 어디로 가버린 거요? 왜 하루가 지나도록 궁중으로 돌아오지 않는단 말이오. 설마 그대도 간신들의 음모로 해를 입은 것은 아니겠지요? 어째서 시신은 보이지 않는 것이요? 만일 그대가 이 나라를 위해 죽었다면 가슴 아파 어떻게 하리오. 하루가 지나도록 돌아오지 않으니 아마 저세상으로 갔단 말이오. 하지만 누가 그대를 죽였는지, 그대의 시신이 어디에 있는지, 해를 당한 그대를 누가 구했는지, 왜 궁을 나갔는지 모르겠소. 황후! 그대가 혼자 죽고 나만 남았구나. 누가 나와 정사에 힘쓰겠소? 누가 나를 도와 강산을 다스리고 정치를 잘 개혁하여 백성에게 태평성대를 열어주겠소? 누가 군대를 다시 안정시키고 병사들을 바로잡겠소? 그대가 한국의 모든 정책을 잘 하였기에 몇 년간 태평스러운 나날들을 보냈소. 황후! 그대가 죽는 것은 과인이 오른 팔을 잃은 거나 다름이 없소. 황후가 죽어 다른 사람들이 나를 모욕하오. 이런 생각에 어찌 가슴 아프지 않으랴?"

라고 하며 울면 울수록 술에 취한 듯 비통해 하였다. 흐르는 눈물이 가슴을 적셨다. 왕이 민 황후를 생각하면서 울고 있는데 갑자기 닭울음소리가 세 번 들려오니 날이 밝아 오고 있었다.

앞으로 이희 황제에 대해는 더 이상 말하지 않고 저 중근의 어린 시절에 대해 말하겠다.

세월은 흐르는 물처럼 흘러 안부인이 운재소 댁에 온지도 3년이나 되었다. 안중근은 6살이 되었고 총명하기로 소문이 났다. 이 무렵 안중근이 운재소 동생 재수(在岫)와 재소의 아들 낙봉(洛峰)이 책방에서 놀다가 담장에 걸린 그림을 보았다. 그림 속에는 어린 아이가 정원에서 작은 도끼를 갖고 있었고, 그 옆에 잘린 앵두나무가 있었다. 그리고 그 옆에 어른 한 사람이 서 있었다. 마치 어린 아이를 야단치는 것 같았다.

안중근은 그 뜻을 알 수 없어서 방에서 책을 보고 있는 재소에게로 가서

"이 그림은 누가 그린 것입니까?"

라고 물었다.

재소는 그의 질문을 재미있게 여겨 그에게 알려주었다.

"이 어린이는 워싱턴이라는 미국사람이다. 옆에 있는 사람이 워싱턴의 아버지야. 아버지가 도끼를 갖고 정원에 나가 놀라고 했어. 워싱턴은 정원에 나가 아버지가 가장 아끼는 나무를 베어 버린 거야. 얼마 뒤 아버지가 정원에 나가보니 나무가 땅에 잘려 쓰러져 있었어.

그래서 아들에게 물었어. "누가 나무를 잘랐느냐?" 워싱턴은 솔직하게 사실대로 말했다. "아버지, 제가 잘랐어요."

아버지는 그가 거짓말을 하지 않았으므로 당장 화를 내려다가 그를 용서해 주었지. 뒷날 영국인들이 미국사람을 폭력으로 대할 때 그는 군대를 거느리고 8·9년 동안 피를 흘리며 전쟁을 하여 미국을 독립시켰단다. 그는 이 세상에서 가장 위대한 인물이야."

안중근은 재소의 말이 끝나자 또 물었다. "이 사람을 따라 배울 만하나요?"

재소가 대답하였다. "그럼, 따라 배울만하고 말고."

다시 안중근이 "어떻게 따라 배워야 합니까?"라고 물었다.

"공부를 해야지"

라는 재소의 대답을 들은 안중근이

"삼촌 어찌 선생님을 모셔 우리를 가르쳐 저 워싱턴을 따라 배우게 하지 않으시는가요?"

라고 물었다. 재소는 중근을 보고서

"너 참 대단하구나."라며

"우리나라는 지금 너무나 약해. 만일 위대한 인물이 나오면 우리나라의 행복일 텐데, 내 동생의 아들은 물론이고 모두 당연히 공부를 해야 한단다."

그리하여 선생을 모신다는 글 한 장을 써서 문 위에 붙였다.

이 날 한 사람이 와서 그 글을 뜯어서 보았다. 하인이 그 사람을 서재로 안내하여 재소에게 데려갔다. 재소가 물었다.

"귀하의 존함을 어찌되십니까? 고향은 어디십니까?"

그 사람이 대답하였다.

"성은 후(侯)이고 이름은 필(弼)입니다. 자(字)는 원수(元首)이지요. 황해도 인리촌(仁里村) 사람입니다."

재소가 그 사람의 대답을 듣고 너무나 놀랐다. 이것은 바로 현명함과 지혜로움을 배우려면 인리촌(仁里村)에서 온 이 사람이 제법 적격이다.

후원수가 어떻게 여기까지 왔는지를 알려면 다음 회를 보시라.

자고로부터 간신 도적들은 그다지 오래 가지 못하였다. 왕을 속이고 윗사람을 범하고 충량한 사람을 죽이면 하늘이 어찌 용서할 수 있단 말인가. 한국의 신하들을 둘러보면 거의가 간신배들이다. 재소가 병사들을 보내어 그 자들을 하나하나 없애버린다면 얼마나 통쾌하랴.

시구가 끝나니 이야기가 이어진다. 위에서 저 후필이 성명을 대니 재소는 그가 후원수임을 듣고서 급히 뒷방으로 달려가 안부인을 만났다.

"동생이 은인 은인하고 늘 말하였는데 오늘 그 은인이 우리 집에 왔단다."

안부인이

"그 후원수입니까?"

라고 하자, 운재소가

"맞다."

라고 알려 주었다.

"지금 어디에 계시지요?"

라고 안부인이 묻자

운재소가

"지금 서재에 있다."

라고 알려 주었다.

"빨리 그분에게 데려가 주세요."

그리하여 두 사람은 서재로 달려갔다. 안부인은 그곳에 남루한 옷을 입고 앉아 있는 후원수를 보고서는 다가가 엎드려 절을 하며

"은인께서 이곳에 오신 줄을 몰랐습니다. 바라건대 저의 죄를 용서해주십시오."

라고 하자 후원수는 너무 놀라 어떻게 할지를 몰라 황급히

"사람을 잘못 보신 겁니다. 제가 무슨 은혜를 베풀다니요?"

라고 하였다.

"은인께서 저희 모자를 위해 기봉산 일본인을 혼내준 것을 잊으셨나요?"

라고 안부인이 말하자, 후필은 그제야 생각이 나서 물었다.

"아 그럼, 안부인이세요?"

"맞아요. 접니다."

"은인께서 웬일로 여기에 오셨나요?"

"한마디로 다 말하기가 어렵습니다."

후원수는 슬픈 표정을 지으며 말을 이었다.

"네, 부인! 잘 들으십시오. 그 해에 제가 일본 적도를 공격하여 몇 놈을 처치했지요. 일본인들이 이 일로 불만을 품고 말만하면 저를 죽이겠다고 하였습니다. 그래서 제가 재물을 약탈하고 나쁜 짓을 하였다고 교섭국에 고소했습니다. 임충(任忠)은 고소장을 받아들여 사람을 보내어 저를 잡으려고 체포령을 내렸습니다.

황백웅이 편지로 알려준 덕분에 저는 조카를 데리고 재난을 피할 수 있었습니다. 백웅의 외삼촌이 이곳에서 제법(提法)[1]을 맡고 있다고 해서 우리 세 사람은 재물을 정리하여 이리로 왔습니다. 그날 우리 세 사람은 검수역(劍水驛)에 이르러 여관에서 묵었습니다. 우리는 운이 나쁘게도 저 백웅이 검수역에서 그만 병에 걸려 1년간이나 앓습니다. 우리는 돈도 다 써버렸습니다. 갖고 온 물건과 말도 다 팔았습니다. 저도 또한 거리에서 글을 써서 팔면서 생계를 유지하였습니다.

글을 팔고 있는데 우연히 진월리(陳月李)를 만났습니다. 그가 자기 집 애들에게 글을 가르쳐 달라고 했습니다. 그래서 나는 검수역에 학교를 만들고 학생을 가르치고 백웅도 나에게 왔습니다. 나중에 백웅은 병이 다 나으면 평양으로 가기로 하고 검수역에 머물렀습니다. 글을 1년간 가르치다가 장영(張英)이라는 학생을 우연히 만났습니다. 그가 남의 물건을 훔치기에 제가 때려 주었더니 독약을 먹고 죽고 말았습니다.

이일로 장씨네가 저를 고소하는 통에 저는 옥에 갇혀 죄를 받았습니다. 진월리가 이리저리로 뛰어 다니며 저를 위해 고생한 끝에 죽음에서 구하고 학생들이 돈을 거두어 준 덕에 우리 숙질은 여기까지 올 수가 있었습니다. 지난 달에 평양성에 도착해서 수소문해 보니 제법(提法) 이정(李正)이 승진하였다고 들었습니다. 하지만 이정이 승진하여 타지로 가는 바람에 우리 숙질은 또 헛탕을 쳤습니다.

----

1 관직명.

하는 수가 없어서 또 거리에서 글을 써서 팔고 밤이 되면 성의 북쪽에 있는 낡은 사당에서 지냈습니다. 다른 사람이 백웅도 이정을 따라 갔다고 말해주었습니다. 하지만 나의 숙질은 돈이 없어서 그곳에 가하지 못했습니다. 아까 글을 팔려고 이곳을 지나다가 문에 써 붙인 초빙광고를 보고 스스로 들어 왔지만 대감께서 허락하실지 모르겠습니다."

후필은 전후사정을 자세히 말하였다.

이처럼 후필이 전후사정 얘기를 다 하고 나자 안부인이 그곳에서 탄식을 하며 말하였다.

"이것은 모두 우리 모자 때문입니다. 은인께 이렇게 많은 고생을 시켰습니다. 우리 모자가 어찌 그저 가만히 보고만 있겠습니까?"

운대감이 또한 옆에 있다가

"원수(元首)선생이 저의 집에 이렇게 오신 것은 진정으로 저희와 인연이 깊다는 뜻입니다. 제 집에서 몇몇 아이들을 가르쳐 주십시오."

라고 하였다.

그리고 하인을 불러 성의 북쪽에 있는 오래된 사당에 가서 구진(寇珍)을 데려 오게하고 숙질에게 새 옷을 갈아 입혔다. 그리하여 저녁이 되자 술상을 차려 경축하였다. 술을 마시면서 재소가 후원수에게 말하였다.

"그럼 이 애들 몇 명은 선생님에게 맡기겠습니다."

"저를 싫다 하지 않고 믿어주시니 정성껏 가르치겠습니다."

"무슨 말씀을요."

날이 어두워지니 숙질을 서재에서 쉬도록 하였다.

이튿날 안중근·운재수·운낙봉·구진이 모두 선생님께 절을 하고 같이 글공부를 시작하였다. 며칠이 지나 진월리는 후필이 글을 가르치고 있다는 소식을 듣고 자기 아들 진금사(陳金思)와 조카 진금가(陳金暇)를 보내 왔다. 나중에 악공(岳公)·손자기(孫子寄[2])·왕신지(王愼之)·소감(蕭鑑)·조적중(趙適中)이 한 반이 되어 후필에게서 가르침을 받았다. 후필에게 배우는 학생들이 늘어났는데 이에 대해서는 구체적으로 말하지 않겠다.

----

2   기(奇).

한편, 구본량 형제가 말을 타고 하루 낮 하루 밤을 달려 평양에서 2·3백리 떨어진 곳에 이르렀다. 추격병이 여기까지 쫓아올 리 만무하다고 여기고 여관에 들어가 말에게 먹이를 주고 하루 밤을 머물렀다. 이튿날을 달려 평양성에 도착하여 운재수 집을 찾았다. 형제 두 사람이 말에서 내려 문을 보니 한 병사가 그곳에 서 있었다.

본량이 다가가서 말하였다.

"안으로 들어가 대감께 아뢰시오. 서울 구(寇)씨 집에서 사람이 왔다고 말이요."

병사가 집에 들어가 재소에게 고하자,

"들어오라고 하거라."

라고 하였다.

그래서 본량 형제는 집안으로 들어가서 재소를 만났다. 재소는 구본량을 알고 있었다. 재소가 말했다.

"조카가 무슨 일로 여기에 왔나?"

그리고는 본봉을 가리키며 물었다.

"이 아이는 누구냐?"

본량이 재소를 보고 대답하였다.

"백부님의 아들 본봉입니다."

"너희 형제 두 사람은 왜 여기에 왔느냐."

라고 재소가 말하자, 본량이 크게 몇 번이나 한숨 쉬며 말하였다.

본량은

"백부님은 모르십니다. 제 말을 잘 들어보세요. "여기에 어떻게 왔으냐?"고 물으시는데 비통합니다."

라며 눈물을 줄줄 흘리면서 말을 계속 하였다.

"제 말을 잘 들어보세요. 그해 프랑스와 미국 군대와 한 바탕 싸운 뒤로부터 지금까지 우리 조정은 한시도 편안한 날이 없었습니다. 처음에는 김굉집이 나라를 팔아먹었고 나중에는 김옥균 간신이 난리를 쳤습니다. 옥균은 암암리에 일본인을 서울로 끌어들여 무고한 백성들을 잔악하게 죽이고 대신들을 해하였습니다. 후에 간신 굉집은 참수되고 김옥균도 일본 도쿄로 도망쳤습니다.

그리고 나서 민 황후가 국정을 맡아 몇 년 간 태평세월을 보냈습니다. 근데 누가 알았겠습니까? 박영효 간신이 또 뛰쳐나와 일본과 결탁하여 난리를 칠지 말입니다. 조정에 간신들이 박영효와 한 패가 되어 황제와 황후를 따돌렸습니다. 민 황후는 간신들이 저의를 간파하고 몰래 숙부를 궁으로 불러 간신일당을 제거하려고 하였습니다. 그러나 당시 저에게는 병사가 없었습니다.

그래서 황후께서 친히 서신을 써주었습니다. 황후께서 제게 명하여 이 서신을 백부에게 군사를 움직여 궁으로 오도록 하였습니다. 며칠 전 밤에 황후께서 궁을 나간 뒤로 돌아오지 않았습니다. 생각건대, 필시 저 간신배들에게 살해되었을 것입니다. 그런데 어떤 기회에 비밀이 새어 나간지 알 수 없지만 간신들이 일제히 흉행을 저질렀습니다.

박영효가 내전에서 폐하께 글을 올려 "저의 숙부와 백부님께서 역심이 생겼다"고 하였습니다. 황제께서는 협박을 당하시어 성지를 내리셨습니다. 군인들이 우리 집에 와서 우리 일가족 전부를 잡아갔습니다. 우리는 생명을 보전할 수 없었습니다. 구본봉이 나를 전송하여 성 밖까지 나온 덕에 간신들의 마수에 걸리지 않았습니다. 나중에 저 이수소가 우리에게 소식을 보내고 또 바람을 따라잡을 만큼 빠른 말 한 필을 주었습니다. 그래서 우리 형제는 난을 피할 수 있었습니다. 바라건대, 백부님께서 어서 빨리 우리의 원수를 갚아 주십시오."

말을 다 한 다음 황후가 쓴 편지를 주었다. 운대감이 편지를 열어 보니 위에서부터 자세하게 읽어 보았지만 특별한 것은 없다. 단지 재소에게 군사를 이끌고 간신을 없애라는 것이었다. 운재소는 전후사정 이야기를 듣고서 알 수 없는 화가 치밀어 올랐다. 그리곤 서울 쪽을 향해 손가락질하면서 박영효를 잡종이라고 욕을 하였다.

"박영효, 이 못된 놈! 황후와 구씨 가문이 너에게 무슨 원한이 있어 그들을 죽였느냐. 내가 이제 네놈들을 죽여 버리지 않는다면 밝은 대낮에 얼굴을 들고 다닐 수 없도다."

말을 할수록 화가 더 났다. 10만이나 되는 대군사를 점검하여 한성으로 즉각 향하였다. 이날 앞으로 나아가다가 맞은 편에 온 그 병정들을 보게 되었다.

운재소는 그날 이 소식을 듣고 본량 형제에게 말을 하였다.

"너희 집사람들이 피해를 보았으니 너희 형제 둘은 여기에서 공부를 하거라. 내가 가서 네 원수를 갚아 주마."

본량 형제는 공부를 하였고, 재소는 10만 병사를 점거하여 이날 한성을 향하여 나갔다. 앞을 향해 전진하고 있는데 갑자기 정면에서 약 천명 남짓한 병사들이 나타났다. 재소가 명하여 정탐대를 한번 보내었다. 그들이 돌아와

"그들은 국왕의 성지를 갖고 대감을 조사하려고 한다는 것이었습니다."

라고 하자 재소가 말하였다.

"말할 필요 없이 우리 앞으로 올 때까지 기다려 전부 잡으라." 앞쪽으로 재빨리 그들 모두를 에워싸 생포하였다.

"자네들은 어디 병사들인가? 감히 황제의 특사를 잡다니!"

라는 곽건수의 말에 재소가

"무슨 특사냐?"

라고 하였다.

이리하여 재소는 병사들에게 병영을 짓게 하고 곽건수를 데려와 물었다.

"넌 무슨 특사냐?"

"난 황제폐하의 명령을 받들고 평양으로 가서 운재소를 조사하려고 한다. 빨리 우리를 풀어 주거라. 큰 일을 그르치면 너희는 죄를 다 갚을 수 없다."

라고 건수가 대답하였다.

운재소가 껄껄 웃으면서

"내가 바로 운재소다. 어디 날 조사해 보거라 나는 알고 있지. 네가 박영효의 일당이라는 것을 말이야. 또한 묻겠는데, "저 구 대감댁 사람들은 다 어찌 되었나?"

라고 하자, 건수가 대답하였다.

"모두 참수되었소. 다만 집 사람 둘과 공자(公子)가 어디로 도망갔는지 모르오."

"누가 구 대감과 내가 모반하였다고 하였느냐?"

라고 재소가 또 물었다.건수는 아무 말하지 않자,

"사실대로 말해라. 그럼 네 목숨을 살려줄 테니. 그렇지 않으면 당장 네 목을 치겠다."

라고 재소가 압박하였다.

건수는 하는 수 없이 박영효가 가짜 편지를 조작한 사실을 다 말하였다.

재소가 또

"민 황후님은 누가 죽인 것이냐?"

라고 물었지만 건수는 거짓으로

"잘 모른다."

라고 대답하였다.

"애들아 듣거라. 이 자를 밖으로 끌고나가 목을 쳐라."

라는 재소의 말에 건수가 당황해 하며

"대감, 서두루지 마시오. 다 알고 있소!"

라고 하자,

재소가 "알면 빨리 말하거라."

라고 하였다.

그러자 건수는 어떤 계책으로 어떻게 황후를 죽여 우물에 던졌는지 사실대로 전부 자백하였다.

그리하여 재소는 곽건수를 묶어 마차에 가두고 서울로 향하였다. 서울에 도착하자 바로 박영효의 온 가족을 사로잡고 또한 정병하(鄭秉夏)·조의연(趙義淵)·우범무(禹範無)·이동홍(李東鴻)·이범동(李範東)·이신효(李臣孝)·권영중(權榮重) 등 간신배들도 모두 사로잡았다. 곽건수는 물론 전부 다 형장으로 끌고 가 참수하였다. 그리고는 황후의 일을 황제에게 모두 아뢰었다. 황제는 명을 내려 우물 속에서 민 황후 시신을 건져 내고 구 대감 가족들의 시신도 찾아와 큰 관에 넣었다. 박영효와 곽건수의 머리로 제를 지내고 구 대감의 관을 묻었다. 그리고 재소는 황제와 헤어져 평양으로 돌아갔다. 이는 다음과 같다

조정의 간신들이 깡그리 제거되자, 전라도에서 화근이 새로 생겨났다.

이후의 일이 어떻게 되었는지 알고 싶으시면 다음 회를 들어보면 알 수 있으리라.

앞에서 보았듯이, 황백웅이 병이 다 나아 검수역에서 평양으로 갔다. 이정이 보통과(普通科) 과장으로 승진하였다. 이후에 전라도 안찰사(按察使)로 승진하여 백웅도 그를 따라 갔다. 나중에 사람들의 말을 들어보니, 후필이 운재소의 집에서 글을 가르치고 있다는 것이었다. 그래서 편지를 보내 후필에게 아역(衙役)[1]으로 일하라고 하였다. 하지만 후필은 가려 하지 않았다. 이 일로 두 사람은 각자의 길을 가게 되었다. 세월은 흐르는 물과 같이 지나 어느덧 6년이 흘렀다. 이 때 백웅이 식당에서 식사를 하다가 맞은 편 식탁에서 밥을 먹고 있는 세 소년을 보았다.

한 사람이 "오늘 날씨가 너무 좋다. 우리 세 사람 여기에서 좀 마셔볼까."라고 하면서 말하였다.

"우리가 이렇게 술만 마실 줄 알고 있다. 그러지 말고 나라가 되어 가는 꼴을 생각해보세. 국왕은 온 종일 궁중에 있으면서 이치에 맞지 않는 짓만 하니 장차 국정이 모두 간신배에게 돌아가지 않겠는가. 우리는 한국 백성으로서 우리 금수강산을 보호해야 하네.

사람은 모두 제 역할이 있단 말이야. 우리의 자신과 재산은 모두 국가의 것이야. 나는 오늘 국가를 보호할 방도를 생각하여 우리 자신과 가족을 지키고 사람들을 살리려고 한다네. 우리 모두가 종일 방탕하게 술만 마신다면 이 나라는 멀지 않아 무너질 걸세. 나라는 높다란 누각에 비할 수 있고 우리가 그 속에서 사는 거야. 일단 기둥이 잘리면 집도 무너지게 되니 우리가 어디로 도망가서 살겠나. 나라를 지키는 데는 다른 수가 없고 우리모두 배워야만 하네. 만일 사람들 모두가 배운다면 우리는 스스로 강해져 나라를 지킬 수있고 나라가 태평해질 걸세. 나는 마음속으로 저 서양종교를 물리쳐 우리 동방의 학문을부흥시키려고 한다네. 그 다음 많은 사람의 마음을 묶어 모두 하나가 되게 하여 조정의저 간신들을 없애는 거야."

옆에 있던 두 사람이 호응하면서

---

1 관청의 하급관리.

"아우의 생각이 우리와 같네."

라고 하였다.

바로 그 때 그 세 사람이 하는 이야기가 황해도 인재 황백웅에게 들렸다.

이처럼, 황백웅이 세 사람이 대단히 올바른 이야기를 하고 있는 것을 듣고는 앞으로 다가가서 물었다.

"여러분 존함을 어떻게 되십니까?"

세 사람은 황송해 하며 자리에서 일어나

"저는 성이 김이고 이름은 유성(有聲)입니다. 이 사람은 성이 전(錢)이고 이름은 중포(中飽)입니다. 저 사람은 성이 요(堯)이고 이름은 재천(在天)입니다. 우리 모두 이곳 사람입니다." 귀하의 존함은 어떻게 됩니까?"

라고 하자. 백웅이

"저는 성은 황이고 이름은 백웅이라 합니다. 황해도 인리촌(仁里村) 사람이며 현재 안찰사 관청에서 과장으로 일하고 있습니다."

라고 하였다.

"황선생이 여기에 오신 줄을 몰랐습니다. 대접이 소홀했습니다. 저희의 죄를 용서해주십시오"

라고 김유성 등 세 사람이 일제히 말하자, 백웅이

"별 말씀을요. 오늘 여러분을 뵙게 되어 대단히 반갑습니다. 대접이 소홀했다니요"

라고 대답하였다.

그리하여 네 사람은 한 자리에 앉아 각자 나이를 말하였다. 유성이 백웅에게

"선생님이 인리촌(仁里村) 사람이라면 후원수라는 분이 있는데 알고 계신지요?"

라고 하였다. 이에 백웅이

"그 사람은 저와 가장 친한 사람입니다. 그 사람을 모르는 사람이 없지요."

라고 대답하였다.

유성이

"그분은 지금 뭘 하고 계시나요?"

라고 묻자, 백웅이 대답하였다.

"그 사람은 지금 평양에서 글을 가르치고 있어요."

그리고는 두 사람은 밖으로 나가 고생한 일들을 한바탕 이야기하였다. 유성이

"그 분의 학문은 아주 깊습니다. 아쉽게도 출세는 하지 못하셨어요."

라고 하자, 백웅이 물었다. "선생은 그분을 어떻게 아십니까?"

유성이 대답하였다.

"아우께서는 잘 모를 실겁니다. 몇 년 전, 제 아버지가가 평안도 상원부(詳源府)의 지부(知府)에 임명되어 가실 때 인리촌(仁里村)을 지나가다가 별안간 병에 걸려 후필 선생님 댁에 머물렀습니다.

후원수 선생님은 의원을 불러 아버지의 병을 치료해 주었습니다. 한 달이 지나자 아버지의 몸은 완쾌 되었습니다. 그때는 가지고 있던 돈도 바닥이 났는데 후필 선생님이 또 많은 노자를 도와주시어 지부로 갈 수 있었습니다. 그 은혜는 지금도 잊을 수 없습니다. 후에 사람들의 말을 들으니 송사에 말려들어 다른 곳으로 도망갔다고 합니다. 그래서 지금까지도 그의 은혜를 갚을 수 없었습니다."

백웅이

"그렇군요. 그럼 우린 한집안 식구나 다름없네요."

말하였다. 말을 마치자 모두 크게 웃었다.

"아까 여러분이 동학(東學)을 부흥시키려고 한다고 하였는데, 저도 이것이 아주 훌륭한 생각라고 봅니다. 하지만 여러분이 어떻게 부흥할지 모르겠군요."

라고 백웅이 하자 유성이 대답하였다.

"우리에게도 뾰족한 수가 없습니다. 단지 하나의 단체를 세워 얼마간 백성들을 모아서 점차적으로 서학을 배척하는 수밖에 없습니다."

네 사람은 이야기를 하면 할수록 더욱 가까워졌다. 종업원에게 술과 안주를 더 시켜 즐겁게 술을 마셨다.

이날 저녁이 되자 유성이 술값을 내고 각자 자기 집으로 돌아갔다. 이때부터 서로 오가면서 하루가 다르게 친해 졌다. 드디어 서로 논의하여 큰 단체를 만들어 오로지 서학을 배척하고, 동학 부흥 방도를 연구하였다. 관리들의 압박을 받던 사람들이 점차 그들의 단체로 모여 들었다. 수개월이 지나자 몇 만 명이 모였고 기세는 대단했다. 정부를 바꾸어 나라를 개변시키려고 하였다.

이에 대해서는 자세하게 말하지 않겠다.

한편, 일본의 이토는 한국에서 동학당이 일어났다는 소식을 듣고 또 나쁜 계책을 생각해내고 가신 이로쿠(伊祿)에게 명하였다.

"네가 가서 김옥균을 불러 오거라."

이록이 간 지 얼마 안 되어 김옥균을 방으로 불러 앉으라 하였다.

"저를 불렀는데 무슨 할 말이라도 있으신지요?"

"아우는 모를 거야. 내말을 좀 들어 보게나?"

간계가 많은 이토가 온화한 표정으로 웃으며 말하였다.

"옥균 아우, 내 말 좀 들어봐. 오늘 자네에게 중요한 말을 하려고 하네. 한국이 약하고 정치가 엉망이기 때문에 그 해에 자네가 한국을 개혁하여 새롭게 하려고 하였지. 내가 뒤에서 자네를 도와주었잖아. 일이 잘 못 되어 마음고생이 참 많았다는 것을 알고 있네.

우리 군인들을 보냈지만 아무런 보람도 없었고, 또한 자네의 집안도 당했지. 나중에 우리 군사들이 패하여 돌아오고 자네도 이리로 도망쳐 몸을 쉬고 있지. 지금 민씨 가문은 모두 망했네. 자네 원수도 갚았지. 자네의 원한은 비록 씻었지만 자네 나라는 여전히 정신 못 차리고 있다네. 나는 자네가 다른 일을 돌아보지 말고 자네 나라를 바로 잡아 뿌리를 내리도록 하게나.

들건대, 자네 나라에서 동학당이 일어났다고 하더군. 지금 이미 몇 만 명이 가입하였다고 하네. 표면적으로는 학문의 부흥을 명목으로 삼고 있네만 내가 보기에 정부에 반대하는 것이 사실이네. 내 생각에 자네가 동학당에 들어가 그들과 마음을 합치고 같이 구제활동을 하여 생존을 도모하는 게 좋겠네. 우리나라는 자네를 도울 걸세. 자네가 자네 나라 안에 호응하는 사람을 두어 안 밖에서 돕는다면 못 할 일이 있겠나.

자네가 저 동학당에 들어가 그들을 부려 세력을 키운다면 자네는 큰 일을 해낼 수 있을 걸세. 또한 큰 공을 세울 수 있지. 지금 내가 일이 있어 폐하를 뵙고 할 말이 있네."

이처럼, 김옥균이 이토의 말을 다 듣고 나서

"저는 일찍이 귀국하려고 했지만 명분이 없었습니다. 지금 각하의 말씀을 들으니 눈앞이 환해집니다. 각하께서 우리를 도와 일을 할 수 있게 해주신다면 은혜를 어찌다 갚겠습니까."

라고 하자, 이토가 말하였다.

"내가 어찌 생각하지 않고 말을 하겠나? 자네는 안심하고 대담하게 나가 보게나. 그런데 자네 나라에 호응할 만한 사람이 있는가?"

옥균이

"박영효·정병하 등 여러 사람이 있습니다. 그들 모두 나와 친하게 지냈습니다. 지금은 그들 모두 운재소(雲在霄)에게 살해당하였습니다. 최근에 저와 친하게 지내는 사람이 있습니다. 바로 이완용이라는 사람입니다. 듣건대, 그가 조정에서 세력이 있다고 합니다. 제가 먼저 전라도 땅으로 가서 동학당에 들어가겠습니다. 그런 다음 이완용에게 서신을 보내면 그가 필시 나를 도와 제 오른 팔이 되어 줄 겁니다."

라고 대답하자, 이토가 말하였다.

"좋아, 그럼 출발하도록 하게나."

그리하여 김옥균은 짐을 꾸려 배를 타고 전라도로 달려갔다.

여러분! 생각해보시라. 이토가 김옥균에게 동학당 세력을 빌어 한국을 일으키라 함은 본심이겠는가? 이토는 어떻게 생각했을까? 동학당의 인원수는 많아도 모두가 무지한 백성들이므로 큰 일을 해낼 수 없었다. 그는 김옥균을 시켜 동학당을 부추겨 난을 일으키려고 한 것이었다. 이 기회를 틈타 중국을 분할하고 한국을 병탄하려는 것이었다. 훗날 이토의 이런 생각은 과연 그의 생각대로 되었다.

이에 대해서는 자세하게 말하지 않겠다.

한편, 황백웅은 김유성 등 사람들과 친하게 지냈다. 생사를 함께하는 형제결의를 맺었다. 관청에도 돌아가지 않았다. 날마다 그들과 함께 동학 진흥시켰다. 날이 갈수록 주위의 사람들이 몰려들었다. 태인(泰仁)·고부(古埠) 두 현 사람들이 모두 합세하여 몇 만 명에 달하였다. 아예 태인현의 완산(完山)을 차지하고 김유성을 독통(督統)으로 삼았다. 요재천·전중포·황백웅을 두령으로 삼았다. 창을 만들고 말을 구입하고 건초와 군량미를 모아 큰 일을 하려고 하였다.

이 때 네 사람이 군영에서 일을 논의하고 있는데 졸병이 달려와 보고하였다.

"밖에 누가 와서 수령님을 뵙겠다고 합니다."

유성은 누구일까 생각하며 군영에서 나와 방안으로 안내하여 두 사람이 자리를 잡고 앉았다.

"선생은 어디에 사십니까? 존함은요? 무슨 일로 여기에 오셨습니까?"

"저는 성은 김이고 이름은 옥균이라는 서울사람입니다. 몇 년 전에 조정에 있었는데 우연한 변법으로 나라에 죄를 짓고 일본으로 도망갔습니다. 최근 선생께서 동학을 일으켰다고 듣고 여기에 들어가려고 왔습니다. 선생께서 받아 주실지 모르겠습니다."

"저는 지금 두령이 적어서 크게 고민하고 있었어요. 선생께서 오늘 이렇게 오시니 진정으로 천행입니다."

그 네 사람도 서로 통성명을 하고 옥균을 독통으로 추대하였다. 옥균이 극구 사양하자, 두령으로 삼았다. 그날 소와 양을 잡아 연회를 베풀어 새로 온 두령을 축하하였다.

연회 석상에서 유성은 옥균에게

"현재 우리는 군사와 무기가 다 정비되어 있습니다. 큰 일을 하려면 어디서부터 손을 대는 것이 좋을까요?"

라고 말하였다.

옥균은 환하게 웃으면서 대답하였다.

"제 말 좀 들어보세요. 우리의 군사와 무기가 모두 완비되었습니다. 그러므로 어려움 없이 이러한 큰 일을 할 수 있을 겁니다. 제가 여기에 올 수 있었던 것은 모두 저 이토 히로부미의 가르침 때문입니다.

이토는 이렇게 말했습니다. "큰 일을 하려고 생각하는 사람은 반드시 수많은 백성의 강대함과 민권에 의지해야 한다. 들건대, 전라도에서 동학당이 일어났다고 하니 자네가 그곳에 가서 그들과 같이 함께 하고 그들과 슬픔을 같이 하여 구제에 힘쓴다면 저 많은 백성의 힘으로 일을 이룰 수 있다네. 나는 자네의 나라를 지킬 수 있고 치안을 도모할 수 있다고 보네. 그래서 남모르게 나는 자네를 돕고 있지. 그대들에게 좋은 소식을 전해주게. 조정에서 대신과 결합하여 그와 소식을 통하도록 하라.

이것은 내외가 통합하는 방책으로 본래 저 이토 히로부미가 저에게 한 말입니다. 이 방책이 어떻습니까? 여러분 잘 생각해보시오."

김유성이

"그 계책이 대단히 좋군요. 다만 안에서 호응하는 사람이 없다면 어떻게 하겠습니까.

라고 하였다.

김옥균이 대답하였다.

"안의 호응을 얻는 것은 어려운 일이 아닙니다."

"각하 제 말을 들어보세요. 안쪽에서 우리에게 호응하는 것이 필요합니다. 그러니 우리와 협력하도록 윗사람에게 편지를 한통 보내시지요. 조종에 이완용 대신이 있습니다. 그는 나와 실로 교분이 깊지요. 지금 그에게 편지 한통을 보내겠습니다. 그로 하여금 우리와 협력하도록 할 것입니다. 우리 두 사람은 진정으로 정이 깊으니 반드시 우리에게 호응할 겁니다."

유성이
"그렇다면 빨리 완용에게 편지를 보내십시오."
라고 말하자, 옥균이
"알겠네."
하였다.

김옥균이 말을 마치고 붓을 들어 이렇게 편지를 썼다.
"이완용 형님께 문안 올립니다. 서울에서 헤어진 후 7년의 세월이 흘렀습니다. 늘 마음으로 죄를 느끼고 있어 조국으로 돌아가지 못하고 아무도 없는 곳에서 눈물만 흘렸습니다.
이토가 저에게 다음과 같은 계책을 알려주었습니다. 저에게 지금 동학당에 가입하여 사람들의 세력을 이용하여 서울로 가라고 합니다. 그래서 저는 동학당에 들어가 수령이 되었습니다. 병사를 이끌고 서울로 진격하려고 해도 내응하는 사람이 없습니다. 오늘 형님에게 누를 끼치려고 합니다. 형님! 이 어려움을 참아내신다면 호응을 얻을 수 있습니다. 형님이 오늘 저의 계책에 응해주신다면 동생은 실로 감사하겠습니다."

김옥균은 편지를 다 쓰고서 봉투에 넣었다. 그리고 병사 한 명을 골라 편지를 보내면서
"편지가 전해지면 회답을 보내 올 겁니다.
라고 하였다.
이처럼 김옥균이 편지를 써서 병사 하나를 골라 보냈다.
김옥균이 유성에게
"이 편지가 가면 일이 이루어질 것이오. 우리는 회답을 기다려 보는 게 좋겠습니다"
라고 하자, 유성이 말하였다. "지당한 말씀입니다."
며칠이 지나 편지를 갖고 갔던 병사가 돌아와 회답을 바쳤다. 옥균이 편지를 뜯어보고는

"일이 잘 되었군."

라고하자, 유성이

"내응 문제가 해결되었으니 어디부터 손을 쓸까요?"

라고 물었다. 옥균이

"우리는 먼저 태인과 고부 두 개 현을 차지하여 그곳을 근거지로 삼아 서울로 진격해야 합니다. 진격하여 전쟁을 해도 좋고 물러나 지켜도 좋습니다. 너무나 대단하지 않습니까?"

라고 대답하자, 유성이 말하였다.

"이 방책이 정말로 좋습니다."

그리고는 군사를 점검하여 5개 부대로 나누고 한 사람이 3천 명으로 이루어진 부대 하나씩를 거느리고 당당하게 태인현을 점령하기 위해 출발하였다.

영웅 김유성은 오직 나라를 부흥시킬 생각으로 스스 동학당을 일으켜 각지의 사람들을 모았다. 단지 한국 국왕이 정신이 혼미하고 약하여 간신배들을 믿으니 그들이 나라를 어지럽혔다. 백성들은 혹형과 가렴주구에 시달려 세상은 더욱 혼란스러워졌다. 일본인들이 또한 건너와 포악스럽게 행동하였다. 백성들은 그들에게 능욕을 당하였다.

학정(虐政)이 물과 불보다 심하여 백성들은 울며 사방으로 흩어져 고통스러운 날들을 보내고 있었다. 황제가 무능하여 백성이 난을 겪었다. 백성들이 어디에 하소연 할 곳도 없어서 동학당에 들어가 간신을 제거하려고 하였다. 조종 간신들을 제거해야만 백성들이 태평세월을 보낼 수 있었기 때문이었다.

유성의 생각은 알만하지만 잘못되었던 것이다. 마땅한 대책이 없었다. 일본은 원래 한국의 철천지 원수였다. 어찌 그들과 결탁하였는가? 옥균은 본래 도적인데 어찌 이 자를 수령으로 삼았단 말인가? 완용은 본래 간신배인데 어찌 이 자에 의지하여 내응하도록 하였는가? 장기를 두는 것과 마찬가지로 한 수를 잘못 뜨니 모든 게 실패로 돌아갔다. 유성이 생각 없이 이런 일을 하였으니 당연히 큰 화를 일으킨 것이었다. 이로 인하여 중국과 일본이 전쟁을 벌였고, 한국은 강산을 잃었도다. 이후의 일은 자세히 말하지 말고 그들이 출병하는 이야기를 말하겠다.

대부대를 일으켜 완산에서 군사를 점검하고 대단한 기세로 앞으로 나갔다. 군대는 마치 물이 흐르는 것 같았다. 칼에 빛이 번쩍거렸다. 김유성이 선두에 서서 부대를 거느리고, 황백웅 도독(都督)이 후진을 이끌었다. 당당하게 진격하였고 한 마음으로 저 태인성을 점령하려고 하였다. 대병력이 태인성에 이르렀다. 전쟁을 하여 하늘이 무너지고 땅이 갈라지며 피가 붉은 강을 이룰 준비를 하였다.

이야기를 여기에서 잠시 줄이니 다음 회를 계속 보시라.

5 제10회 홍계훈(洪啓勳)은 고부에서 패전하고, 후필은 유성을 깨우치다

위에서 보았듯이, 김유성 등 다섯 사람이 군대를 거느리고 태인현으로 쏜살같이 달려갔다.

한편, 태인현 지사는 성이 우(于)이고 이름이 징(澄)이었다. 그는 이날 관청에서 일을 보고 있는데 정탐대가 와서 고하였다.

"대감, 큰일 났어요!"

"무슨 일이 있느냐? 그렇게 경황없이 구니 말이다"

라고 우징이 하자, 정탐대가 대답하였다.

"대감은 모르시겠지만, 우리 성 북쪽으로 50리 밖에 있는 완산(完山)에서 몇 달 전에 김유성이라 하는 자가 동학을 일으켜 사람을 모집하여 그 산을 차지하였습니다. 이 3·4개월 사이에 어떻게 만여 명을 모았는지 모르겠지만, 지금 우리 성을 공략하려고 쳐들어오고 있습니다. 지금 성 밖 10리 길까지 왔습니다. 대감 빨리 가보시고 수습할 방도는 마련하십시오. 곧 그들이 우리 성으로 몰려올 텐데 아무런 준비도 하지 않았으니 목숨을 유지할 수 있을지 두렵습니다."

우징이 이를 듣고 얼굴색이 파래지더니 서둘러 준비하여 가족을 이끌고 전주로 도망갔다. 김유성은 태인현에 도착하여 힘을 들이지 않고 성을 점령하였다. 또한 고부현을 점령하는 문제를 논의하였다.

한편, 전주 도독은 성이 홍이고 이름이 계훈(啓勳)이었다. 이때 서재에서 책을 보고 있는데 갑자기 문지기가 들어와 고하였다.

"대감께 아룁니다. 밖에 태인현 지사 우징이 뵙고자합니다."

"들어오라고 해라."

잠시 후 우징이 들어왔다. 두 사람은 인사를 나누고 자리에 앉았다. 홍계훈이

"아우! 무슨 급한 일이라도 있소? 몸소 여기까지 오시게"

라고 하자, 우지사가 당황하여 말하였다.

"대감! 제 말을 자세히 들어보십시오. 전주에 김유성이라고 하는 사람이 있는데 한 마음으로 동학을 일으켰습니다. 그 무리의 네 두령이 사방으로 유설을 다니면서 우민을 현

혹하였습니다. 무지한 백성들이 그들에게 넘어가 모두 그들이 있는 곳으로 들어갔습니다. 그들의 세력은 하늘을 찌를 듯이 높습니다.

또한 그들은 완산을 점령하였습니다. 3개월 동안 수많은 사람들을 모아 건초·군량미·창을 쌓아두고 있습니다. 이 정부를 개혁하고 군왕을 없애려고 하고 있습니다. 지금 부대를 이끌고 이처럼 태인현으로 쳐들어 왔습니다. 저는 형세가 좋지 못한 것을 보고 하는 수 없이 이곳으로 피난 왔습니다. 대감께서 조속히 방법을 강구하십시오. 멀지 않아 여기로 쳐들어 올 것입니다."

홍계훈이 이 말을 듣고 얼굴색이 노랗게 변하였다.

"전주성에도 군사가 얼마 안 되니 이를 어찌하면 좋단 말인가? 난리가 자주 일어나는 걸 보니 나라가 멀지 않아 망하리라. 박영효 간신이 죽은 다음 우리나라가 그나마 잠차 평화로웠다. 그래서 이젠 태평세월을 보내는 것 같다고 다들 진정으로 생각했는데 오늘 또 난이 한바탕 일어날지 어찌 알았겠는가. 우리 군사는 실로 강하지 못 해서 저들을 막아낼 수 없을 꺼야.

우리는 궁지로 몰려 나도 방법이 없네. 어쩔 수 없이 패장병들과 함께 한 판 싸울 수밖에 없지. 만일 저들을 물리칠 수 있다면 우리나라에 복이 있음이라. 하지만 이들을 이길 수 없으면 죽음을 면할 수도 없도. 인생 100세를 살아도 결국 죽는 거야. 하필이면 이런 일에 마음을 써야 하다니."

홍대감은 훈련장에 가서 병사와 장교들을 살펴보았으나 모두 처참하였다.

이처럼, 홍대감이 생각하며 훈련장에 가서 병사를 보니 늙고 어린 사람들뿐이었다. 무기도 갖추어져 있지 않았다. 탄환도 거의 없었다. 그래서 홍대감은 혼잣말로 중얼거렸다.

"병사들이 이 모양인데 무슨 소용이 있겠는가?" 상황이 이러할진대 무슨 말을 하랴.

그러나 그는 병사 3천 명을 뽑아 몸소 거느리고 태인현으로 출발하였다.

이에 대해서는 더 이상 말하지 않겠다.

한편, 김유성이 태인현을 점령한 후 고부를 취할 대책을 서로 의논하였다. 요재천은 한 부대를 거느리고 태인현을 지켰다. 그리고 자신과 김옥균은 병사를 점검하고 고부로 진격하였다. 가는 도중에 도전하는 자는 없었다. 백성들이 우러러 투항하여 아무런 일이 일어나지 않았다. 결국 고부를 점령하였다. 고부현 지사 서존(徐尊)은 형세가 좋지 못함을 보고 전주로 내뺐다. 중도에서 홍계훈이 거느린 병사와 만나 고부현 상황을 홍계훈에게 자세하게 설명하였다.

홍계훈이 말하였다.

"도적놈들이 고부에 있다니 태인현으로 갈 것 없이 고부로 가자."

드디어 홍계훈은 부대를 거느리고 고부로 향하였다. 이 날 고부에 이르러 고부성으로부터 십리 떨어진 곳에 병영을 설치하고 초병을 두었다. 염탐대가 벌써 유성에게 보고하자 김유성은 황급히 지휘소로 들어갔다. 그리곤 깃발과 화살을 갖추고서 군사들에게 큰 소리로 명령하였다.

"홍계훈이 오늘 병사들을 거느리고 우리를 치러 올 것이다. 모두 온 힘을 다하여 저들을 물리쳐라."

모든 병사들이

"예!"

라고 일제히 대답하였다. 정말로 위풍당당하였다.

김유성은 첫번째 명령을 내렸다.

"옥균 장군은 들으시오. 3천 병사를 거느리고 선봉에 서시오. 성문을 나가 북쪽으로 가서 그들의 우측을 공격하시오."

옥균은 명을 받들고 나갔다. 또한 황백웅을 불러 명령하였다.

"3천 병력을 거느리고 성문을 나가 정남방향으로 가다가 물굽이를 우회하여 정서 방향으로 돌아 적들의 좌측을 공격하시오."

백웅도 명을 받들고 나갔다. 그리고 전중포를 불렀다.

"중포 형님은 성을 지키고 있다가 아군이 패하게 되면 후방 지원하시오."

김유성은 명령을 모두 하달하고 지휘소에서 몸소 3천 군사를 거느리고 앞으로 나갔다. 위풍당당한 기세는 귀신도 놀랄 듯하였다. 성을 나와 7·8리 되는 곳에 이르느니 멀리 적군이 보였다.

"진을 치고 공격준비를 하라."

라고 명령을 내리자 진을 치고 공격을 시작하였다.

한편, 이쪽에서 홍계훈은 부대가 동서로 열병해 있는 것을 보았다. 중간에서 길을 나오게 하여 유성의 부대를 공격하였다. 양측의 병사들이 일제히 전투를 시작하였다. 그 형세는 폭죽이 한꺼번에 폭발하는 것 같았다. 연기가 하늘로 치솟고 앞이 보이지 않았다.

탄환이 공중으로 빗발쳤다. 아침부터 점심때까지 격전 끝에 유성의 병사 5백 명이 부상을 입었다. 이로써 계훈의 승리하는 듯하였다.

그 순간 돌연 좌우측에서 일제히 공격을 받았다. 애석하게도 계훈의 병사들이 협공을 당하였다. 눈을 돌려 보니 7백 명이 죽었다. 유성의 부대가 진격하여 돌연 계훈의 병영을 쾅! 하고 폭발시켰다.

계훈은 전세가 불리함을 보고 병사들을 향해 퇴각명령을 내리자 물러났다. 뒤에서 유성의 부대가 바싹 추격하고 있었다.

3천 병사가 절반이나 죽고 간신히 용담(龍潭) 호혈(虎穴)에서 도망쳐왔다. 20리 밖에 병영을 설치하여 점검해보니 수하에 남은 병사가 3백 명 밖에 안 되었다. 나머지는 죽거나 도망쳤다. 이번 싸움에서 계훈은 완패하였다. 하는 수 없이 패잔병을 수습하여 북쪽으로 도주하였다. 전주로 가지 않고 서울로 갔다. 일심단편으로 황제를 뵈었다. 황제도 그를 돌봐주려고 하였다.

계훈에 대한 이야기는 그만 하고, 유성의 큰 승리에 대한 이야기를 하겠다.

이처럼, 김유성이 승리를 거두고 수많은 무기를 얻었다. 또한 수많은 포로를 잡았다. 드디어 옥균·백웅은 부대를 이끌고 고부로 돌아왔다. 소와 양을 잡고 연회를 열어 그 공로를 경축하였다.

연회석상에서 유성이 네 두령에게 말하였다.

"우리는 홍계훈을 대패시켰소. 그 자는 반드시 군대를 이끌고 복수를 하러 올 것입니다. 그런데 지금 우리는 병사는 많으나 병사들을 이끌 사람이 적습니다. 한번 패하면 어찌 웃음거리가 되지 않겠습니까? 생각해보고 또 생각해 보아야 합니다."

황백웅이 옆에 있다가 말하였다.

"형님! 한 분이 있으신데 잊으셨습니까?

"누구를 말하는가?"

라고 유성이 말하자, 백웅이 말하였다.

"바로 후필 선생님입니다. 그 분은 지금 평양 운재소 대감의 집에서 글을 가르치고 있습니다. 그 분은 박식하고 학문도 우리보다 10배나 깊습니다. 형님이 늘 이분을 말씀하시었습니다. 지금 어찌하여 서한을 보내어 그분을 모시지 않으시는지요. 그분에게 우리를 도와달라고 합시다."

유성이

"아우가 말하지 않았더라면 일을 크게 망칠 뻔 했네. 내가 어찌 잊었겠나."

라고 말하였다.

드디어 황백웅에게 명하여 후필에게 서한 한통을 써서 평양으로 보내라고 하였다.

이에 대해서는 더 이상 말하지 않겠다.

한편, 홍계훈이 대패하였다. 그는 동학당 세력이 아주 막강한 것을 보고 앞으로 나라가 잘 다스려지지 않음을 대단히 걱정되었다. 결국 패잔병을 이끌고 황제를 알현하기 위해 갔다. 이날 서울에 도착하여 황제를 뵙고 동학당의 난에 대해 보고서 한편을 올렸다. 황제는 이 소식을 듣고 기절할 뻔하였다.

"이를 어찌하면 좋단 말인가?"

라고 황제가 하자 드디어 병부상서 이완용이 황제 앞에 나타났다. 이때 운재소(雲在霄)의 병권을 모두 철회하고 모든 병권을 이완용이 차지하고 있었다. 이 날 이완용이 황제에게 와서

"폐하께서 저를 부르셔서 왔습니다. 무슨 상의하실 일이라도 있으신지요?"

라고 하자 국왕이

"지금 전라도에서 동학당이 난을 일으키고 있소. 그대가 부대를 파견하여 홍계훈으로 하여금 부대를 거느리게 하여 적당을 치도록 하시오."

라고 명하였다.

그러나 이완용은 늙고 어린 병사와 사용할 수 없는 포를 홍계훈에게 보냈다. 홍계훈이 군사를 거느리고 동학당과 몇 번 싸웠지만 이기지 못하였다. 전라도 지역을 모두 잃었다. 홍계훈 군대는 패망하였고 그도 죽었다. 밖에서 급보가 누차 서울로 올라왔으나 황제는 별 수가 없었다.

또한 친왕 이응번이 너무 놀라 내전으로 황급히 달려 황제에게

"현재 우리의 군대가 너무나 약하여 적당과 싸울 수 없습니다. 며칠이 지나면 큰 화를 입게 될 겁니다. 중국에 구원을 요청하는 것이 좋겠습니다."

라고 아뢰자 이희 황제는 말하였다.

"숙부가 말한 대로 하세요."

결국 황제는 마차를 타고서 중국영사관으로 향하였다. 원세개가 맞이하여 영사관으로 모셨다.

"폐하께서 이곳에 오시다니요. 무슨 군사문제와 같은 중요한 일이라도 상의하시

려고 오신 건가요?"

라고 원세개가 물으니

"장군은 모르실테니 잘 들어보시오."

라고 하였다.

유약하고 좀 무모한 이희 황제는 눈물을 흘리며 말하였다.

"여기에 무슨 일로 왔느냐고 묻겠지만 장군 좀 들어보시오. 역적 김유성이라는 자가 반역을 꾀하여 전라도에서 동학당을 일으켜 우민을 현혹시키고 있습니다. 김옥균도 일본에서 건너와 그들과 합세하여 재난을 당한 많은 무지한 백성을 거느리고 있습니다. 그 자들은 태인과 고부 두개 현을 공격하였소. 근처의 지역이 모두 항복하였다 합니다.

기세가 너무나 대단하여 누가 감히 저항하겠습니까? 홍계훈도 그 곳에서 패하였습니다. 우리나라의 군대가 누차 패하여 저 역적들은 날이 갈수록 날뛰고 있습니다. 전라도의 크고 작은 지역들이 전부 함락되었습니다. 이곳 서울까지 들이닥칠 텐데 우리의 군대는 너무 약하여 그들을 진압할 수 없습니다.

귀국이 군대를 보내어 우리를 도와주길 감히 엎드려 빕니다. 귀국이 만약 이를 좌시하고 구해주지 않고 못 본 채하면 우리 한국은 망하고 말 것입니다. 한국은 본래 중국의 속국입니다. 매년 조공을 청국에 받치고 있습니다. 우리나라의 난은 귀국의 난입니다. 우리가 망하면 귀국도 오랜 동안 난국에서 벗어나지 못할 겁니다.

우리와 귀국은 국경이 접해있습니다. 우리 양국은 본시 순치(脣齒)관계입니다. 입술이 망하면 이가 시리다고 옛사람들이 말하였습니다. 괵우(虢虞)의 일은 굳이 말하지 않겠습니다. 귀국이 오늘 우리나라를 구하지 않는다면 다른 나라가 손을 뻗쳐 올 것은 필연입니다. 다른 나라가 손을 뻗친다면 귀국에 체면을 끄게 손상시키는 겁니다. 귀국에서 빠른 시일 내에 군대를 보내기를 바랍니다. 귀국의 군대가 이곳에 와서 난을 진압한다면 이것은 첫째로 우리나라로서는 너무나 큰 은혜를 입는 것이고, 둘째로 귀국의 상인을 보호하는 길입니다. 나는 이러한 이유로 여기에 온 것입니다. 영사께서 잘 생각해주시길 바라겠습니다.

한국 국왕의 이야기 끝나자, 원세개가 말하였다.

"국왕께서 오시어 구원해주기를 바라니 우리나라가 어찌 군대를 보내지 않을 수가 있겠습니까."

드디어 한국 황제의 이와 같은 구원요청은 한통의 전보에 담겨 우리나라에 보내졌다.

결국, 우리나라는 해군제독(海軍提督) 정여창(丁汝昌)을 두 척의 군함과 함께 보냈다. 먼저 인천에 도착하여 우리나라의 상인을 보호하였다. 또한 직예제독(直隸提督) 엽지초(葉志超)를 보냈다. 태원진총병(太原鎭總兵) 섭사성(聶士成)이 군사 1천 5백 명을 거느리고 동시에 10문을 갖고서 한국으로 출발하였다.

이에 대해서는 여기에서는 말하지 않겠다.

한편, 후필은 운재소의 집에서 글을 가르쳤는데 세월이 너무 빨리 지나가 어느덧 11년이 흘렀다. 바로 이해에 이르러 동학당이 난을 일으켰다. 그는 이 소식을 듣고 학생들에게 말하였다.

"너희들은 열심히 공부해야 한다. 보아라! 현재 우리나라는 이처럼 연약하기 그지 없다. 일본은 여러 번 문제를 일으켰다. 지금 안으로는 난이 일어났다. 앞으로의 일이 정말로 걱정스럽다. 이 나라를 보호하겠다는 생각은 전적으로 공부하고 있는 너희들에게 달려 있다."

스스로 이런 말을 하고 있을 때 한 학생이 들어와

"밖에 편지를 갖고 온 사람이 뵙고자 합니다."

라고 하자 후필이 말하였다.

"어디에서 온 분이냐? 들어오시라고 해라."

잠시 후 그 사람이 들어와서 인사를 하고서 편지를 주었다. 후필이 편지를 받아 봉투를 열어 읽어보았다.

"후필 형님에게 편지를 올려 인사드립니다. 모든 일이 잘 되기를 기원합니다. 우리 형제가 검수역에서 헤어진 후 벌써 8·9년이 흘렀습니다. 형님을 그리워하면서도 뵙지 못했습니다. 사람이 없는 곳에서 눈물을 흘린 것이 한두 번이 아닙니다. 전주에서 이 동생이 형님께 편지를 올려 이곳 관청에서 일하시라고 하였는데 형님께서 글을 가르치는 것이 좋다고 하시어 우리 형제는 만나지 못하였습니다. 지금 이 아우가 김유성이라는 친구한 사람을 사귀었습니다. 이 사람은 형님과 오래 알고 지냈다고 합니다.

이 친구는 형님에게 은혜를 입었다고 합니다. 유성은 동학당을 일으켰습니다. 아우는 그곳에 들어가 일하고 있습니다. 전중포·요재천 두 사람, 그리고 저 김옥균 영웅이 완산에서 모임을 만들어 무수히 많은 사람들이 모았습니다. 정부를 개혁하여 새로운 정치를 하려고 합니다. 또한 왕을 바꾸어 민권을 이루려고 합니다.

밖에서 일본은 우리를 돕고 있고 이완용이 조정에서 호응하고 있습니다. 군사 또한 2만 명이나 있습니다. 태인·고부 두개의 성을 얻었습니다. 형님은 나라를 지키시려는 큰 뜻을 품고 계십니다. 이번 기회에 포부를 펼치시는 것이 어떻습니까?

형님! 이 편지를 보시거든 사양마시고 이곳으로 오시기 바랍니다. 현재 이곳에서는 두령이 부족합니다. 첫째로 우리형제가 서로 만날 수 있고, 둘째로 나라를 보호하고 태평시대를 열수 있습니다. 저희들과 같이 함께 일하시는 것이 어떠합니까? 이런 기회는 진정으로 다시 오지 않습니다. 형님! 결코 이번 기회를 결코 놓치지 마시기 바랍니다. 황백웅은 7월 9일 등불아래서 머리를 세 번 조아리며 올립니다."

이와 같이 후필은 백웅의 편지를 다 보고나서 속으로 생각하였다.

"동학을 일으킨다는 명분으로 나라를 개혁하려고 나에게 도와달라고 한다. 이것은 좋은 일이다. 하지만 그들이 일본에 의지하여 역적 김옥균과 함께 하는 것은 우리나라 사람이 우리나라를 해치는 것과 같은 짓이다. 말할 필요도 없이 일이 될 리가 없다. 결국 일본인의 수중으로 들어가는 것에 지나지 않는 것이다. 다시 말하건대, 무지한 백성이 어찌 큰일을 해낼 수 있단 말인가. 바로 이점에서 그들이 잘못 생각한 것이다."

이 때 갑자기 누가 와서 말하였다.

"중국의 1천여 명 병사가 남쪽으로 가고 있습니다. 우리나라를 대신하여 동학당을 진압하려는 것입니다."

후필이

"알겠다. 중국군대가 참여한다면 그들은 그대로 무너지리라. 내가 그들을 올바르게 인도하지 않으면 분명히 질 거야."

라고 하면서 학생들에게 말하였다.

"너희들은 집에서 공부 열심히 하거라. 나는 전주로 갔다 올 것이다."

하인에게 바람처럼 빠른 말을 준비하라고 하였다. 그리곤 그 말을 타고 전주로 쏜살같이 달려갔다.

이 날 전주에 이르렀는데 유성의 부하들이 전주를 점령하고 있었다. 이때 김유성이 성안에 있었다. 후필은 유성의 행방을 알아보고 성으로 들어가 관청의 문 밖에서 문지기를 보고 이렇게 말하였다.

"빨리 가서 너희들의 두령에게 알려라. 후필이 만나러 왔다고 말이다."

문지기가 들어가 유성에게 보고하였다. 유성은 후필이 왔다는 소리를 듣고 급히 의복을 갖추고 김옥균 등과 함께 문으로 나아 대청으로 모셨다. 이들은 함께 앉았다.

영웅이 미로에서 헤매는데 인리촌에서 온 사공이 왔도다.

앞으로의 이야기가 궁금하면 다음 회를 보면 아시리라.

위에서 보았듯이, 후필이 대청으로 와 앉았다. 황백웅이 김유성 등 네 사람을 소개하였다. 유성이

"제 아버지가 숙부님께 받은 은혜를 보답할 길이 없습니다. 오늘 이렇게 뵙게 되어 대단히 기쁩니다."

라고 하자, 후필이

"십여 년 동안 안 본 사이 이렇게 자랐구나. 자네가 아는 척하지 않으면 알아보지 못할 걸세." 이렇게 말하고서 물었다. "부친은 지금 어디에 계시는가?"

라고 물었다.

"제 아버지는 이미 돌아가신 지 3년이 되었습니다."

라고 대답하자 후필은 크게 탄식하였다. 이들은 대화는 계속 이어졌다.

"저는 배운 것이 없고 재주도 천박하여 이런 큰 소임을 감당하기 벅찹니다. 숙부께서 이왕 오늘 여기까지 오셨으니 부탁드리건대 여기 모든 것을 맡아 주시기 바랍니다."

"오늘 내가 이곳에 온 것은 너희와 함께 하려는 것이 아니다. 다만 너희들 모두가 대한의 인재이기에 몇 마디 도움이 될 만한 말을 하러 온 것이다. 내말을 들어보겠느냐?"

"숙부께서는 우리에게 깨달음을 주시겠다니 어찌 듣지 않을 수가 있겠습니다."

"내말을 듣고 싶으면 잘 들어두어라."

재능과 지혜가 많은 후필이 웃으며 말하였다.

"영웅들이여! 잘들 들으시게나. 나는 여러분들에게 몇 마디 도움이 될 말을 하겠노라. 내가 오늘 여기에 온 목적은 자네들과 함께하려고 온 것이 아니라 헤매고 있는 자네들을 깨우쳐 주려는데 있다.

세상에는 나라를 지키는 적지 않은 영웅 모두가 살아남을 방도를 생각한다. 오래 전에 이탈리아라는 나라에 콜롬보스라는 사람이 태어났다. 그는 세계 제1의 탐험가지. 그 영웅은 국토가 좁음을 염려하여 범선을 타도 해양을 순항하였다. 그리하여 아메리카 신대

륙을 발견하였다. 여러 나라들이 땅을 있음을 보고서 백성을 옮겼지.

　이민 중에서 영국인이 가장 많아 아메리카 땅을 네 구역으로 분할하여 차지하였네. 영국인은 원주민을 크게 학대했고 나중에 워싱턴이라는 영웅이 태어났다. 그 영웅은 암암리에 백성들에게 호소하여 독립정신을 불러 일으켜 영국인과 9년간 혈전을 벌렸지.

　그리하여 영국군에 반역하여 독립을 이루어냈다네. 워싱턴은 진정으로 세계적인 호걸 영웅이다. 그는 외국인에 의지하여 일을 한 적이 없지. 지금 동학당을 일으켜 정부를 개혁하여 유신하겠다는 자네들의 생각은 훌륭하지만 근본 바탕이 능히 설 정도로 깊지 못하네. 사회에서 큰 일을 하려고 한 이상, 반드시 다수의 강력한 많은 국민에 의지해야 하지. 국민이 어느 수준에 이르지 못하면 어떻게 정부를 개혁하고 군주를 바꿀 수 있겠는가. 자네들은 전부 무뢰한이거늘 몇 사람이나 나라를 지키고 백성을 살리려고 하는가? 이것에만 의지하여 줄기다 일이 안 되면 모두 뿔뿔이 흩어질 것을. 내가 보기에 자네들은 믿을 만한 사람들이 못되네. 결국에는 다른 사람들을 해칠 걸세.

　일본은 본래 호랑이와 이리 같은 나라지. 결코 그들을 의지해서는 안 된다네. 일본은 유신이후 지금까지 우리나라를 병탄하려는 생각을 하루라도 하지 않은 적이 없어. 우리나라에서 내란이 일어날 때마다 그들은 필연적으로 손을 뻗칠 것이다.

　겉으로는 우리나라를 보호한다는 명분을 내세우지만 속으로는 주권을 침탈하려고 하고 있지. 오늘도 그들이 속으로 무슨 생각을 하는 지, 이리와 같은 독한 마음을 품고 있는 지 모르지만, 아마 우리나라를 파괴하려는 것일 테지. 단연코 우리의 개혁을 도우려는 것이 아니란 말이야.

　몇 년 전에 일본이 우리를 어떻게 대했는지 자네들도 직접 보았을 테지. 그럼 일본이 좋은 나라가 아니라는 것을 알면서도 왜 오늘도 그 나라와 결탁하는 것인가? 자네들이 일본에 의지하여 일을 한다면 양 무리 속으로 호랑이를 끌어 들이는 것과 다를 바 없는 것이야.

　오늘처럼 우리 황제가 중국에 구원을 요청하여 저 중국에서 1천 5백 명의 군대를 보냈다네. 중국해군도 인천으로부터 해안으로 상륙하고 신식포대 10문을 들려와 설치하였지. 보시게나. 자네들과 같은 오합지졸이 어떻게 중국 군대를 당해 내겠나?

　중국 군대를 감당해내지 못하게 되면 반드시 일본에게 구원을 요청해야 할 것인데, 일본이 어찌 자네들을 공짜로 도와주겠는가? 얼마나 많은 예물을 일본에 바쳐야 하겠나? 많게는 몇 덩이의 땅을 떼어 줘야 하고 작게는 은 몇 만을 받쳐야 하겠지.

　나라를 지키고 강하게 만들어 평화를 되찾으려다가 도리어 많은 난적(亂賊)을 나라 안에 두게 되리라. 이보게들! 손을 가슴에 얹어 놓고 묻고 또 물어보시게나. 어느 쪽이 더 중요한지 생각해보시게나. 중요한 일이 생기면 중국과 함께 처리할 수 있지만 결단코 저 일본인의 거짓말을 들어서는 안 된단 말이네. 일본인은 웃는 가운데 칼을 감추고 있지. 그들은 호랑이와 이리와 같은 마음을 갖고 있다네! 저 중국도 본래 우리의 조국이라 하지만. 절대로 저 중국은 본래 우리의 조국이라 함부로 우리나라를 병탄하지 않을 것이야.

자네들 모두가 총명한 재사(才士)이자 지사(智士)들인데 어찌하여 일을 이토록 어리석게 한 단말인가? 자네들에게 권하건대, 빨리 뉘우치시게나. 그러면 희망이 있네. 그렇게 하지 않으면 배가 강 한복판에 이르기 전에 배는 가라앉을 거라네. 그때가 되면 망망대해에서 아무도 그대들을 구해주지 않을 걸세. 자네들만 죽고 말겠지.

자네들은 이러다가 죽으면 그만이지만, 많은 재사와 죄 없는 백성이 관련되어 있단 말이야. 내가 보건대 자네들은 지금 길을 잃었는데도 도와주는 이가 없는 처지거든. 그래서 내가 이렇게 찾아 왔다네. 이보게들! 어서 빨리 뉘우치고 각성해야 재앙을 면할 것이야. 내가 있는 곳에도 10명이 넘는 영웅인물들이 있지. 그들과 함께 유럽과 미주로 가서 배우는 거도 좋겠지 않겠나? 공부를 한 다음 귀국하여 다시 큰일을 해야 해. 이것만이 능히 국가를 지키고 왕에게 충성하는 길이다.

국내에서 백성들을 호소하여 백성의 기백을 고취시키고 조정에서 정치를 개혁하고 나라의 근본을 굳게 하면 이권이 모두 우리의 손에 들어 올 것이외다. 일을 함에 하필이면 다른 나라 사람들에게 오로지 의지하겠느냐? 오늘 내가 자네들에게 앞서 권한 말은 모두 자네들의 장단점을 보고 그 원인을 진단해 본 것일세. 자네들이 내 말을 듣든 말든 상관하지 않고 말을 타고 집으로 돌아가겠네.”

후필은 말을 끝냈다. 이는 전라도에서 난을 일으킨 이들을 깨우치는 말이었다.

이처럼 김유성 등 다섯 명이 후필의 말을 들었다. 모두가 꿈과 같이 비로소 깨달았다.

이들이

“우리 젊은이들이 일을 벌였는데 이렇게 되기까지 높고 멀리 보는 견식이 없었습니다. 만약 선생님의 한마디 해주지 않으셨다면 큰 화를 불러올 뻔하였습니다.

라고 하자 김옥균도 말하였다.

“나도 일찍부터 이 단추를 풀지 못해 고민했습니다. 오늘 후필 선생님의 말을 듣고 나니 이제야 알 것 같습니다. 일본이 이런 수로 우리나라를 해하려고 하는지를 몰랐습니다. 나는 지난 날 아무 생각 없이 일을 벌여 우리나라의 많은 이익을 잃게 하였습니다. 아울러 난 몰랐습니다. 일본인의 웃음 속에 칼을 숨겨두고, 아무도 모르게 우리나라를 탈취하려는 의도가 있었다는 걸 말입니다. 지금 일이 이 지경에 이르렀으니 우리도 좋은 방책을 생각해내야 합니다."

김유성이

"나는 지금껏 잘못된 길에 빠져 있었습니다. 아무런 견식도 없었습니다. 우리 후필 숙부에게 우리와 더불어 방도를 찾아보자고 합시다."

라고 하면서 후필에게 그 방도를 물었다. 후필이

"자네들 모두가 바른 길로 들어서려는 마음을 먹었는가?"

라고 하자, 다섯 사람은 일제히 대답하였다.

"우리는 당초에 깊이 생각하지 않고 일을 시작했습니다. 잘못을 저질러 큰 화를 초래했습니다. 앞으로 우리들 자신과 가족들의 생명이 달린 문제였습니다. 오늘 선생님께서 좋은 말로 권하여 우리의 생명을 구해 주셨는데 우리가 어찌 따르지 않겠습니까?"

그러자 후필이 기뻐하면서 말하였다.

"자네들이 이렇게 나오니 내 말을 잘 들어두게나. 자네들이 이미 개과천선하려고 하니 내가 자네들 앞에서 한마디 하겠네. 이곳의 일은 일체 관여하지 말고 오늘밤 나를 따라 여기를 떠나게나. 자네들은 다른 곳보다 저 평양으로 가서 몸부터 추수리어 하네.

평양에 있는 큰 학관에 뜻 있는 남아가 9명 있어. 그들은 항상 나라가 약한 것을 걱정하고 미국으로 가서 공부를 하려는 생각뿐이지. 그들이 모두 지금은 어려서 몇 년을 미루었네. 자네들에게도 약한 우리나라를 구할 생각이 있다면 외국에서 공부하는 게 좋을 것이야. 훌륭한 정치를 배우면 나라를 보호하는 게 어려운 일이 아니야. 이것이 나의 소견이라네. 자네들은 이를 잘 참조하게나."

다섯 사람은 일제히 지당한 말씀이라고 하면서 후필의 말을 따라 오늘밤 출발하기로 하였다. 말을 나누는 사이 날도 저물어 여러 사람들은 같이 식사를 하였다. 밥을 다 먹고 나서 서둘러 떠날 준비를 하여 차비를 많이 마련해 두었다. 초루(譙樓)에서 이경을 알리는 소리가 울리자 그들 여섯 사람은 조용히 방문을 나섰다.

그리고 말구유에서 말을 끌고 나왔다. 모두 보도(寶刀)와 말안장을 준비하였다. 말안장을 말들에 얹고 쏜살같이 평양으로 달려갔다. 구름 한 점 없는 온 하늘에 무수한 별들이 보였다. 너무나 밝은 하늘에 보배와 같은 거울이 걸려 있는 것 같았다. 모두 오늘밤이 7월 15일이라고 외쳤다. 달빛이 너무나 밝고 맑았다. 그들 여섯 명은 웃고 떠들면서 밤새 걸었다. 옷깃은 이슬에 흠뻑 젖었다. 간단하게 이야기하자면 얼마 지나 평양에 도착하였다. 몇 사람은 운재소의 집에 머물며 외국으로 유학 갈 준비를 하였다.

이들에 대해서는 더 이상 말하지 않겠다. 다만 다시 저 동학당에 대해 한 마디 하겠다.

동학당들이 아침 일찍 일어나 보니 다섯 명이 사라졌다. 한참이나 찾아보았지만 한명도 찾지 못하였다. 모두 말하였다.

"그들을 찾을 필요 없어요. 필시 어제 왔던 그 선생이 속여서 데리고 갔을 거요. 우리도 가자."

안에 있던 두 사람이 나서서

"가지 말아요. 그들은 겁나서 도망 친 겁니다. 우리가 뒤를 이어 합시다. 우리마저 떠나가면 어찌 세상 사람들의 비웃음을 사지 않겠습니까?"

라고하자 다른 사람들이

"그렇다면 당신들 두 사람이 두령이 되어 주시오."

라고 청하였다.

그리하여 여러 사람들은 두 사람을 두령으로 모셨다. 그 중 한사람은 원도중(袁道中)이고 다른 한 사람은 마빈(馬賓)이었다. 이날 두령이 되었다. 남의 집을 노략질 하고 다른 지역을 점령하였는데 예전에 비해 훨씬 흉악스러웠다.

이에 대해서는 구체적으로 말하지 않겠다.

한편, 일본에서 이토는 김옥균이 한국으로 간 후로 늘 사람을 파견하여 동학당 소식을 염탐하였다. 이날 밀정이 돌아와 보고하였다.

"한국 동학당은 흉악하고 용맹스럽습니다. 장차 저 전라도 잔체가 무너질 겁니다. 그 나라의 군대를 수차례 물리쳤습니다. 지금 한국 국왕은 중국에 구원을 요청하였습니다. 중국은 파병하여 난을 평정하고자 합니다."

이토가 보고를 듣고 내심 기뻐하며 말하였다.

"이번에야말로 한국과 중국을 탈취할 기회를 얻었다."

그리고 급히 내전에 나가 일황을 만났다. 일황이

"그대는 무슨 할 말이 있어 왔는가?"

라고 하였다.

모사꾼 이토가 만면에 웃음을 담고 말하였다.

"폐하만세! 한국에 김유성이라는 도적이 동학당을 일으켰습니다. 그의 패거리가 세 명인데 김옥균도 동학당에 가입했습니다. 그리고 우리에게 도움을 요청했습니다. 사람들의 말을 듣건대 지금 때가 무르익었다고 합니다. 전라도 일대가 전부 점령당하였습니다. 자기 나라의 군대가 누차 패퇴하여 한국 국왕은 당황하고 있습니다. 암암리에 중국에 구원을 요청했습니다. 저 중국은 대병을 파병할 것입니다.

우리는 한국과 중국을 병탄하려는데 이 기회를 놓쳐서는 안 됩니다. 우리도 한국에 파병하여 그들과 같이 내란을 평정해야 합니다. 동학당은 본래 무뢰한입니다. 그들을 평정하는 것은 간단한 일입니다. 동학당이 평정되는 것을 기다려 다시 서울에 병을 주둔시킬 것입니다. 중국이 항의하면 한국내정 개혁 명분을 내세우고 중국이 우리의 개혁을 방해하면 그들이 〈천진조약〉을 위반했다고 하면 됩니다.

중국이 한국을 자기들 속국이라고 하면 우리는 똑같이 독립하였다고 하면 됩니다. 만일 한국이 중국의 속국이라고 고집하면 당신네의 속국인 그 나라 백성들이 흉악스럽게 나오도록 왜 내버려두는지 따져야 합니다. 이러한 명분으로 그들과 교섭을 하거나 전쟁을 하면 될 것입니다. 저 중국은 비록 대국이지만 그들의 군대는 대단히 형편없습니다. 그들과 맞붙게 되면 신 등이 보장하건대 우리 군대가 반드시 이길 겁니다. 중국을 물리치면 저 한국은 오직 우리의 수중에 떨어질 것입니다. 이것이 미천한 신하의 졸견입니다. 폐하께서는 가능하다고 보시는가요?"

이와 같이 이토가 말을 마치자, 일황이

"그대의 말이 내 생각과 똑같구려. 단지 백성들이 어떻게 생각하는지 알 수 없단 말이야"

라고 하자, 이토는

"이 일은 어렵지 않습니다. 제가 이 일을 의회에 제출하고 온 국민에게 토의해보라고 할 것입니다. 그런 연후에 다시 처리해도 늦지 않습니다."

라고 하였다.

다시 일황이

"그 방법이 대단히 심오하군. 그러나 너무 늦어지면 안 되네. 그렇게 처리하시게나."

라고 하였다.

이리하여 이토는 중국과 개전하여 한국문제를 깨끗이 정리하고자 그 안건을 의회에 제출하여 토의하도록 하였다. 그리하여 의회와 전국의 백성들로 하여금 큰 대회를 열게 하여 이 문제를 토의하도록 하였다. 이토는 국민들이 그렇게 하는 것을 원하고 있음을 보고서 야마가타 아리토모(山縣有朋) 육군 장군에게 3천 명 병사와 포 30문을 주어 한국으로 출발하도록 하였다. 이에 대해서는 자세히 말하지 않겠다.

한편, 엽지초(葉志超)와 섭사성(聶士成)이 1천여 명의 병사를 거느리고 한국으로 동학당을 평정하러 갔다. 이날 전라도 땅에 도착하여 적도(賊徒)가 10여리 떨어진 곳에 있다는 탐문을 듣고서 병영을 설치하고 포를 걸어 놓고 망원경으로 보면서 포격을 시작하였다.

이때 일찍 정탐대가 와서 원도중과 마빈 두 사람에게 보고하였다.

원도중이

"그들이 여기에서 멀리 있는가?"

라고 묻자, 정탐대가

"이곳에서 10여리 되는 곳에 있습니다."

라고 대답하였다. 원도중이

"긴장할 필요 없어."

라고 하고 나서 바로 그들이 말을 나누고 있을 때 '쾅!'하고 소리가 별안간 났다. 폭탄이 공중에서 꽃잎 지듯이 떨어져 터졌다. 3백여 명이 죽었다. 사람들이 당황하였다.

> 정탐대가 달려와 보고하는 소리가 들렸다. 원도중이 깜짝 놀라며 말하였다.
>
> "중국병이 여기에서 멀리 있는가?"
>
> 라고 묻자, 정탐대가 보고하였다.
>
> "15리 되는 곳에는 거의 없는데……."
>
> 원도중이
>
> "그러면 문제가 없을 것이다."
>
> 라고 하자마자 대포소리가 쾅쾅 터지기 시작하였다. 도대체 대포는 어디에 있는가. 섭사성은 어디에서 공격을 시작한 것이다.

폭탄이 그들의 군영에 꽃잎처럼 떨어져 사방으로 터졌고 적이 300명의 사상자가 났다. 두 두령은 형세가 잘못되어 가는 것을 보고

"이 포탄은 실로 엄청나구나. 더 지체하고 있다가는 목숨을 부지하기 어렵겠다."

라고 말했다.

그래서 그들은 도망가려고 하고 있는데 저쪽에서 또 포탄이 10여 발이 날아와 터졌다. 이 몇 발의 포탄은 목표를 적중하여 1천여 명의 사상자를 냈다.

원도중이 이쪽에서 도망치기 시작하려고 하자, 섭사성은 저쪽에서 진공하라고 명령을 내렸다. 동학당은 눈을 뻔히 뜬 채 무수히 죽었다. 그들의 두령 원도중도 상처를 입었다. 마빈이 도망치니 병사들도 산으로 들로 도망치기 시작하였다.

중국 군대가 앞으로 소리를 지르며 공격하였는데, 칼들을 꺼내들고 무를 자르듯이 그들을 베기 시작하였다. 아침부터 해가 질 때까지 싸웠는데 동학당은 사상자가 많았고 심히 고통스러웠다. 섭사성이 명을 내려 그곳에 병영을 설치하라고 하였다.

이와 같이, 섭사성과 엽지초가 동학당을 무찌르고 병영을 설치한 후 자신의 병사들을 점검해보니 부상자는 고작 30여명 밖에 안 되었다. 잠시 후 부대를 거느리고 출발해 전주를 되찾았다. 며칠 안 지나서 동학 잔당은 모두 평정되었다. 잃었던 지역을 전부 되찾았다. 그리하여 병사들을 거느리고 서울로 돌아왔다. 이 상황에 대해서는 더 이상 말하지 않겠다.

한편, 일본의 야마가타 아리토모는 이미 서울로 부대를 이끌고 와서 그들의 영사관에 주둔하였다. 중국군이 동학당을 평정하였다는 소식을 접하였다. 그는 곧 군사를 일으켰다.

동학당 내란이 평정되자 중일 양국이 또 사단을 일으킨 것이다.

이후의 일이 어찌 되었는가를 알고 싶으면 다음 회를 보시라.

제12회 한국 때문에 중일 양국은 전쟁을 하고, 독미 양국은 강화를 주장하다

위에서 보았듯이, 중국군이 서울로 돌아왔을 때 일본군이 그들의 영사관 내에 주둔하고 있었다. 그들은 매일 밖에 나가서 온갖 짓을 다하며 백성을 괴롭혔다. 백성들은 포학을 견딜 수 없었다. 그리하여 3·4백 명씩 한 곳에 모여 그들을 공격하였다. 이 광경을 보고 일본군의 폭행이 더욱 심해졌다.

일본강도들은 예의를 몰랐다. 그들은 한국 내에서 온갖 악행을 저질렀다. 낮에는 여기저기에서 민가를 습격하였다. 밤에는 민가에 들어가 못된 짓을 일삼았다. 사람들과 부딪히기만 해도 칼을 뽑아 난폭한 짓을 하였다. 이유 없이 생사람을 죽였다. 한국 관청도 백성의 원통함을 풀어줄 수 없었다.

이로 인하여 백성들은 분기하였다. 3·4백명이 모여 한 진영을 이루었다. 일본은 또한 백성들을 분노케 하였다. 백성들이 그들에게 목숨을 걸고 저항하면 일본은 와서 죽였다. 일본군은 화가 나서 풀리지 않으면 온갖 난폭한 짓을 하였다. 백성들은 너무나 비참하였다. 일본인들은 흡족하지 않으면 영사관으로 달려가 고소를 하였다. 한국 사람들이 예의를 모르고 일본인들 보기만 해도 눈에 불을 켰으며 그들의 많은 재물을 강제로 탈취하였고, 겁박하여 자신들의 짐꾸러미와 좋은 말들을 가로챘다고 우겨댔다. 그리고 영사에게 막무가내로 이런 일을 해결해 달라고 매달렸다. 만약 들어주지 않으면 여기저기 떠벌리고 다녔다.

일본 영사가 그 말을 듣고 황망하여 한국정부에 가서 한국 정부의 여러 원로들을 만나 거들먹거리며 말하였다.

"당신네 나라 동학당이 일어나 강산이 뒤바뀌게 되었소. 우리가 호의로 도와주러 왔는데 당시네 백성들이 왜 우리를 공격하는가? 동학당이 강제로 재물을 약탈하였고 적잖은 우리 병사들이 부상을 입었소. 당신네 백성들이 이처럼 대담하게 난동을 부리는 것은 모두 당시네 정부가 바르지 못한 탓입니다. 이후 우리가 당신네 나라의 정치를 고치고 뿐만 아니라 법률마저 개혁해야겠소.

한편으로는 당신네 나라를 대신하여 안녕과 태평을 구하고 다른 편으로는 우리나라의 상인들과 병사들을 보호해야겠소. 당신들이 호응하지 않아도 괜찮소. 내가 오늘 실행에 옮기도록 하겠소이다."

이 영사의 말에 한국 대신들은 너무나 놀랐다.

이와 같이 일본영사는 한국의 내치를 개혁한다고 하자 한국정부의 대신들은 모두 아연실색하였다. 그들은 반나절이나 말을 못하고 있다가 입을 열었다.

"우리 백성들이 무지하여 귀국의 사람들에게 부상을 입혔습니다. 영사께서는 노여워 마시길 바랍니다. 우리가 손해를 배상해 드리리다."

일본영사는

"배상도 필요 없단 말이오. 오늘 배상하고 내일 또 이 모양이면 우리만 크게 화를 입게 된단 말이오. 뭐라고 하든 안 된단 말이오. 당신네들의 내치를 고쳐야겠소. 당신네 황제에게 빨리 가서 알리시오."

라고 말하고서 영사관으로 말을 타고 돌아갔다.

여러 대신들은 한참이나 서로 바라만 보고 있다가 입을 열었다. "일이 이렇게 되었는데 우리에게 무슨 방법이 있겠소. 황제폐하에게 보고하여 알려야 합니다."

그리고는 내전에 가서 이 일을 황제에게 보고하였다.

황제가

"이 일을 어찌하면 좋단 말인가?"

라고 하자 그 중 한 대신이 아뢰었다.

"폐하, 이 일을 중국 영사관에 알리어 그가 어떻게 나오는지 기다려보는 것이 어떻겠습니까?"

한국 황제가

"이미 이렇게 된 바에야 과인이 한번 다녀오겠소."

라고 하며 드디어 내관을 불러 마차를 준비하게 하였다.

한국 황제가 마차를 타고 중국 영사관 대문 앞에 도착하여 마차에서 내렸다. 어떤 사람이 이를 전하자, 원세개가 나와서 안으로 모시시어 말하였다.

"폐하께서 오늘 여기에 오신 것은 무슨 상의하실 일이라도 있어서이신가요?"

"일이 있으니까 왔겠지요. 일본병사들이 우리 백성들에게 맞아서 부상당하였소. 일본영사가 우리 정부에 와서 그 죄를 물었소이다. 우리의 내치가 잘 못 되어 백성들이 흉악스러워졌다고 합니다. 우리가 국정에 능하지 못하여 백성들이 마음대로 하니 우리나라 정치를 개혁하겠다고 하더군. 자기 나라가 내정을 고치겠다고 우겨대지 않앉겠소.

과인이 깊이 생각한 끝에 귀국은 우리나라의 조국입니다. 일본이 우리나라의 내정을 개혁하여 탈취하려는 야심을 품고 있소이다. 우리 두 나라는 순치관계이니 우리나라는 또한 귀국의 속국이므로 일본이 만약 우리나라를 멸망시키면 귀국도 큰 해를 입게 될 것이오. 그래서 과인이 온 것은 이 일을 귀국 영사께 알리려는 때문이오. 영사! 속히 방도를 강구하여 대처해 주시오."

라고 한국 황제가 말하자, 원세개가 말하였다.

"일단 안심하고 돌아가십시오. 이렇게 하지요. 제가 먼저 야마가타 아리토모 육군 대장을 만나서 철병을 요청해보겠습니다. 그런 다음에 그와 교섭을 하도록 하지요."

그리하여 두 사람은 함께 영사관을 나왔고 한국 황제는 궁으로 돌아갔다.

원세개가 일본영사관에 가서 야마가타 아리토모를 만나

"한국 내란은 이미 평정되었소이다. 귀국은 병사들을 철수하여 돌아가시오. 타국에 주둔하는 것은 편치 못한 일입니다. 백성들이 놀라 어찌할 바를 모르잖소."

라고 하자 야마가타 아리토모가 기타 영사들과 같이 일제히 대답하였다.

"우리 두 나라가 천진에서 조약을 체결할 때 한국에 내란이 일어나면 두 나라는 군대를 파병하여 평정한다고 하지 않았습니까? 지금 우리가 내란을 평정하러 왔습니다. 이것은 본래부터 호의에서 나온 것입니다.

그러나 한국 백성들이 우리 병사들을 부상 입힌 것이 적지 않습니다. 또한 강제로 우리의 재물을 약탈했습니다. 왜 이러는지 모르겠습니다. 바로 이런 일 때문에 우리가 이곳에 주둔하고 있는 것입니다. 한편으로 한국 내정이 좋지 못하여 우리가 그들을 대신하여 개혁하고 또 개혁하려는 것입니다. 다른 한편으로 우리나라 상인을 보호하려는 것입니다."

이를 듣고 있던 원세개가

"한국은 본래 우리나라의 속국입니다. 귀국은 본래부터 간섭해서는 안 됩니다. 왜 그 나라의 내정을 고치려는 게요? 다시 말하건대 귀국 병사들은 전부 총칼로 무장하고 있소이다. 한국 백성들이 어찌 귀국 병사들을 모욕할 수 있단 말입니까?"

라고 하자, 다른 두 영사가 말하였다.

"원 영사! 지금 뭐라고 하시었소? 한국이 중국 속국이라니. 내가 보기에 한국은 독립국이올시다."

"뭐라고 하였소, 독립국이라고요?"

라고 받아치자, 야마가타 아리토모도 물러서지 않았다.

"그럼 그 나라가 귀국의 속국이라면 왜 그 나라의 내치에 당신네들은 전혀 관여하지 않소이까? 오늘 우리가 그 나라의 정치를 개혁하려고 하는데 왜 또 나와 간섭하려는 것이오? 당신네들은 천진조약을 위반하려고 하오? 그런 생각이라면 안 될 말이오."

이들의 말은 계속 되었지만 끝내 결렬되었다.

원세개는 그들이 철병하지 않을 뿐만 아니라 한국의 내정을 개혁하겠다고 하니 사태가 심상치 않게 돌아감을 느끼고 서둘러 관청으로 돌아가 보고서를 썼다. 그리고서는 전보국으로 가서 중국 외무부에 급히 전보를 쳤다.

외무부 상서상서(尚書)는 원세개가 보낸 전보문을 보고서 일이 대단히 급박하게 돌아감을 알고서 급히 광서황제를 만나 그 보고서를 올렸다. 광서황제가 그 보고서를 보니 이렇게 쓰여 있었다.

"절하고 또 절하며 광서 황제께 올리나이다. 한국에서 동학당이 난을 일으켜 그 나라를 쓰러뜨리려 하고 있습니다. 그래서 우리나라가 파병하여 그 나라를 구했습니다. 그런데 일본도 파병하여 지금 그곳에 와 있습니다. 나중에 우리가 동학당을 평정하였지만, 일본 병사들이 한국에서 난리 발광하고 있습니다. 낮에는 백성들 집을 습격하고 밤에는 마음대로 백성 집을 차지하였습니다.

온갖 나쁜 짓을 일삼기에 한국 백성들이 분기하여 들고 일어났습니다. 한국 백성들이 그들의 폭력을 당할 수만은 없었기 때문입니다. 그러자 그 자들은 배알이 뒤틀려 일본영사관에 한국 백성이 자기네들에게 부상을 입혔다고 막무가내로 일러바쳤습니다. 일본영사가 한국정부를 찾아가 저 대신에게 이렇게 말하였다고 합니다. "우리가 좋은 뜻으로 난을 평정하러 왔는데 무엇 때문에 당신네 백성들이 우리 병사들을 해하는가? 보아하니 모두가 당신네의 내정이 엉망이기 때문이오. 그래서 그대들을 대신하여 잘못된 정치를 바로 잡고, 앞으로 우리가 당신네 나라의 법률도 뜯어고치겠단 말이오."

저 일본은 수단과 방법을 가리지 않고 한국의 정치를 고치려고 합니다. 신이 저들과 일찍이 이야기를 하여 철병하도록 해보았습니다만, 그들은 한국에 있는 상인을 보호해야 한다고 한다. 또한 신이 한국은 우리의 속국이라고 하였더니 그들은 한국은 독립국이라고 주장하였습니다. 신은 그들이 한국정치에 관여하는 것을 불허한다고 하였더니 그들은 신의 말이 옳지 못하다고 하였다.

보아하니 그들은 한국을 멸망시키려고 하고 있습니다. 만약 그렇지 않다면 어찌하여 이렇게 떠벌리겠습니까? 한국은 우리의 속국으로 한국이 망하면 우리나라도 오래가지 못할까 두렵습니다. 신은 이 때문에 상주하는 바입니다. 바라건대, 폐하께서 조속히 좋은 방도를 생각해 주십시오. 원세개는 머리를 세 번 조아리며 올립니다. 폐하와 한국이 영원히 평강(平康)하기를 바라옵니다."

광서황제는 보고서를 보고 한참동안 마음속으로 당황스러워 했다.

이처럼 광서황제가 원세개의 보고서를 다 읽고 나서 만조백관에서

"일본이 이처럼 야심이 있는데 우리는 그들을 어떻게 대처하면 좋겠소이까?"

라고 물으니 여러 신하들이 대답하였다.

"폐하, 일본이 한국을 우롱하는 것은 우리 중국을 우롱하는 것입니다. 그들과 반드시 싸워야 합니다. 만약에 싸우지 않으면 한국은 일본에 넘기는 것과 다름이 없습니다."

그러나 그 중에서 오직 이홍장만은 그렇게 생각하지 않았다. 저 일본과의 싸움은 단지 일개인이 바라지 않더라고 어쩔 수 없는 일이었다. 그리하여 드디어 중일전쟁을 각국에 통보하고 좌보귀(左寶貴)·위여귀(衛汝貴)에게 6만의 군대를 주어 한국으로 진격하게 하였다. 정여창(丁汝昌)에게 병선 12척을 주어 황해를 지키게 하였다.

이에 대해서는 자세하게 말하지 않겠다.

한편, 일본의 야마가타 아리토모와 중국영사의 회담이 결렬되었다. 그리하여 그는 귀국하여 일황에게 이를 고하였다.

일황이

"결국 결렬되었다면 그들과 전쟁이야!"

라고 하였다.

이때 중국은 일본에 선전포고를 하였다. 일본은 언뜻 보아 중국이 선전포고를 하자 다들 기뻐하고 있는 것 같았다. 그리고는 30만 육군을 점거하여 도고 헤이하치로(東鄕平八郎)에게 제1대(第一隊)를 이끌도록 하였다. 야마가타 아리토모에게 제2대(第二隊)를, 이토 수케유키(伊東祐亨)[1]에게 제3대(第三隊)를 주어 한국으로 진격하게 하

---

1 원문: 伊東佐亨.

였다. 또한 오오야마(大山)에게 20척 철갑선을 주어 황해로 보내 우리나라 해군과 싸우게 하였다. 이로써 중일전쟁이 발발하였다.

일본은 탐욕스럽기 그지없는 야심을 드러냈다. 수단과 방법을 가리지 않고 우리나라·한국과 전쟁을 하려고 하였다. 한국에 주둔한 군대를 철수하지 않고 막무가내로 한국 정치를 개혁하려고 하였다.

원세개도 그들에게 말하자, 그들은 우리나라가 예의가 없다고 말하였다. 또한 그들은 이렇게 말하였다.

"한국은 본래 독립국으로 우리의 간섭이 왜 적절치 못한 것이냐? 또한 한국은 중국의 속국이라고 한 적이 있는데도 왜 난동을 부리느냐? 보아하니 모두 당시 네 나라의 잘못이니 우리에게 무슨 할 말이 있느냐? 우리의 병사를 절대로 철수 없으며 한국의 정치를 반드시 개혁하겠다. 오늘 반드시 이렇게 하겠다. 너희들은 어찌하려는 것이냐?"

원세가가 회담이 결렬된 것을 보고서 북경으로 보고서를 보냈다. 보고서가 북경에 이르자 광서황제가 노하여 말하였다.

"일본이 오늘 우리를 우롱하니 반드시 그들과 전쟁을 해야 하겠군."

6만의 군대를 점검하여 세 사람의 최고 사령관을 파견하였다. 1개 부대를 좌보귀에게 거느리게 하였다. 21개 부대는 섭사성에게 그리고 1개 부대는 정여창에게 주었다. 이들은 2만의 병력을 거느리고 깃발을 치켜들고 기세가 등등하게 북경을 출발하였다. 대부대가 이날 한국에 도착하여 평안도 아산에 이르러 병영을 설치하였다. 중국에 대해서는 그만 말하고 일본의 움직임에 대해 말하겠다.

일본은 중국과 전쟁을 한다는 소식을 듣고 너 나 할 것 없이 모두 즐거워하였다. 온 나라에서 군인을 모집하여 병사 30만 명을 선발하였다. 원수(元首) 세 사람을 파견하였는데 여러분은 누구인지 모르실 것이다. 내가 알려주리라.

도고 헤이하치로는 제1대(第一隊)를 이끌고, 제2대(第二隊)는 야마가타 아리토모[2]라는 원수가, 제3대는 대원수가 있었는데 그의 이름은 이토 수케유키(伊東祐亨)[3]이었다. 군악대와 포대가 모두 있었다. 순함을 타고 출발하였다. 이날 인천에 이르러 해안으로 올라와 아산(牙山)으로 갔다.

----

2 원문: 小山有朋.
3 원문: 伊東佐亨.

양쪽부대는 10리를 사이에 두고 대치하였다. 꽝 대포소리가 울렸다. 좌보귀는 오로지 선두부대를 지휘하고 위여귀 부대가 후방에서 그를 엄호하였다. 양쪽에서 일제히 포를 쏘았다. 타오르는 연기가 하늘을 덮어 사람들이 놀랐다. 아침부터 오후까지 싸웠는데 우리나라 3천 명의 병사가 부상을 입었다.

노장 송경(宋慶)이 용감하게 싸우며 혼자서 일본병 속으로 진격하였다. 하지만 육군은 패하였다. 이에 대해서는 자세히 말하지 않겠다.

다시 말하건대, 해군 정여창 사령관은 압록강 어귀를 지키고 있었는데, 오오야마 이와가 지휘하는 일본 해군이 진격해 왔다. 양국 군함 사이의 거리가 8·9리이었다. 별안간 벼락소리와 같은 대포소리가 들렸다. 일본 군함이 앞으로 갑자기 돌진해오자 우리 군함은 사방으로 물러났다. 꽝꽝 소리가 났다. 우리 함선 두 척이 침몰하였다. 일본도 군함 1척이 침몰했고 죽은 병사가 수백 명에 이르렀다. 3시간정도 격전 끝에 중국 함선병선 3척이 침몰하였다. 중국군이 패하는 것이 보였는데도 후방부대의 움직임은 보이지 않았다. 노장 좌보귀가 포격에 맞아 가련하게도 전사하였다.

아군이 패전하고 평양주둔군도 도망가고 없었다. 나중에 몇 번이나 격전했지만 모두 아군이 졌고 일본 군대가 이겼다. 일본군은 앞으로 진격하여 압록강 해성에 이르렀다. 아군은 봉천까지 퇴각하고 일본군은 9개 도성을 연달아 점령하였다. 금주(金州)·봉황(鳳凰)도 함락하였다. 대련·익주도 적들의 공격을 받았다. 정여창은 대세가 기운 것을 보고 배 7척과 함께 도망쳤다. 나중에 위해(威海)에서 격전을 벌였는데 아군의 사상자는 정확하게 알 수 없을 정도였다. 정여창은 하는 수 없어 독약을 먹고 자살하였다. 가련하게도 그의 공은 드러나지 않았고 목숨을 또한 잃었다.

아군은 여러 번 전투를 벌이었지만 한 번도 일본을 이겼다는 소리는 듣지 못하였다. 이와 같은 일은 도대체 어디에 그 원인이 있는가? 군사들이 훈련되지 않았고 목숨을 아꼈던 것에 그 원인일 것이다. 군사들이 전투를 할 때 두려워 갈팡질팡하였다. 장교들은 적군과 싸우면 어찌할 바를 몰랐다. 이런 병사들과 이런 장교가 어떻게 나라를 지킬 수 있으랴.

그리고 한 가지 불리한 것이 있다. 합비(合肥) 출신의 이홍장이 일본군과 싸우려고 하지 않았기 때문이다. 그는 일본군이 덩치는 작아도 용맹하다면서 만일 전쟁을 하더라도 그들을 물리칠 수 없다고까지 하였다. 이기지 못할 바에 싸우려고 해도 어쩔 할 수 없다고 하면서 오히려 그는 그들과 협상하는 것이 더 낫지 않느냐고 생각하였다.

그의 생각이 맞았지만 이로 인하여 사심이 생긴 것은 옳지 않았다. 상황이 그의 뜻에 맞지 않다고 해서 마음대로 행동하는 것은 바람직한 일이 아니었다. 그는 더 이상 군사와 군량을 보내지 않았기 때문에 우리나라는 크게 패하였던 것이다. 이것은 우리나 군사가 패한 까닭이었다. 오늘 이 사실을 들은 사람들은 실로 가슴 아프기 그지없다. 우리는 한 번도 일본을 이길 수 없었다. 방법이 없으니 어찌 북경에서 강화조약을 체결하지 않을 수 있었겠는가?

이와 같이 중국과 일본은 1년간 전쟁을 하였는데 중국군은 한 번도 이겨보지 못하였다. 이날 독일과 미국 두 나라는 두 대신 푸스더(福世德)와 수린거얼(蘇林哥耳)을 파견하여 전쟁을 관찰하였다.

중국이 누차 패전하는 것을 보고 푸스더가 수린거을에게

"일본은 이리와 같습니다. 이대로 제멋대로 하게 두어서는 안 됩니다. 지금 보건대 중국이 영영 이길 수 없습니다. 우리가 어찌 이 두 나라에 강화하라고 하지 않을 수 있습니까?

라고 말하자 수린거은

"그것은 옳은 말씀입니다. 우리 둘이서 가봅시다."

라고 하였다.

그 두 사람은 드디어 우리 정부로 갔다. 이때의 강화를 맺은 사정은 일설에 따르면 이홍장이 극력 강화를 요구하였기 때문이라고 한다. 황제도 이길 가능성이 없으므로 드디어 그 두 사람의 제의에 응하였던 것이다. 이홍장 전권대신이 푸스더와 수린거얼과 함께 일본으로 가서 강화조약을 체결하였다. 천진에서 배를 타고 곧바로 일본의 도쿄 일본 정부에 도착하였다. 이토를 만나 강화 이야기를 시작하였다.

> 병사가 훈련되지 못하면 이길 수 없고,
> 장수(將帥)가 배움이 없으면 어찌 공을 세우겠는가.

이후의 일이 어떻게 되었는가 알고 싶으면 다음 회를 보시라.

위에서 보았듯이, 푸스더 등 세 사람이 일본정부로 갔다. 일본정부 당국자가 안내를 하였다. 이토 히로부미가 문에 나와 있다가 이홍장을 보고서 강화하러 온 것을 알았다. 드디어 접견실로 안내를 받아 자리에 앉자 차가 올라 왔다. 차를 마시고 나서 찻잔을 올려놓았다.

이토가 일어나며

"대신 여러분이 여기에 오셨는데 무슨 할 말이 있습니까?"

라고 하니 푸스더가 옆에 있다가 웃으면서 대답하였다.

"볼 일이 없으면 어찌 여기까지 오겠습니까? 중일양국이 개전한지도 1년 여가 지났습니다. 일본 군대가 여러 번 승리하였고 청나라 병은 여러 번 패했습니다. 황해에는 사람 뼈가 산처럼 쌓여 있습니다. 요동반도에 시체가 들을 메우고 있습니다.

이처럼 세계 평화의 진정한 뜻과 살리는 것을 좋아하는 천지의 본성을 해쳤습니다. 무고한 생명들을 도탄에 속에서 허덕이고 불쌍한 백성들이 사방으로 흩어졌습니다. 그래서 제가 스스로 독일 대신과 함께 분수도 모르고 주제넘게도 양국을 화해시켜 우방의 정을 돈독하게 하여 동아시아의 평화를 지키고자 하여 왔습니다. 대신께서 저의 제안을 받아들이실지 알 수 없지만 만약 윤허하신다면 지금 중국이 파견한 전권대신 이공이 여기에 와 계시니 바라건대 귀 대신께서 유의하시기 바랍니다.

이에 이토가 대답하였다.

"일본은 보잘 것 없는 세 개의 섬으로 이루어진 나라입니다. 땅이 좁고 사람이 적습니다. 자그마한 섬나라입니다. 땅이 좁고 사람이 적어 안으로 신하[1] 중에 오대징(吳大澂)·이홍장과 같은 인재가 없고, 밖으로 장수 중에 엽지초·정여창과 같은 용장이 적습니다. 정치는 지금 잘 되어가지 못하고 있습니다. 법제도 갖추어져 있지 않습니다. 우리나라가 이와 같은데 이제 어쩌다가 대국을 이긴 것은 실로 요행이었습니다. 두 나라의 아름다운 뜻을 받들어 강화를 맺으러 오셨으니 우리나라가 철병하여

---

1 원문: 臣工—臣下.

우호를 어찌 맺지 않을 수 있겠습니까? 단지 강화에는 반드시 받아주어야 할 몇 가지 조건이 있습니다. 만약 그렇지 않으면 우리는 다시 전쟁을 할 수밖에 없습니다."

이에 이홍장은

"우리가 여기에 온 것은 단지 강화하려는데 있습니다. 지나친 요구만 아니라면 허락하지 않을 리가 없습니다. 다만 귀 대산께서 말하시는 조건이 무엇인지 모를 뿐입니다."

라고 하였다.

이토가

"우리에게 조건이 무엇이냐고 물으시니 잘 들으시기 바랍니다."

라며 기뻐하며 말하였다.

"삼국 대신 여러분 잘 들어주시기 바랍니다. 중일이 불화하여 개전하였습니다. 군사를 보내어 곳곳의 백성들이 괴로웠습니다. 귀하의 두 나라가 강화를 주장하는 것은 본래 좋은 뜻입니다. 우리나라가 어찌 응하지 않겠습니다.

다만 우리에게 몇 가지 조건이 있습니다. 여기에서 이를 감히 분명히 밝히려고 합니다. 중국과 일본은 줄곧 대단히 화목하였습니다. 단지 한국에서 전쟁이 일어난 후로 한국을 독립으로 인정하여 한국에 대한 중국의 간섭을 불허하였습니다. 이후 한국 국왕이 중국에 조회하는 것과, 그들이 북경에 조공하는 것도 불허하겠습니다. 이것이 우리나라의 첫 번째 강화조건입니다.

두 번째 조건을 잘 들어보시기 바랍니다. 당신네 중국과 개전한 이후 지금에 이르기까지 1년여의 세월이 흘렀습니다. 우리는 군량비로 몇 만양이 들었습니다. 또한 무수한 병사들이 부상을 입었습니다. 강화하려면 우리가 들인 돈을 책임져야 합니다. 전쟁에서 죽은 병사들과 그 부형(父兄)도 책임져야 합니다. 군량비 비용으로 3억 냥을 배상해야 합니다. 이것이 저희의 두 번째 조건입니다.

세 번째 조건은 당신네의 땅 몇 곳을 나누어 받아야겠습니다. 바로 저 요동반도·팽호(澎湖)·대만, 그리고 황해 북쪽해안의 저 군도(群島)도 말입니다. 이 모두를 나누어 우리 일본에 주어야 합니다.

네 번째 조건으로 항구 몇 곳을 개방해야 합니다. 바로 중경·사시(沙市)·소주·항주·북경 말입니다. 뿐만 아니라 상담(湘潭)·오주(梧州)도 항구로 개방해야 합니다.

만약 네 가지 조건을 받아들인다면 우리 양국은 전쟁을 끝낼 수 있습니다. 그렇지 않으면 휴전을 하려고해고 전혀 불가능합니다. 그럴 경우 병사 몇 십만을 더 동원하여 반드시 당신네 북경을 공격할 겁니다. 이보상(李輔相)! 당신은 전권대신입니다. 물론 이런 조건들은 조정이 가능합니다. 다시 전쟁을 하는 것이 좋겠습니까? 아니면 강화하는 것이 좋겠습니까? 생각해 보시기 바랍니다."

이홍장이 듣고서 놀라 펄쩍 뛰며 말하였다.

"아! 이런 요구는 받아들일 수 없소이다. 기다려주시기 바랍니다. 생각을 좀 해 봐야 할 게 아니겠소. 내일 답하리다."

말을 마치고 이홍장은 일본정부를 나왔다. 독미 대신도 자신들의 영사관으로 돌아갔다. 그런데 이홍장은 아무래도 시운이 좋지 않을 운명이었나 보다. 큰 길에서 봉변을 당하고 말았다. 이홍장이 큰길을 따라 앞으로 걷고 있는데 갑자기 저쪽에서 한 사람이 다가오더니 서로 불과 10여보 떨어진 곳에서 총을 쏘아 흉행을 저질렀다. 탕탕! 하는 소리를 듣고서 이홍장은 땅바닥에 쓰러졌다. 왼쪽 볼에 총알이 박혔다. 피가 그치지 않아 모자가 붉은 핏빛으로 물들었다. 순경이 순간 당황하였으나 결국 그 자객을 잡았다.

이처럼 이홍장을 쏜 자객은 일본인으로 이름은 고야마(小山)라고 하였다. 그의 형이 천진에서 불법적인 일을 한 일이 있었다. 이로 인하여 이홍장이 그를 사형에 처하였다. 코야마는 형을 위해 복수하려고 매번 생각하였다. 하지만 기회가 없었다. 지난 1년 동안이나 기를 쓰고 이홍장을 만나려고 하였다.

이홍장이 강화조약을 체결하러 일본에 왔다. 그는 길에서 기다리고 있다가 이홍장이 걸어오는 것을 보고 총을 쏘았다. 이홍장이 땅에 쓰러지자, 순경이 황급히 자객을 사로잡아 법정에 넘겨 심문하니 그 이유가 밝혀졌다.

이토가 이 사실을 듣고 말하였다.

"그를 죽이지 말라고 하라. 그는 애국자다. 몇 년간 감금하면 된다." 이에 대해서는 자세히 말하지 않겠다.

한편, 이홍장이 그날 턱에 총을 맞고 땅 바닥에 쓰러졌다. 신변시종이 한참 부르자 겨우 정신을 차렸다. 그리하여 가마로 그를 숙소로 데려 갔다. 이때 이토가 소식을 듣고 친히 사죄하러 왔다.

이홍장의 부상이 심히 중한 것을 보고 이토가

"이는 우리나라의 보호가 철저하지 못하여 대신께서 이렇게 중상을 입은 것입니다. 저희의 죄입니다."

라고 하자 이홍장이

"당신이 말한 네 가지 조건을 모두 받아들일 수는 없소이다. 귀국에서 양보를 하시오."

라고 하였다.

이홍장이 구사일생의 순간에도 나라의 대사를 잊지 않는 것을 보고 이토는 속으로 생각하였다.

"중국에 이런 충신이 있는 줄을 몰랐다. 우리가 참으로 부끄럽다."

드디어 어의에게 명하여 잘 치료하게 하였다. 의원이 와서 한번 보고

"탄알을 반드시 내야 합니다."

라고 하였으나 이홍장은

"죽어도 이 탄알을 뽑지 않겠소. 어찌 감히 내가 총을 맞았다고 하여 국가의 대사를 그르치겠소."

라고 하여 어의의 청을 거절하였다.

일황이 그의 충성을 높이 사서 21일간 휴전 명령을 내렸다. 이홍장이 휴전 명령이 내려진 것을 보고서 이토에게

"우리나라에서 우리나라의 대사를 처리하라고 저를 보냈는데 오해로 인하여 자객에게 부상당했습니다. 당신이 제시한 네 가지 조건 중 한 가지를 철회한다면 나는 받아들이겠습니다. 그렇지 않으면 저는 여기에서 죽어서 우리정부로 하여금 당신네들에게 문죄하도록 하겠습니다."

라고 하니 이토가 대답하였다.

"대인께서는 그리하지 마십시오. 탄알을 꺼내면 내가 당신의 요구를 받아드리겠습니다."

이홍장은 이토의 말을 듣고 드디어 탄알을 꺼내어 치료하라고 하였다. 약을 쓰고 몸조리를 하고 나니 하루가 다르게 좋아졌다. 조약 체결문제도 점차 이루어지게 되었다. 다만 21일 동안의 전정 기일은 막바지 협상에 이르렀다. 그런데 이홍장은 21일의 정전 기간이 순식간에 지나가면 다시 전쟁을 재개할 터인데 그렇게 되면 큰일이라고 걱정하고 있었다. 드디어 이토와 강화조약을 체결하는데 동의하고 말았다. 일본 시모노세키(馬關)라는 곳에서 조약을 체결하였다. 독미 양국 대신도 모두 이 조약 체결에 참여하였다.

133

지모가 넘치는 이홍장은 이토와 조약을 놓고 실랑이를 벌렸다. 거리에서 총탄을 맞고 죽을 뻔했다. 저 이토도 대단히 당황한 것 같았다. 21일간의 휴전명령이 내려졌다. 강화조약 문제가 풀리기 시작하였다. 코야마의 사건이 전화위복이 되어 일본의 요구조건이 줄어들었다. 시모노세키 땅에서 조약이 체결되었다. 독미 양국 대신도 그곳에 있었다.

제1조는 한국이 독립국임을 승인하고 우리 중국의 간섭을 불허한다는 것이다. 한국이 중국에 조회하는 것과 북경에 조공도 불허한다는 것이다. 제2조는 그들이 1억 냥을 줄여주어 군비 2억 냥을 배상한다는 것이다. 제3조는 팽호·요동·대만을 일본에게 넘겨주고 원칙에 따라 황해 이북 열도는 뺀다는 것이다. 이것은 모두 이홍장의 공이었다. 제4조는 중경·사시·소주·항주를 통상항으로 개항하여 그곳에서 그들이 무역을 하는 것을 허용하고, 전례에 따라 북경·상담·오주 세 곳은 뺀다는 것이다. 이것은 모두 문충공이 사력을 다하여 싸운 결과였다. 조약에 도장을 찍으니 양국은 전쟁을 그만두게 되었다.

여러분은 이 일을 듣고 어떻게 생각해 보십시오. 이번 강화조약은 비통하지 않은가? 한국은 본래 우리의 속국이다. 응당 우리의 권한 속에 있어야 한다. 우리의 마음이 단합되어 있지 않고 나약하여 일본인들 손 안에 넘겨주었다. 패전으로 무수한 병사들이 목숨을 잃고도 일본에게 군비로 2억 냥을 배상하였다. 대만과 요동·팽호 등 많은 지역이 일본에 넘어갔다.

이로 한국은 일본의 관할 하에 들어갔고 중국은 무시당하였다. 일본이 한국을 얻었으므로 중국 동북삼성을 탈취할 것이다. 여러분! 두렵지 않은가? 이 땅은 황제 땅이 아니라, 우리 백성들이 이 땅의 주인이다. 땅 주인이 자기 땅을 보호할 수 없다면 결국 다른 사람에게 수모를 당하게 된다.

우리 동포들이여! 어서 깨어나라! 흐리멍텅하게 세월을 보내면 안 된다. 내가 이렇게 말하는 것은 헛소리가 아니다. 일본인의 수단은 실로 대단하다. 지금부터라도 여러분들이 국토를 어떻게 보호할 것인가를 생각해도 늦지 않았다. 이제 몇 년을 더 기다린다면 결과가 완전히 달라질 것이다. 여기에서 말을 줄이고 본론으로 들어가겠다.

이처럼, 이홍장이 시모노세키에서 일본 이토와 같이 도장을 찍어 조약을 체결하였다. 독미 양국 대신도 서명하였다. 이렇게 일이 마무리되자 독미 양국 대신은 자국으로 돌아가고 일본도 병사 모두를 철수하여 자기 나라로 돌았다. 이때 이홍장의 상처도 다 낳아 배를 타고 귀국하여 보고서를 올렸다. 중일전쟁은 이로써 끝났다. 중국은 한국 내에서 세력을 완전히 잃었다. 여러분 들어보시오. 안타깝지 않습니까?

더 이상 한가한 말은 하지 않겠습니다.

한편, 일본이 중국을 이겨 몇 곳의 좋은 땅을 얻었습니다. 군신 모두 즐거워하고 있습니다. 이날 왕과 신하들이 큰 잔치를 열어 그 공노를 축하하였습니다.

주연석상에서 이토가 일황에게

"폐하께서는 늘 한국을 탈취하고 중국을 분할하려는 생각뿐이시었는데 그 바람이 곧 이루어질 것입니다."

라고 하였다.

또 환하게 웃으면서 말하였다.

"폐하만세! 제 말을 들어주시기 바랍니다. 애초에 우리나라에 땅이 적어 외부로 가 세력을 떨치려고 고민하였습니다. 그리하여 두 가지 방법을 정하였습니다. 하나는 바로 한국을 병탄하는 것이고 다른 하나는 중국을 분할하는 것이었습니다.

지금 이와 같이 중일 양국이 전쟁을 하여 저 중국이 완전 대패했습니다. 한국이 독립국임을 승인했습니다. 이제 드디어 우리는 목표를 이룰 수 있는 방법을 찾을 수 있습니다.

한국 내 중국세력이 없어졌으니 한국은 우리 손아귀에 있는 겁니다. 원래 하찮은 저도 중국과 생존경쟁이 어렵지 않을까 걱정하였습니다. 중국은 대국입니다. 땅도 넓고 사람도 많고 유구한 역사를 갖고 있습니다. 하지만 우리는 세 개의 섬으로 이루어진 작은 나라입니다. 두려운 것은 한번 패하면 다시 일어나기 없다는 것입니다. 중국이 훨씬 약하고 시체나 다름이 없다는 점을 미처 생각하지 못했습니다. 일찍이 중국이 이렇다는 것을 알았다면 하필이면 중국에 대해 크게 신경을 썼겠습니까?

지금 우리에게는 이미 힘이 있습니다. 그래서 한국을 먹을 방법도 생각해야 합니다. 하찮은 저에게 하나의 계책이 있습니다. 폐하 제 말을 잘 들어보시기 바랍니다. 공훈이 혁혁한 원로에게 몇 천 명의 육군을 주어 한국에 주둔하게 하는 것입니다. 한국인을 대신하여 정치를 개혁하고 유신하겠다고 하면 됩니다. 그러면 한국의 정치는 모두 우리의 수중으로 떨어지게 되어 있습니다. 그러면 우리가 한국을 관할하고 보호하면 한국은 꼼짝달싹하지 못하게 됩니다. 겉으로는 한국을 보호하여 문명국으로 만들어 준다고 하고 암암리에 실은 한국을 나누어 먹는 것입니다. 이것은 바로 소신의 졸견(拙見)입니다. 폐하! 잘 생각해 보십시오."

일황이 그 자리에서 말하였다.

"그대의 생각이 아주 깊군요. 지금부터 우리는 그렇게 하면 됩니다. 그대에게 모든 것을 맡길 테니 알아서 하시오"

이로부터 일본은 한국을 감독하고 한국 백성들은 더욱 고통을 겪게 되었다. 이에 대해서는 자세하게 말하지 않겠다. 다시 후필에 대해서 말하겠다.

앞에서 보았듯이, 후필이 김유성 등 다섯 사람과 전라도에서 평양으로 돌아왔다. 그는 자기 학생들과 김유성 등 다섯 사람을 미국으로 유학 보낼 생각뿐이었다. 그런데 그는 중일이 개전함에 따라 양국의 승패를 기다리면서 "중국이 승전한다면 한국이 망하지 않게 되고 일본이 승전하면 한국은 아침은 있으나 저녁은 없을 것"이라고 생각하였다. 나중에 과연 일본이 승전하였고 그 소식을 들은 후필은 공포에 사로 잡혔다. 그리하여 자기 학생들을 방으로 불렀다.

가난한 집안에서 효자가 태어나고 국력이 약하면 뜻있는 인물이 나타난다.

여러분은 이후의 일이 어찌되었는지 모를 것이다. 알고 싶으면 다음 회를 보시라.

中國人 執筆 安重根 小說 I

－英雄淚

中國語本

敍

　　欲新一國之民,不可不先新一國之小說。蓋小說所以振人之志氣,動人之隱微也。庚戌仲秋,日韓合併,其事關係奉省之命脈,中國之存亡鉅而且急,是中國志士電激於腦,想溢於胸,急求保全之策;吾校同人有感於此,遂立同志會,命餘編輯小說,以鼓吹民氣。餘自愧謭陋,本不堪勝任,因同志責之甚殷,遂採韓國滅亡之原因,編輯成篇,當即石印。吾國中諸同志瀏亮是書,必可激發愛國之熱誠,有斷然也。

　　冷血生自序

目次

閔妃

李完用　　　　李王

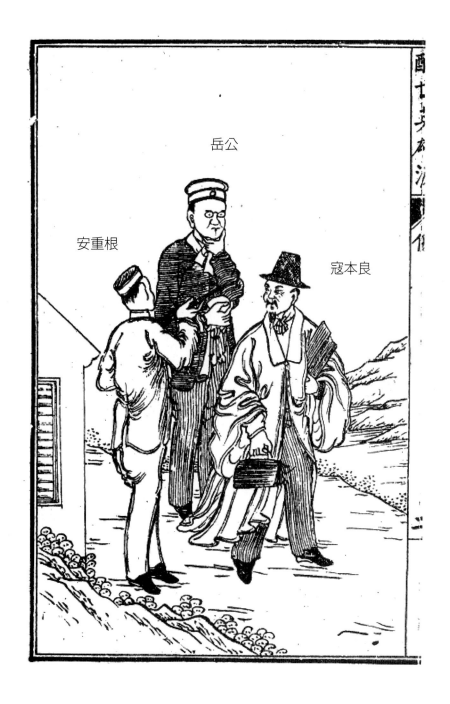

第一卷

莽莽星球互太空，古來不與現今同。圖存固國無他策，只在人民鉄血，人民各
負責任，豈可苟且偷安？若皆事事委權奸，必兆滅亡之漸，朝鮮覆轍在先，前
車後車之鑒。圖存首重鼓民權，不然危亡立現。

『西江月』罷，引場詩勾開，內引出一部書來。此書名曰『英雄淚』，就是那高麗國
這些年間，受日本的欺侮，跟今日隨了日本的事情。內裡有忠臣孝子，爲國損身的故
事，奸臣賊子，賣國求榮的典故，忠孝節義，靡有不全的。列明公你們想想，咱們中
國人素常日子，都管人家高麗人叫小國人。你看這小國的人，當亡國的時候，尚有這
一班愛國英雄，我們中國現在這樣軟弱，東三省眼睛看看，就要讓日俄瓜分了，恐其
不能趕上人家那小國人。要到那個時候，人家該管咱們叫亡國人啦！
那位說啦，日本滅高麗，怎麼還要滅中國呢？列位不知，你們沒聽見這幾年間，外
面傳言，說是外國要瓜分咱們中國嗎？怎麼叫作瓜分呢？就是拿咱中國當作一個
瓜，切成幾塊，人家外國，一家分一塊的意思。想想咱們東三省，緊靠着日本跟俄
國，要是分的時候，必讓日本跟俄國分了。日本要分東三省，所以先把高麗滅了。高
麗緊靠着咱們吉林跟奉天，要得高麗，望這邊發兵，必定容易。因爲這個日本滅高
麗，緊接着要分咱們東三省了。現時日本與俄國人和了好了，他們一和好，就是要合
着分東三省。高麗已經讓日本滅啦，東三省也就快完啦。高麗當亡國的時候，那些
英雄豪傑，忘身狗[1]國的很多，我們現在雖然未分，也當酸心落淚。怎麼說呢？日本
一下手，就想要滅咱這兩下，如今高麗亡了，他未來分咱們，是怎麼的呢？還是有點
怕咱們這些民，要是咱們還拿着高麗滅亡，一點不關心，人家可就要下手啦。我們
這個時候，要是尋思，怎麼應當不酸心而落淚呢？還有一件，我們東三省人，都喜
歡俄國，煩惡日本，都說是日本是個窮國，俄羅斯是富國，俄國以[2]到我們這邊來，不
大離的人，都有了錢化[3]，那知道俄國那是邀買人心的計策。有一部『國事悲』，諸公

---

1 殉.
2 已.
3 花.

看一看, 可也就知道他們都是一個樣子了, 要看見那『國事悲』, 跟現在咱們小說這
部書一聽, 日俄對待亡國人, 那個毒辣的樣子, 真是讓人說不愛說, 聽不愛聽。回
首想想, 我們的國家, 這個危急的樣法, 咱們當百姓的, 當想個什麼法子, 以愛這個
國呢? 可斷不要願意隨俄國, 那國也是不好哇! 以上所說這些話, 麼別的意思,
不過讓我們聽書的列位, 知道一知道亡國的慘狀, 也就是了。閑話少說, 書歸正傳。
列明公偃言落坐, 聽在下喉嚨啞嗓, 奔瓜吊字, 慢慢的道來。

表的是混燉初開天地分　陰陽交泰生出人。盤古時人間披樹葉, 人皇氏才留下
穿衣襟, 伏羲氏創下烹飪火食法, 神農氏嘗草傳醫到如今。黃帝時間文物備,
衣寇禮樂煥然新。歷代帝王都是他的後, 所以我們漢人稱曰黃帝子孫, 黃帝以
後曰唐虞, 揖讓天下重人倫。堯舜之世洪水為患, 茫茫大地無處存身。後有那
禹王治水山川走, 分出來九州疆土安萬民, 這帝舜見禹功勞大, 才將天下讓他
為君。夏家天下四百載, 桀王無道信奸臣。成湯起義南巢放, 一統山河屬於
殷。商家天下六百載, 出了一君叫紂辛。紂王信寵妲姬女, 剮剔孕婦剖賢人
心。作威殺戮毒四海, 周武觀兵到孟津。牧野以誓武誅紂, 將其子祿父封於
殷。紂王有個庶兄叫箕子, 一心不為周家臣。到後來箕子封於朝鮮地, 才留下
高麗這國人。漢武時高麗為那三韓纂, 所以又管高麗叫韓民。唐太宗伐遼過東
海, 斬其大將名蓋金。由此世世服中國, 年年進貢歲稱臣。論起來高麗也是黃
帝後, 他與我國本是同種又同文。現今高麗滅亡人人曉, 眾明公聽着怎麼不關
心? 這本是高麗已往實情事, 要聽還得開正文。今日不把別人表, 表表日本伊
藤君。

話說日本國明治初年間, 在西京地界, 出了一位英雄, 名喚伊藤博文。此人幼時讀書
勤力, 修成了滿腹經綸, 嘗抱勤王開國之志, 氣吞宇宙之心, 每逢鄉中有可辦之事
情, 他勇往直前, 不顧性命的去作。有一日, 在屋中悶悶不樂, 逐拿起筆來, 照着自
己的志向, 題了一首詩, 詩曰:

豪氣堂堂橫太空, 日東誰使帝威隆。高樓傾盡三杯酒, 天下英雄在眼中。

他題這一首不要緊, 可就被各處唸書的人知道了, 一個傳兩, 兩個傳三, 傳來傳去,

傳到他們國王的名下。國王一看這首詩，乃召文武百官上朝。文武百官來到金鑾殿上，三呼禮畢，國王命常隨官，搬過幾把椅子來，賜各大臣坐下。眾臣謝恩已畢，一齊坐下說道：「我主將臣等喚來，有何吩咐？」國王道：「無事不敢勞動眾卿，今日寡人有一件要事，眾卿不知，聽寡人道來。」

明治皇未從開口笑欣欣，叫了聲眾卿不知聽王云：「日本國不過區區彈丸地，想只要增長國勢必用賢人。若等到數年以後人滿為患，殖民之地咱們何處去尋？現如今中國昏昏在夢裡，那朝鮮不修內政竟愚民。我看那朝鮮將來能為我有，東三省亦可接着往前吞。這兩樣事情雖是甚容易，然必須本國內先立住根。聞聽說伊藤博文學問好，王有心用他為個外交人，先命他歐美各國訪政治，回來時籌備立憲固邦根，憲政成然後通行蠶食策，那時節不怕無地就怕無人，因此才寡人來把眾卿問，望眾卿各抒所見向王陳。」這君王說罷了前後一些話 又聽那內閣尚書尊聲聖君。

日皇說了一片言語，內閣尚書木戶起身奏道：「我主既願用伊藤為官，此事甚容易。微臣府下有一先生，名喚麥田春。此人素與伊藤博文有舊，也嘗在臣跟前，誇講伊藤之才。我主今日，可備些聘禮，命麥田春明日就去請他，那伊藤斷無不來之理。」日皇聞言，哈哈大笑，說道：「事情可也真湊巧，寡人正愁聘請無人，怎麼就有這麥田春呢？」急命常隨官，備下千疋細錦，五百兩黃金，國王親自修了一封聘賢的書子，又命人上木戶府中，喚來麥田春。麥田春來在金闕之下，俯伏在地，口尊：「萬歲，喚小人那邊差使？」國王說道：「這有一封書子，細錦千疋，黃金五百兩，你拿着去上西京，請那伊藤博文，前來居官。明日就要前去，不要遲延。」麥田春說：「遵命。」於是帶了書子，拿了金帛，歸本府去了。日皇又命打典退朝，諸大臣各歸府下不表。單說麥田春來在木府，歇了一宿。第二日清晨起來，用了早膳，收拾了行裝，拿了盤費，帶了二個跟人，備上三匹快馬，行李聘禮捎在馬後，上了坐騎，可就撲奔西京走下來了。

好一個為國求賢麥田春，他不住馬上暗沉吟，說道：「是我皇今日下個求賢詔，他命我西京去請伊藤君。伊藤博文本是當今一豪傑，若出世必能為國建功勳。」麥田春正在馬上胡叨念，又見那百般紅紫鬥芳春，見幾處堤邊綠柳垂金線, 見幾處隴陌佳禾色色新。又聽那百鳥林中音百囀, 千家的婦女笑言頻, 漁子河邊來垂釣, 樵夫深山動斧斤。走過了三里桃花鎮, 又過了五里杏花村。杏花村裡出美酒, 桃花鎮裡出美人。一路有花也有酒 花酒難留有事人。簡斷捷說來的快, 這一日來到伊府門, 甩鐙離鞍下了馬, 又只見院中走出一個人。

話說麥田春, 這一日來到伊藤門首, 搬鞍下馬, 正要上前去問, 只見從院中走出一個人來。麥田春擺手問道:「此是伊家嗎?」那人應道:「正是, 你們是那方來的客人呢?」麥田春道:「你且莫要訊問, 快去房中稟報, 就說有東京麥田春來訪。」那人聞聽, 急急忙忙跑到了上房, 正趕伊藤在屋中看書。家人說道:「稟爺爺得知, 外面有麥田春先生來訪。」伊藤聞言, 慌忙走出上房, 來到門外。二人對面行舉手禮, 命家人將僕人馬匹, 安置別處, 次將麥田春讓到上房, 分賓主坐下, 各道數年不見的思情。又見家人獻上茶來。茶罷擱盞, 伊藤道:「今日可是那陣風, 把賢弟你吹來的呢?」麥田春道:「兄長有所不知, 只因國王見了兄長之詩, 甚有愛才之意, 故命小弟前來相聘。現有國書信並聘禮在此, 乞兄長過目。」伊藤接過書信一看, 真是些謙恭卑禮, 乞求伊藤出世的話。伊藤看了一遍, 說道:「既蒙國家見愛, 小弟敢不盡犬馬之勞?」卽命家人收拾行裝, 明日隨着麥田春出了家門, 撲奔東京, 夜宿曉行, 非只一日。這日到了東京, 見了國王, 國王說道:「久聞先生大名, 如春雷貫耳。今日之見, 乃三生有幸, 先生何以教寡人治日本呢?」伊藤道:「我主願聽, 待臣下道來。」

伊藤那滿面和氣帶春風, 尊了聲:「萬歲臣的主公, 現如今歐洲諸邦那們強盛, 都因爲憲政完全那一宗。臣有心先上西洋訪政策, 考察政治往列國遊行。有學問然後才能作大事, 若不然咱國家得何日興?」日皇聞言心歡喜, 說:「愛卿的見識與王同, 你明日就可束裝歐美往。」伊藤說:臣我尊命, 明日就行。書要斷捷方爲妙, 離留囉嗦困明公, 這一日伊藤將要赴美國, 君臣們餞行在十裏長亭, 伊藤他辭別在朝諸元老, 這才坐上火船赴美京。在美國住了一年整, 又到那英國住了五六冬。俄法意奧遊歷各遍, 合計整整費了十年功。十年來采取了十餘國的政, 他這才坐上火船奔正東。回朝來在日皇殿前奏一本, 他言說:「臣要變法把日本興。」明治說:「寡人早有維新意, 今日就讓愛卿你實行, 寡人封你爲個全朝大宰相, 你須要真心無二來盡忠, 諸般政治隨你改, 那樣不好任你更。」因此才維新大變法, 但見那國勢日日增。衆明公你們都說日本他強盛，那知道人家作事與咱大不同，有了賢人人家就要用，有了好事人家就要行。事事都要隨民意，那像我國那些贓官污吏糊塗蟲，作出事盡是一派強壓力 那有那一件事兒順民情？勸大家從今後別把官府靠，各人家謀點本業是正經。押了此事咱們且不表，再表法美駐日的領事公。

話說明治用了伊藤，維新變法，當下驚動了法國的領事札林、美國的領事安泥氏。這一日，兩國的領事會在一處，札林說道：「賢弟，你看日本現今維新變法，民氣日增，將來東亞的利權，必為他們占了，咱們何不往本國打電呢？」那位說：「得啦，你不用說了。法國跟美國，本是兩國，語也不是一個樣，字也不同，他兩個人怎麼能句說話呢？」列位有所不知，現在這個時候，各國辦大事情，全是用英國語，他兩國語雖是不同，全是說英國語呀。往後無論那國，全是這個樣子，列位不要疑惑。再說那安泥氏說道：「長兄之言，甚是有理。」於是他二人各自修了一封書子，到了電報局，打到本國去了。這且不表。

單說法國皇上，那日早朝，只見外務部大臣，呈上了一封書子，法皇接過書子，拆開一看，但只見上寫着：

> 駐日領事札林三頓首，叩稟我皇萬歲王闕中。現如今日本用了伊藤為宰相，維
> 新變法民氣甚是雄。他一心要取高麗為殖民地，他又要侵占中國省關東，望我
> 皇速速想個對待策，萬不可讓他侵占咱們的利權中。法皇看罷了札林這封信，
> 不由的他腹內叮嚀好幾叮嚀。

話說法皇看罷了書信，對各大臣說道：「日本明治維新，甚是雄猛，咱們可是如何對待他呢？」內有外務部大臣阿根奏道說是：「我主不要犯愁，咱們候上幾天，聽聽美國有甚麼方法，然後咱再跟他合着去辦，豈不妙嗎？」法皇開言說道：「愛卿之言，甚合朕意。」急上外務部，選了幾個人，去上美國打聽消息。探了幾天，打聽消息的人回來，說道：「那日美國，接着他們駐日領事的電報，他國在議院中開了一會議，出一個道來，想要派些個耶穌教徒，上高麗國，以傳教為名，好開化他的民智，他們的民智一開，那日本就不能怎的了。」法皇聞言說道：「此方甚好。」於是也就派了些個耶穌教徒，去往高麗傳教，這且不表。

單說我朝同治初年，高麗國王晏駕，無有太子。大臣們商量着，把大院君李昰應的

兒子李熙立了。年方七歲，不能聽政，所以大院君就為了監國攝政王，金宏集為宰相。這金宏集，本是一個貪贓賣法的奸臣。他薦舉了一些個小人為官，就是那鄭秉夏、朴永[4]孝、金玉鈞[5]這一黨人。大院君又荒淫無道，不修國政，因此那全國的百姓靡有一個不怨恨他的。這一天早朝，有皇門官奏道：「啟奏我王得知，外面有法美來的五百餘耶穌教，要在咱國傳教，現在午門外候旨呢。」大院君聞聽此言，問諸大臣曰：「他們前來傳教，這個事，可是讓他傳不讓他傳呢？」只見班部中轉出兵部尚書云在霄來，上前奏道：「說他傳教是好意，我主斷不可拒絕。」大院君又曰：「他們既是好意，與咱有何好處呢？霄愛卿你說一說，與本監國聽。」雲在霄道：「我主不知，聽臣道來。」

雲尚書未從開口面帶歡，尊了聲：「我主不知聽臣言：耶穌教本是上帝一分子，全仗着傳教天下化愚頑。所說的俱是忠君愛國大實話，所講的盡人人自治保利權。英美的國民那樣強盛，也都是耶穌教徒化的寬。我國民現今實在不開化，有何人知道保國求治安？耶穌教今日替咱把民化，那恩情豈不真是重如山？望我皇不要狐疑把旨下，讓他們速速傳教在這邊。聞人說日本現在大變法，不久的就要通商到此間。那時節我們的人民要是不開化，是何人與那日本爭利權？利權要是到了外人手，想只要圖存保國難上難。而且說中國現今也是狠[6]軟弱，那能勾[7]替着咱們求治安？為今計莫若速速開民智，若不然國家不久的就若完。國家強全仗着多數的老百姓，百姓強那國家也就穩如山。想只要為世界上一個獨立國，不開民智什麼方法也是妄然。勸君王快快的想個新民策，可千萬不要仗着人家保護咱。」雲尚書說罷了前後一些語，又聽那院君在上開了言。

話說雲在霄說：「罷了耶穌教傳教，有多少好處？」大院君說：「愛卿你方才說的這些話，本監國我看之也不大離，就依愛卿，你酌量之辦去吧。」雲在霄下了銀安殿，

---

4 泳.
5 均.
6 很.
7 夠.

來在朝門以外，看見那耶穌教徒，全在那裡候旨呢。雲在霄來至近前，那些教徒皆行了舉手禮，大人還禮已畢，說道：「我主傳下旨，命你們自由傳教，望諸君熱心教化，可不要讓那無知的百姓，藉事生端。」眾教徒唯唯而走，大人亦坐上轎子，歸府去了，話分兩頭。

單說日本自維新以來，光陰似箭，日月如梭，不知不覺的也就是十拉年。這一日正是他國立憲的一個紀念日子，於是那滿朝文武，跟他們的皇帝，可就開了一個大會，叫作紀念會。飲酒之間，明治可就對伊藤說了：「寡人嘗愁咱國人滿為患，想只要在外侵佔點土地，又怕本國根本不固，現今憲法已經都完全啦，民氣已狠[8]強啦，寡人要經營朝鮮與中國，可得什麼政策呢？」

> 伊藤開言道尊聲：臣主公，想要圖朝鮮「臣有計幾宗：第一先要與他定下通商約，將領事安在他們的京城。各商人全讓他往高麗去，使喚着他們商業不能興。使喚他利權漸漸外溢了，使喚他巡警財政皆在咱手中。然後再想個別的方法，於領事館安上咱們國的兵。雖有那沖天手段讓他不中用，雖有那撥雲的武藝讓他不能行。管教他數萬人民歸我管，管教他十三道的土地一齊扨。管教那朝鮮地圖變了色，管教那歐美諸邦膽戰驚。那時節誰來干涉也不怕，若不然咱們就與他動刀兵。得了高麗然後咱再瓜分東三省。我的主你看這個方法中不中用？」正是這伊藤殿前來劃策，又聽那皇門官進來稟一聲。

伊藤正在說那經營朝鮮的政策，只見那皇門官進來稟道：「外邊有九州商人吉隆，言說有要事來見大人。」伊藤說：「將他喚進來吧。」不一時，皇門官將吉隆帶進來，跕[9]在殿下，伊藤離坐問道：「你有何事來告呢？」吉隆道：「小人無事不敢到此，只因前幾年，小人在歐美各國貿易，見他國的耶穌教徒，漸漸的東來。至今年，小人又在高麗仁川貿易，看耶穌教徒，在他們處的甚是不少，他們信教的也狠[10]多。後來打聽着人說，是什麼雲在霄，願意讓穌穌教在他們那邊傳教。小人想朝鮮人若是全信了教，開了智識，咱們要經營他們的地方，豈不是難啦嗎？望大人想個方法

8　很.
9　站.
10　很.

以處之。」伊藤聞言, 點首會意, 遂命人拿過十五圓錢來賞吉隆, 吉隆不受。說道: 「此是小人應盡的義務, 曷敢受賞呢?」伊藤說: 「我不是賞你, 我是鼓勵別人。」於 是吉隆受錢而去。

眾明公, 你們看日本一個商人, 全有愛國的心思, 望諸公往後作事, 都着照吉隆這樣 才好。閒話少說。

單說日皇聞聽此言, 伊藤曰: 「愛卿有何方法?」伊藤道: 「我主勿憂, 臣自有方法。」 當日天色已晚, 各大臣歸府去了。伊藤來到府中, 叫家人伊祿, 說: 「你上木大人府 中, 將麥田春先生請來。」伊祿說: 「是了。」不多一時, 麥田春來到, 讓至書房, 分賓 主坐下。麥田春道: 「兄長將小弟喚來, 有何事相商?」伊藤走至身前, 附耳低言說 道, 如此如此。麥田春會意, 辭別伊藤去了。這且不題。

單說韓國的宰相金宏集, 這日正在屋中悶坐, 忽有家人來報, 說道: 「外邊有日本使 臣麥田春求見。」金宏集聞言, 忙忙頂冠束帶, 迎出門外, 讓至客廳, 分賓主落坐, 說 道: 「貴國來到小邦, 有何事辦呢?」麥田春說道: 「鄙人奉了我國皇帝旨意, 特來 貴國修訂商約。」

列明公有所不知, 這個商約, 就是你國上我國做買賣, 我國上你國作買賣, 兩家定 下一個合同的意思。再說麥田春, 將定約的事情說完, 遂獻出明珠五十顆, 佩刀兩 把, 軍衣一身, 說道: 「這是敝國一點薄禮, 望大人收下, 若事成以後, 將來還有重 謝。」金宏集並不推辭, 收下了禮物, 說道: 「鄙人自能盡心去辦, 明日聽信吧。」說 罷, 麥田春辭別了金宏集, 回旅館去了。第二日清晨早朝, 金宏集將此事奏與大院 君。大院君問各大臣曰: 「你們看這個事情, 可行不可行呢?」忽見班部中, 走出一 個人來, 說道: 「日本想只要奪咱國的商權, 所以來修訂商約, 此事斷不可行。」眾 視其人, 乃兵部尚書雲在霄[11]也。大院君說道: 「既是不可行, 就讓他回去罷。」即捲 簾退朝。金宏集回到衙門, 麥田春早已在那裡候着呢。見金宏集回來, 起身說道: 「事情怎麼樣了?」金宏集答道: 「不妥, 被那雲在霄老兒給破壞了。」麥田春聞聽說 雲在霄的名字, 他可就沉吟半晌, 自忖道: 「我此來正為這老兒, 何不乘機會, 將他 離間於外呢。」主意已定, 遂向宏集說道: 「此雲在霄, 不是讓耶穌教在你國傳教的 那們[12]人嗎?」宏集答道: 「正是。」麥田春說道: 「哎呀!這個人的意思, 可實在不好

---

11 雲在霄.
12 個.

哇。」宏集說道:「怎麼呢?」

　　麥田春開言道尊聲:「大人哪,提起耶穌教實在不好哇。耶穌教雖然以傳教為
　　名目,實在是說神道鬼竟瞎叭。全仗着人多勢眾來作亂,動不動就要欺侮那國
　　家。那英國的皇上也曾被他們更換　法國的大臣也曾遭過他們教,英法國的人
　　民也曾經過他們塗炭,英法國的社稷幾乎未亡於他,這耶穌教專講究與那政府
　　作反對,這耶穌尋着宦家錯兒就要殺。現如今貴國也有了耶穌教,不久的就要
　　把你們來欺壓。漸漸的你們國的人民全信了教,問大人你可用什麼道兒制服
　　他? 那時節恐怕你們的富貴不能保,那時節恐怕你們的腦袋搬了家。依我看不
　　如將他們全趕出去,省着他在貴國以內把亂發,次將那雲在霄老兒調在外,你
　　皇上必能與你把官加。然後再與我國把商約訂,我情願每年與你三千銀子花。
　　我說此話你要不信,今日就與你把押畫。」金宏集聽罷了前後一些話,他這才垂
　　頭喪氣把話答。

話說金宏集聽罷了麥田春一片言語,嚇的魂不附體的說道:「我不誠想這耶穌教,
還如此利害嗎? 我必定將他趕出國去。至於商約之事,我定然與貴國辦成,望祈多
等幾日才好。」麥田春說道:「望大人在意也就是了。」於是麥田春辭別宏集,坐上輪
船歸國去了。
眾明公,你們聽聽,方才麥田春所說的這些個話,全是那伊藤附耳低言之語,不可
不知道哇。這且不提。
單說金宏集復又到了大院君府內,見了大院君,將麥田春的話,對他細細的說了一
遍。大院君說:「這是雲在霄的主意,明日讓他去鎮守平壤,不在京中也就是了。
那個耶穌教的事情,愛卿你看得怎麼辦呢?」金宏集說道:「依臣愚見,明日咱出上
一張告示,讓那耶穌教徒全都出去。他若不走,咱們再讓那百姓殺他,殺一個耶穌
教,咱們賞錢多少。那時節他們怕殺,也就走了。」大院君說:「就是這個主意。」到
了次日,先將雲在霄打付鎮守平壤去,然後又出了一張趕耶穌教的告示。那百姓一
見這張告示,可就虐待起那耶穌教來了。

　　好一個無道昏王大院君　他一心要虐待耶穌教人　出一張告示就把他們趕,立刻
　　就不讓他在國內存　說是要有人殺了耶穌人一個,國王就賞他五兩銀。有人要

是殺了人兩個，就與他九兩零十分。無知的百姓一見心歡喜，他這才拿刀動槍來殺人。十來天殺了無數耶穌教，手拿着人頭去領銀。耶穌教一見事不好，一個個可就慌了神，急忙忙不分晝夜望外地跑，可一下子出了這座門。這一日來到了本國地，各向國王奏了本一份。法美皇上見了這一本，急派大將可就點了軍。教軍場上選了三萬人共馬，大炮拉了三百多尊。大兵發到朝鮮地，殺了個山崩土裂天地昏。列明公要問後來一切事，等一等下回書裏聽緣因。

朝鮮院君無道，作事甚是昏庸。耶穌傳教在國中，他還以爲無用。信任宏集賣
法，江山轉眼就扔，法美二國發來兵，還在朝中作夢。

『西江月』罷，書歸正傳。上回書說的，是法美二國兵伐高麗，外邊告急的文書，打
到了漢城。那大院君只嚇的魂飛膽裂，對着金宏集說道：「這可如何是好？」金宏集
說道：「我王勿憂，臣有一條拙見，可以將法美二國兵擋回。」大院君說道：「愛卿
有何高見，快快的講來。」金宏集說道：「我王不知，聽為臣的道來。」

金宏集未從開口笑盈盈，尊了聲：「我王不知聽臣明：雲在霄現今鎮守平壤
地，閔泳駿鎮守在黃海道中　他二人現在皆有兵十萬，打法美他們二人就能
行。讓在霄帶兵把守仁川境，讓泳駿帶兵把守華陽東，法美二國的兵船要來
到，隔岸就用大砲轟，不怕他有兵多少萬，管保教他盡死在大海中，祈我王快
快刷旨意，讓他們二人就用兵。」院君聞言心歡喜，急忙忙刷了旨兩封，一道
下在平壤去，一道下在黃海道。雲在霄接了皇聖旨，他這才點齊了人馬仁川
行。這一日大兵到了仁川地，海岸以上扎下營，大砲安上三十座，專等法美二
國兵，這一日兩國的兵船一齊到，他這裡就用砲來轟，只聽大砲咕咚一聲響，
但見那海水一飛紅，一連放了三十砲，打沉了法國一船兵，兩國一見勢不好，
他這才弔過船頭回了京。法美回國咱且不表，再把在霄得勝明一明。

話說雲大人在仁川，打了一個勝仗，點了點自己的兵，才傷了三十來。又在海中，撈
上法國那只破船，得了他大砲三尊，小鎗子無數。於是代[1]了兵將，回到平壤，將得
勝的表章，打到漢城。大院君一見在霄打了勝仗，滿心歡喜，遂降旨，封在霄為十三
道的提督。什麼叫作十三道呢？列明有所不知，那十三道跟咱們中國二十省一個樣
子。這個時候，金宏集聽說雲在霄打了勝仗，又封了官，他原先本想只要害他，不誠

----

1 帶.

想人家却得好處, 心中實在是不樂, 這且不題。

單說日本自麥田春回國以後, 打聽着朝鮮, 已經將耶穌教趕出國去, 又與法美開仗, 知道這個事情, 全是麥田春的功勞, 於是封為外務部侍郎。壓下此事不表。

再說日本的工場, 造出了一號輪船, 能載二千多兵。這一日, 日皇陞²殿, 伊藤出班奏道:「我主在上, 臣有本奏。」

好一個才高智廣伊藤君, 他作事盡是蠶食高麗的心, 他說道:「我國造成船一號, 看此船能盛二千人, 臣有心將此船兒放在海, 去上那高麗海岸巡一巡。一來是試試此船有多麼快, 二來是看看高麗沿海門。他那沿海形勢要是全知道, 一旦有事咱們好進身。望我主千萬准了微臣本, 臣好上陸軍部裏去挑人。」

日皇說道:「愛卿之言, 寡人無有不從之理, 愛卿你酌量之辦去吧。」

伊藤侯一見日皇准了他的言, 不由的滿心喜氣上眉尖。急忙忙來到陸軍部, 排了五百強壯男, 內裡派了一首領³, 他的名字就叫大山岩。大山岩³領着兵丁把船上, 升上火來就冒烟 氣管兒放氣犇犇響, 輪子兒扒水上下翻, 轉眼之間就是七八里, 坐到上頭穩如山。外國的人兒有多麼巧, 作出物來賽神仙。日本到高麗也有一萬里, 坐輪船僅僅走了十來天。這日進了高麗境, 來到了他們的華陽灣, 押下日本兵船咱不表, 急回來把那閔泳駿來言一言。

話說閔泳駿鎮守黃海道, 這日接了國王的旨意, 命他把守華陽灣⁴, 預備着擋法美的兵船, 後來法美被雲在霄打敗, 大院君恐怕他們再來, 遂靡讓他回去, 就讓他永久在那把守着。

這一日, 正在海岸上, 拿着千里眼看呢。只見六七十里外, 有一號船, 如箭打的是前來。那位說啦, 隔着六七十里地, 怎麼能勾⁵看見呢? 列位有所不知, 那千里眼, 慢

2　升.
3　帶.
4　江華島.
5　夠.

說六七十里地, 就是六七百里地, 也全能看得見。那閔泳駿看着來了一號船, 也靡看見旗子。這話又差了, 怎麼船上還有旗子呢? 不知那外國的船上都有旗子, 所以一見旗子, 就知道是那國的船。日本這支船, 因為這一天風大, 他們靡掛旗子, 那閔泳駿就以為法美的船呢, 他可就走進大帳, 傳下令來了。

好一個閔氏泳駿小英雄, 看見了兵船吃一驚。急忙忙來在大帳裡, 拿起令箭就點兵。先點了五百大砲隊, 又點了五千飛虎營。桿子馬隊二千整, 准備對敵打沖鋒。陸軍步隊隨後點, 跕好條子就出營。頭裡走着一幫軍樂隊, 後跟着馬步衆兵丁。洋號吹的吱吱響, 洋鼓打的響捕咚。鎗嘴子好條一片高粱絮, 刺刀照的耀眼明。人馬來到海岸上, 一個一個瞪眼睛。

那位爺說了, 他們瞪眼睛幹什麼呢? 不是別的, 望海中睄[6]那隻船呢。閑話少說, 再聽我道來。

閔泳駿又拿起千里眼來用目睜 看那船離此不過二十里地中, 分付[7]聲:「砲隊各兵將, 你們與我快開攻。」砲隊將官說:「尊命!」一个一个來用工, 先開了砲門裝上藥, 炸子彈隨後就往裡邊扔, 擊子絞起咯吱響, 擊子落下響咕咚, 頭一砲來未打上, 二一砲來未成功, 三一砲來打的準 正正打在船頭中 只聽炸子咯啦一聲響, 那船頭炸了一個大窟籠 炸壞船頭不要緊, 傷了兵丁五百名。大山岩一見事不好, 補上船頭回了京, 日皇殿前奏一本, 他那裡就要發大兵, 他發兵不發的咱不表, 再說我國名大清。

話說我國大清, 當光緒皇帝元年[8], 那個時候, 李鴻章作直隸總督兼北洋大臣, 辦通商事務, 住在天津, 所有一概外國的事情, 全歸他辦。這一日美國來了個商務大臣, 名叫福世德, 法國來了個交涉委員, 名叫狄士年, 一齊到了李鴻章的衙門求見。李鴻章聽說了, 慌忙讓至客廳坐下, 說道:「貴國到此, 有何事商議呢?」兩國的使臣

6　瞅.
7　吩咐.
8　1875年.

齊聲說道：「無事不敢到此招擾，只因前幾年，日本明治維新，就想只要吞併高麗，侵佔你們中國。敝國以為他們要把高麗吞了，並且你們中國的東三省，也恐怕不能勾[9]保，於我們的商業上，寔在是有妨礙，所以我們派了幾百耶穌教徒，去上他們那邊，教化他那些個愚民。他們的民，要是開了知識，可也就能勾[10]保他們的國家了。他國的民到[11]是些個好民哪，惟有他那個攝政王，寔在是不知道什麼，中了人家日本的反間計，讓他們那無知的百姓，把我們的耶穌教徒殺了不少。後來我們人興兵問他去嗎，他又偷着放砲，把我們船擊沉了一隻。我們倒不是怕他，不敢與他開仗，都因高麗是你們的屬國，我們要跟他開仗，於貴國的臉上，也是不好看。所以我們的皇上，讓我兩人來告訴告訴，往後不要再讓他那個樣子也就是了。」李鴻章開言說道：「高麗雖然是我國的屬國，但是他國的政事，我們是一點也不管，要是與那國開仗，那國和約，都由他們自己的便。」法美二國的使臣聞聽此言，面面相覷，說道：「既然如此，咱們二人回去吧。」說罷，辭別李鴻章，回國去了。

列明公你們聽聽，都說是咱們國軟弱，像這個樣辦事的人，那有不壞呢？ 高麗本是咱們的屬國，不能勾[12]好好的保護，人家來告訴，那辦事的人，還拿着當耳傍風，因着這個，人家日本，可就下了手了。

好一個老而無謀的李鴻章，說出話來太荒唐。法美國本來是好意，他以為人家竟發狂。他說道：「高麗雖然服我管，向來的政治我們不主張。和戰由着他們自己的便，那裡頭靡有我們一點糠。」他說這話不要緊，到後來傳到日本耳朵傍[13]。日本聽見這个話，拿朝鮮當作了獨立邦。派人去問那華陽砲擊事，硬逼着那大院君來通商。通商後日本入了朝鮮地，他這些百姓可就遭了殃。看起來高麗滅亡這件事，全是我國辦事的人兒無主張。那朝鮮現今已經滅亡了，我中國不久的也是就要亡。眾明公呀！們們[14]思一思來想一想，可是用一個什麼方法保此邦？ 大清國本是咱們大夥的大清國，可別再讓那些個奸臣賊子胡亂揚。

- -

9 够.
10 够.
11 倒.
12 够.
13 旁.
14 你們.

咱們人人都想想一個謀生道，咱們各家裡都預備幾捍鎗[15]。來了咱們就把他們打，或者是能勾[16]保全咱這方。我說這話你們若不信，回到家去躺在坑[17]頭上好好思量一思量。押下此事且不表，再把那日本詳一詳。

話說日本皇帝，那日早朝，有皇門官奏道：「現有試驗兵船的將官大山岩，在午門外候旨呢。」日皇聞奏，說道：「將他喚進來吧。」殿頭官傳旨，那大山岩不多一時來至金殿，參見一畢，日皇問道：「你試驗那只船，快與不快呢？那朝鮮沿海形勢，可是怎麼個樣子呢？」大山岩說道：「我主不要問了。」遂把那船被高麗打破之事，說了一遍。日皇聞言，心中大怒，說：「好一個高麗，真乃無禮。」就要派兵前去問罪。伊藤奏道：「我主不要造次。臣有一計，管教我主把這個仇報上。」日皇說：「愛卿有何計策？快快的講來。」伊藤說：「我主在上，聽臣下道來。」

伊藤他未曾開口笑欣欣，尊了聲：「我主洗耳聽原因：高麗他打破咱們船一號，乘着這個隙兒好把他尋。不用兵來也不用將，只在一個外交人。今日不把別人派，還要派那麥田春。命他帶帶銀子三千兩，好賄賂那宏集老奸臣。商約領事朝着他一個人辦，老奸賊見錢必定起壞心。立逼他主把商約訂，那時咱們可就有了根。這是微臣的一個拙見，望祈我主斟一斟。」

伊藤說了一片言語，日皇說道：「此事甚善。」遂又派了麥田春，去上高麗修訂商約，又派了一別位官員，名叫花房，說道：「他要許了咱們通商，你就作那處的領事吧。」於是他二人各自領了旨意，上高麗去了。這且不表，不在話下。

單說閔泳駿，當日打退了那隻船，後來才知道是日本的，恐怕惹出禍來，就報進城去了。大院君一聽這個消息，忙問那金宏集。宏集心中暗暗的說道：「這回我可能勾[18]給日本辦事了。」急忙對着大院君說道：「這個事情不要緊，他們幾天必來，那個時候，咱們與他訂下通商條約，可就拉倒啦。」大院君說：「就是如此吧。」說罷，金宏

---

15 杆槍.
16 够.
17 炕.
18 够.

集辭了院君, 回在衙下. 書童過來, 說道:「書房有日本客, 現在書房等候着呢.」宏集聽說, 慌忙來在書房, 見了麥田春, 各道了寒溫. 麥田春又與花房引見了, 遂將銀子拿出, 承[19]遞於宏集. 宏集假裝着推辭兩推辭, 可也就收下了, 說道:「現在來到這裡, 八成是為的那華陽灣的事情吧.」田春說:「正是.」宏集說道:「那商約的事情, 我已經對我們的監國說了, 將來許有個成. 若是成了的時候, 你二位就在這作領事吧.」田春說:「花大人就是我派定的領事.」宏集說:「更好了.」當日天色已晩, 遂分付[20]排筵, 與田春對面歡飲. 飲完, 田春就住在宏集的家中, 一夜無話. 到了次日早朝, 帶他二人上朝, 對着大院君就說起來了.

好一個奸賊宏集本姓金, 他作出事來竟欺君. 他說道:「日本商船咱們打壞, 人家傷了五百人, 現如今人家到此將咱問, 咱們可用什麼話來對他云? 依臣看不如與他訂下通商約, 咱國內許他們安上領事人.」院君聞言說是:「對, 我也早有這個心.」金殿以上就把合同寫, 畫上押來就算眞. 立時開了兩個大商埠, 就是那仁川元山津. 花房這裡爲領事, 與他修上一個大衙門. 自從日韓訂下通商約, 那日本就往這裡來遷民. 明只就是作買賣, 暗地裡就算扎下根. 住下此事咱不表, 再把李熙皇帝云一云.

話說李熙現在已經二十歲, 選了閔泳翊的妹子爲皇后. 這個娘娘讀過書, 那三從四德, 無有不知的, 就算他們高麗國一個女聖人. 這一日對李熙說道:「陛下如今也是二十多歲了, 什麼事情也不管, 可到算一個什麼皇上呢? 現今再要不親政, 將來咱國可就要不好啦.」他這幾句話不要緊, 可就把李熙提醒了. 次日, 會了那滿朝文武, 跟着大院君一說, 大院君無可如何可就把政歸了. 李熙皇帝登了大寶, 大赦天下, 封閔泳翊爲內閣侍郎, 金炳之爲總理大臣, 朴定晨爲內務部大臣, 李完用爲外務大臣, 李允用爲軍務大臣, 趙炳稷爲法務大臣. 那金宏集諸人, 也未封, 也未貶, 可是不大信用了, 事事全與那閔皇后商量. 那皇后辦事, 也是甚有道理, 所以他國的民, 也是狠[21]樂和的. 這且不表.

- -

19 呈.
20 吩咐.
21 很.

單說大院君, 自從歸政以後, 看那國中用事的, 都是那閔皇后的家裡人, 他心中甚是不願意。這日見了金宏集, 說道:「現在你看咱國那用事的, 全是閔族, 把咱們都干閑起來了。我想只還要執政, 你看得想個甚麼法呢?」金宏集說道:「這事容易, 現在那飛虎營的總兵牛全忠, 是我的親戚, 見他一說, 讓他幫着咱們, 把那閔氏除治了, 然後咱們再封他為那兵部尚書, 他斷無不從之理。」大院君說道:「此法甚好。」於是他二人來到飛虎營, 牛全忠接至帳中坐下, 說道:「二位大人到此, 有何事相商呢?」金宏集遂把大院君的意思, 說了一遍, 牛全忠一聽, 心中想道:「現在日本在我們這邊, 我是狠[22]煩惡的, 不如藉着這個事, 把他們除治了, 豈不是好嗎?」於是答應了大院君, 點起兵馬, 可就作起亂來了。

好一個智廣謀多的牛全忠, 他一心要把那日本攻。教軍場點了三千人共馬, 扯起大旗就往外行。出大營他不把皇宮奔, 領着人馬樸[23]正東。金宏集不解其中意, 只得隨着他們望前行, 前行在日本領事衙門地, 他這裡招呼一聲:「大小眾兵丁, 日本子本是咱們大仇寇, 你們今天與我把他攻!」眾兵丁一聽這句話, 忽拉拉把衙門圍了個不透風。那花房正在屋中閑談論, 忽聽的門役報一聲, 說道是:「稟報大人得知道, 外邊裡不知什麼人發來, 大人哪!快快收拾跑了吧, 再等一時人家就要把咱坑!」花房一聽這句話, 吩咐聲:「快與我備馬走龍。」搬鞍任鐙上了馬, 順着後門扔了崩。牛全忠一見花房他跑了, 把那別的日本子殺了好幾名。吩咐聲:「三軍你們與我趕, 大料他不能出了這座城。」那花房正在慌忙往前跑, 忽看着後面塵土飛了空, 不用人說知道了, 定然是他們人馬把我攻。加加鞭子克克鐙, 那馬好像一陣風。前邊來在海岸上, 一看那汪洋大水把路橫。前有那大水來攔路, 後有那追兵趕的雄。眼睜睜的就要把命喪, 何人敢保吉合[24]凶? 書到此處住一住, 歇歇喘喘下回聽。

---

22 很.
23 樸.
24 和.

世界和平公理，男女本是平權，各有責任在人間，豈可外重內偏？朝鮮王妃閔后，說起算是大賢。廢去院君把政擔，國內稍微治安。

上場來『西江月』罷，內有古段[1]相隨，列明公尊坐，聽在下道來。

表的是大清一統錦江紅，出了那牛馬二英雄。要問牛馬英雄是怎回事，列位不知聽我明。道光年英國販賣大煙土，怒惱了那位林文忠。林則徐燒了他們的煙土，因為這個才起戰爭。英國的大兵到了浙江地，攻破了我們那座寧波城。寧波府轄有一個乍浦縣，縣中裡有一個老頭本姓龔，養活了一個牛來一個馬，專指着賣豆腐為他營生。這一日英人到了乍浦縣，把龔老頭的家業搶個空。接着又牽他那個牛合[2]馬，那頭牛可就起了愛國誠，照着那英人官長就一角，把他的肚子頂個大窟籠。眾英賊一齊的望上跑，那頭牛左右東西四下衝。撞着一個頂一個，一連頂死了人十幾名。眾英賊一見事不好，拿出鎗來與牛爭。快槍一響就把牛打倒，嗚呼一命歸陰城。那英人又騎上龔氏的馬，順着江沿去攻那座鹽海城，這匹馬特意打個前失跌，把英賊跌下馬鞍龍。這馬慌忙就踏住他的腹，腦代[3]上就用蹄子登[4]，把那英賊活扒死，他這才一撒懽[5]兒影無踪。眾英賊一見說是不好，這牛馬八成是神靈，於是不把鹽海犯，那座城所以得了安寧。戴大人就把他們國畜叫，又提了名兒叫他二忠。這就是牛馬英雄一件事，眾明公你們好好聽一聽。扁毛畜生還有抗賊義，我們不保國怎對起畜生？國保就是我們的身家保，國破怎保身家性命存生？要想保家總得先保國，家國原來是一宗。要等着國亡家也不能好，那時節父母妻子各西東。家業財產全歸外人手，想要不給也不行。從今後別把外國人來鬆，要欺負咱就與他把命拼。外國人也

---

1 段.
2 和.
3 袋.
4 蹬.
5 歡.

是怕那好硬漢，咱要硬了他們就要放鬆。列位呀！你們仔細想一想，我說這話
全然不是胡蒙。上場來幾句閒言書歸正，還把那日本花房明一明。

上回書說的是，日本領事花房，逃在海岸以上，前有大海，後有追兵，正在為難之
際，只見上稍來了一號輪船，他慌忙招呼道：「救人哪！」那船來至跟前一看，是那
英國的商船，去上日本橫濱作買賣的，於是花房坐上這隻船，歸國去了。
單說牛全忠趕到海岸，一見花房被人救去了，他一看這個事情，已經洩漏了，他可就
跑往美國去了。剩下那些個殘軍，鬧了一天，也都安撫下了。那大院君等鬧了一個，
畫虎不成，真是可笑。這且不表。
單說花房來至國中，見了伊藤公，把以上之事說了一遍，伊藤說：「從今後我可有了
對付高麗合[6]中國的道了。」

好一個很[7]毒的伊藤博文，他懷着破壞高麗中國心。說：「高麗本是中國的屬
國，他們不能好好的去保存。他們不能保護咱們保護，不可失了這個的好機
因。高麗緊靠着奉天、吉林地，得了他就容易把滿洲吞。現今他攻了咱們領事
館，依我看是咱的大福分。他不找咱咱還要把他找，況且說他上趕着把咱
尋。我常愁吞併他國沒有道，要如此我們可就有了根。」於是又派官員往高麗
去，這官員的名字叫井上馨。回頭又把英雄大山岩叫：「你領那第一鎮的大陸
軍，跟井大人一齊往高麗去，到那去問他那無道昏君，為什麼攻了我的領事
館，為什麼殺了我的眾商人？殺了我們的商人不要緊，我國損去了五十多萬
金，今日必須賠了我們的歉，若不然我就與你動大軍。還得許我安兵在領事
館，好保着我國領事與商人。還得差人上我國來賠罪，與我那死的留下養家
銀。賠歉[8]無錢行息去借外債，指那國地作保不認得人。你二人就照這樣對他
講，看他有什麼話兒向咱云？」二人齊說：「是，我們記住了。」這就坐上輪船
起了身。日本興師問罪咱且不表，且表表我國駐日的公使臣。

---

6 和.
7 狠.
8 款.

話說日本派了大山岩、井上馨, 去上高麗問罪, 當下驚動了我們中國駐日的公使黎庶昌。他聽這個消息, 說道:「高麗本是我國的屬國, 現在他要插手奪權, 與我中國狼⁹有不便; 要是高麗歸了日本保護, 離我們東三省就近啦。要到那個時候, 我們東三省也怕不好。」急忙的修了一封書子, 到電報局, 打到北洋大臣這來了。這個時候, 北洋大臣李鴻章丁憂, 張樹聲署理, 當日接了黎庶昌這封電信, 扯開一看, 但見那上寫着:

「駐日領事黎氏庶昌把事陳, 敬禀我國的北洋張大臣: 大院君無故的作了禍亂, 他攻了日本領事衙門。現如今日本派兵把高麗問, 一心要凌虐他國的君與民。那日本不過區區三島地, 所以生出來這樣狗狼心。伊藤博文也從¹⁰畫過策, 他要把中國與那高麗吞。想要吞併中國的東三省, 不得不先在高麗把力伸。與高麗私自訂下通商約, 又安上花房一位領事官。因爲攻了他們的領事館, 又要在他國中把兵隊屯, 牛全忠殺了日本人幾個, 讓高麗賠他們五十萬金。他們的勢力要是比咱大, 那時節咱東省難保存。現今他們發兵高麗去, 咱們也當發去多少軍。要有亂咱先與高麗平了, 千萬可別讓日本進了身。日本原是個貪財的窮國, 不可不防備他的虎狼心。大帥哪, 你可別拿這事當兒戲, 關系於咱中國寔在是深。望大人速速發兵高麗去, 先除治了他作亂的人, 然後與他國說和了結事, 或者能勾¹¹保全了眾人民。這本是至理名言眞情事, 望大帥仔細尋思一思尋。」張樹聲看罷庶昌這封信, 不由的腹內沉吟好幾沉吟。

話說直隸總管張樹聲, 當下看了黎庶昌這封信, 他思尋道:「日本發兵去上高麗問罪, 這個事情, 與我國關係非輕。我要不去救他, 將來不但於我自己不好, 那萬人的罵, 也是挨不起的。」於是派了提督丁汝昌與那馬建忠, 駕了兩隻快船, 領了五千兵, 望着渤海口進發, 一晝一夜到了高麗。這個時候, 日本兵也到了。我國的兵, 先把那大院君廢了, 又殺了他那一同作亂的一百七十多人。日本一看, 咱國把高麗的亂平了, 他就要求高麗賠他們的歉, 並且許他們在領事館駐兵, 還得派人到他國去謝

----

9 很.
10 曾.
11 夠.

罪。高麗因為自己缺禮，只得應許賠了五十五萬元的歉。現在無錢，作為借貸，行上三分息，指釜山地方作保。日本又新派了一位領事竹添一郎，公使館裡，又安上二千兵。我國看他公使館安兵，我們也留了三千兵駐高麗。高麗又打付金玉均，去往日本賠罪。當下事情完了，兩國餘兵全回國去了。這且不表。

單說高麗大院君廢了，李熙皇帝本是個軟弱無能的人，所以國事全靠着閔皇后去作。這日閑暇無事，閔后對着李熙，可就講談起來了。

閔皇后未從開口笑嘻嘻，尊了聲：「我主洗耳請聽之。咱高麗自從開國享安泰，爲今計應當急急修國政。日本他欺侮咱國不爲別的，大概是要奪咱國好土地。今日裡受了他們日本欺，好保護咱們江山與社稷。」李熙說：「愛卿之言甚有理，咱這國就依着你去治理。」皇后他這才整頓國內一切事，學堂巡警立了一個齊。審判廳諮議院全然安下，蠶桑局官錢號立在城西。飛虎營改作了陸軍隊，火藥場變成了工程局。數月之間籌辦了一個備，喜壞了他們皇上名李熙。說：「卿呀，你能如此來治國，望後還怕的什麼外人欺？」皇后說：「還有一件頂大事，就是那賣國奸賊金宏集，日本子所以來到咱這裡，全然是宏集奸臣引誘的。依奴看不如把奸臣除治了，省着他倒賣咱國錦社稷。」李熙說：「事事樣樣依着卿辦，你說怎的就怎的。」他這才刷[12]了一道黃聖旨，派了那內務大臣名寇基。寇儒臣領兵就往金府去，不一時到了他那金府裡。吩咐聲：「兵丁與我快來綁！」把他那全家綁了一個齊。這一回拿了八十單三口，一個也未跑出去。拉着從那街上走，又聽那庶民人等把話提：這個說奸臣今日惡貫滿，那個說這也是他自取的，這個說往後不能把日本引，那個說再想要貪贓不容易。不言那百姓閑談論，再表那監斬大臣名寇基。押着犯人到法場，勾了絕就把招子披。讓他們一齊跪倒椿杌下，劊子手提刀候之。說是一聲時晨[13]到了，劊子手鬼頭大刀忙舉起。只聽那追魂大砲三聲響，那奸賊一命可就歸了西。一家人個個全殺死，寇大人這纔回城交旨意。寇大人交旨已畢回府去，李熙皇帝也退回宮裡。此事押下且不表，再把那金玉均日本賠罪提一提。

---

12 寫.
13 辰.

169

話說金玉均奉了國王之命, 去上日本賠罪。這日到了日本, 見了日皇, 呈上謝罪書子。伊藤博文從旁說道：「有勞貴國了。」玉均說道：「只因鄙國得罪了貴國, 理應前來謝罪, 豈敢言勞。」各說了一些謙恭的話, 可就散了朝啦。於是把金玉均送至驛館安歇。這金玉均到了驛館, 暗暗的想道：「日本因變法纔強的, 現在我國也是狠[14]軟弱, 朝裡用事的都是閔族, 我不如向伊藤說, 教他助我一膀之力, 我也變法, 強強我們高麗。」他尋思了一回, 說道：「就是這個主意！」

到了次日, 見了伊藤, 可就把這意思說了。伊藤聞言暗想道：「他們要變法, 讓我助他, 他要一變法, 必定起內亂, 我好乘他的亂以行事, 豈不是好嗎？」於是向玉均說道：「你們要變法, 這也是好事。我就與我國領事寫一封信, 他那也有兵, 讓他在那幫助你不好嗎？」玉均說道：「狠[15]好, 事成以後, 重重相謝。」當下就辭別伊藤回國。到了國中, 見了滿朝文武, 說道：「現在咱國甚是軟弱, 必得藉外國扶助, 纔能保存。咱們可是依靠日本呢, 可是依靠中國呢？」於是也有說中國軟弱不可靠的, 也有說日本詭詐不可靠的, 當下就分出了事大、親日兩黨。事大的黨願意靠中國, 親日的黨願意靠日本。願意靠日本的, 就是那朴永[16]孝、金玉均、鄭秉夏、趙義淵、禹范善、李束鴻、李萬來、李臣孝、權榮鎭那些人。願意靠中國的, 就是閔泳翊、閔泳駿、寇儒臣、親王李應佐、李應藩諸人。當日金玉均一提這議, 兩黨紛紛不一, 各人說一個道, 可也就拉倒啦。

那金玉均總是只想變法, 回到衙中, 吩咐家人道：「你去把朴大人、鄭大人、李大人他們請來。」家人去了, 不多一時, 他們全來到金玉均的家中, 讓至客廳坐下。三人說道：「大人將卑職請來, 有何話講？」金玉均道：「列位不知, 聽我說來。」

金玉均未從開口面帶歡, 尊了聲：「列位大人聽我言： 咱的國現今寔是不得了, 居於那日本中國兩大間。現如今日本盛強中國弱, 要靠那中國恐怕是妄然。那閔氏兄弟把軍事掌, 他妹子又在宮中弄大權, 他們專專倚靠那窮中國, 看起來這個江山就要完。伊藤博文願意讓咱們把法變, 他言說要沒勢力幫着咱, 此時中國與那法國開了戰, 咱趁着這個時候就當把法變。先殺那閔氏兄弟

---

14 很.
15 很.
16 泳.

哥兒兩，立逼着咱皇上把新法頒。別人不願意咱也不怕，有那日本領事保護着咱。列位大人看看這事好不好，大家夥商量妥就去辦。」那些人齊聲拍掌說是好，這才來到日本領事衙門前。對着那日本領事說一遍，那領事立刻與他兵二千。帶領着兵馬把皇宮奔，正趕那閔氏兄弟在那邊。他們一見就紅了眼，一個一個望上川[17]。鋼刀一舉忙落下，最可惜一見就紅了眼。當下驚動那一個？驚動了親王李應藩。慌忙跑到我國的公使館，對着吳、袁二公說一番，吳提督帶領兵丁皇宮去，這一回就出了亂子山，亂不亂的咱不管，歇歇喘喘喫代[18]煙。

----

17 躓.
18 袋.

若是[1]各人懷異志，文武同心國勢興。若是各人懷異志，家國安得有太平。

四句提綱敘過，書接上回。上回說的，是那金玉均，領着日本的兵，將閔氏兄弟殺了。又要立逼他們皇上頒布新法。當下驚動了親王李應藩，聽說有這個變動，急忙跑到中國的使館一說，那提督吳長慶，委員袁世凱，帶領着三千兵馬，可就勾奔皇宮救駕來了。

好一個高麗親王李應藩，他一到中國使館把兵搬。他言說：「金玉均們作了亂，勾引那日本反了天。只因為辦事不合起反意，他這才領着日兵到宮前。可憐那閔氏兄弟死的苦，他還要立逼皇上把法變。望大人速速發兵馬，一到那皇宮把日兵攔。」吳提督聽說了這個話，立刻的點了兵三千，出離使館把皇宮奔，正遇着日本兵丁在那邊，兩下一見就開了戰，鎗砲之聲震耳炫。只聽哨子吱吱的響，彈子穿梭心膽寒。自晨打到正晌午，日本的兵將輸於咱。竹添一郎帶領兵丁敗下去，吳提督追趕在後邊，一連趕了二十里，日本兵已到了仁川邊。吳長慶還要望前趕，袁世凱一邊開了言：「疾兔反噬是寔理，窮寇莫追是寔言。現在不如回去罷，好除治他們那作亂的男。」他這才帶領兵丁回裡走，人人得意面帶歡。人馬回到漢城地，又聽得提督一傍開了言。

話說吳提督代[2]領人馬，回到漢城，吩咐聲：「大小將官，一齊跟我去拿作亂的金玉均。」眾將官應聲說道：「是！」於是來到玉均家裡，把他一家子大大小小，盡皆斬首，可就是跑了個玉均。吳長慶尋思一回，說：「他可那裡去了？」尋找多時，並無影跡，可也就回了衙門了。
列明公有所不知，只因他們殺了閔氏兄弟，他又要上皇宮殺閔后。這個時候，國王李

1 非.
2 帶.

熙已經知道有亂，讓護衛軍把宮門守住。金玉均到了，一看把守狠[3]嚴緊，他在那等着日兵來到，好一齊闖進宮裡。等了多時，也不見日本兵來，正在無可奈何的時候，忽有跟人來報說道：「不好了，日本的兵，被中國兵打敗啦！」金玉均一聽這個消息，覺得不好，可就想要逃難，投奔日本。於是走到一個地方，幸與那些作亂之人，遇在一處，可就撲奔上東京大路逃跑。押下此事不表。

單說那日本領事竹添一郎，敗到仁川，看看後邊追兵回去了，他這才放心，慢慢的走。正走之間，忽聽後邊有馬蹄之聲，回頭一看，只見從那邊來了幾匹馬，如飛的一般，來至近前，並不是別人，正是那金玉均，後跟着那一群作亂之人。彼此各道一些受驚的話，於是一齊坐上輪船，可就句奔日本走下來了。

> 好一個幼小無謀的金玉均，他自己坐在船上犯思尋，說道：「是我要變法強韓國，那料想事情不成敗了軍。家中的老幼不知怎麼樣，大料着必教他們滅了門，全家的老少若是喪了命，豈不是我一人惹起這禍根？思想起讓人心中實難忍，這都是自己作的怨何人？恨。只恨自己作事無主意，我不該勾引日本去逼君。事不成惹下外人胡談論，思想起怎不讓人痛傷心。」玉均他越思越想越難受，他不住兩眼捕蘇[4]落淚痕。哭了聲生身父母難見面，數了聲結髮妻子離了身，事到如今我可把誰瞞怨，到不如身投大海去歸陰，正是他自己要想尋短見，又聽着跟人過來把話云。

話說金玉均正在船上，不住哭哭啼啼道念，要去自盡。跟人過來勸道：「大人不要悲傷，咱家中或尚未滅呢？要是滅了，現在死了，也是無益，不如咱到那日本，住上幾年，想個方法報仇，也就是了。」金玉均說道：「咳！事到如今，也只得渾着闖去吧。」於是止住淚痕，往那日本進發。

這日到了日本，見了伊藤博文，把上項之事說了一遍，伊藤說：「情道是難辦哪，你先在我國住只吧。我與你我找個差使，就在我國居官，豈不是好嗎？」金玉均說道：「那我可是感恩不盡了。」這且不表。

單說竹添一郎見了日皇，請敗軍之罪。日皇說：「這不干你事，回去休息去吧。」日皇

---

3 很.
4 撲簌.

又把伊藤博文請來, 說道:「現在咱們的兵幫着高麗, 被中國打敗了, 咱們可以怎麼對付他兩國呢?」伊藤說:「要問怎麼辦法, 聽為臣道來。」

伊藤他未從開口帶春風, 尊了聲:「我皇萬歲臣主公。咱們要吞併朝鮮與中國, 必須時時侵到他們權力中。在高麗中國勢力比咱大, 想個道兒使喚跟他一般同。因着這個與那中國把約訂, 再與那高麗立上約幾宗。讓他們賠上咱兵欸十三萬, 要賺着還教他們把利行。派一位官員往他國中去, 連辦交涉代把領事去充。今日不把別人派, 還須那位上[5]上馨。我主就當傳旨意, 讓他們好往高麗行。」日皇這才傳下旨, 上[6]上馨奉了王命出了京。這日到了韓國內, 那些個親日黨們亂哄哄。一個一個來告訴, 齊說道:「我國裡頭不尚公。那些個政事全歸女后主, 把我們這些個大臣一傍扔。」井君一看他們這個樣, 就知道他們辦事必不成, 到明日與那李熙把交涉辦, 諸般的要求全都應; 次又看看他國裡的內治, 不由的一見心內驚。不知道甚嗎[7]人來把政掌, 這政治與前大不同。儷然有個維新的樣, 他國內必定有賢能。不用人說知道了, 一定是那王妃閔氏把政柄。這個人要是不除治, 必為我國的咕懂蟲。事情辦完本國裡報, 對着他們的皇上說分明。

話說井上馨在高麗, 把事辦完, 高麗包他們十三萬元兵欸, 作為二分半利, 又把閔皇后怎麼樣的聰明, 想只要除治了, 這些事修了一封信, 打到本國去了。這且不表。

單說高麗京城, 有一家員外, 姓安名喚悅公, 本是黃榜進士出身, 娶妻張氏, 就是那雲在霄的表妹。老安人四十餘歲, 生了一子, 名喚重根, 眞是長得天庭寶[8]滿, 地閣方圓, 年方三歲, 精神伶俐, 賽如七八歲的兒童。夫婦二人愛如珍寶。這一日, 老員外對着夫人說道:「現在咱們國裡屢次的起亂, 要常在這住着, 恐怕難免刀兵之戮。我想要上平壤, 投奔雲大人那處避難。夫人你意下如何?」夫人道:「我看這個

----

5 井.
6 井.
7 麼.
8 飽.

地方, 也不可久居, 員外你說好便好吧。」於是將家中細軟的東西收拾妥當, 又把那些個家人使女, 喚到一處說道:「我家想要往平壤搬, 不能把你們全帶去, 我與你們點東西, 各奔他鄉去吧。」遂把些個不帶着的東西, 全分給他們。那些個家人使女, 各自叩頭謝恩去了。留一個家人安成, 又留了一個老媽。套上一輛小車, 老安人抱着重根, 上了車子。安成趕着, 老媽坐車外, 老員外備上一匹馬, 把門戶倉廩全都封了, 出了大門, 可就撲奔平壤大路走下來了。

好一個員外名叫安悅公, 他一心要上平壤躲災星。細軟的東西全都拾到淨, 又把那房屋門戶上上封。老安人抱着孩子把車上, 員外他也就上了馬能行。忽啦啦出了自己大門外, 又看那五街鄰舍鬧哄哄。一齊的走至跟前把行餞, 都說道:「員外今日避亂兵, 我們不久的也要往外走, 不能夠常住這個是非坑。」這個說路途以上加仔細, 防備那胡匪賊人把路橫; 那個說要是住店看一看, 千萬別存到那個賊店中; 這個說孩子可要包好了, 躲避着路途以上受寒風。眾鄰人一齊說道:「快走吧, 不要擔[9]惧了你們好路程。」老員外對着眾人使[10]一禮, 說道是:「有勞列位好心誠。現如今咱們雖然分了手, 望後裡我將來還要回漢城。」說罷了趕起車子上了路, 那鄰人一個一個回家中。那安成手拿鞭子緊着繞, 轉眼間就走出了十里程。老員外騎在馬上回頭看, 不由的一陣一陣好傷情:「獨只為奸臣當道亂國政, 才使我今日逃難離韓京。好難捨我那房間與地土, 好難捨親戚朋友各西東; 好難捨家人使女他鄉奔, 好難捨仁德鄰右患難同。拋家業這才望那平壤去, 也不知到在人家怎待成。」安悅公正在馬上胡叨念, 看了看西方墜落太陽星。他這才趕着車子把店進, 住了一宿明日又要行。走了些高高凹凹不平地, 過了些河路碼頭城。到晚間住在招商店, 到白日還是把路登。這日正然望前走, 看見了一座高山把路橫。黑珍珍密松林內無人走, 靜悄悄百鳥林中吱扎[11]鳴。老員外一見就心害怕, 說道是:「這個地方可是凶。常言說逢山就有寇, 看此處好像有賊蹤, 咱們不如繞着走。」那安成拉過稍轉正東, 方才走出一箭地, 只聽得後邊發喊聲。不用人說知道了, 一定來了眾賊

---

9 耽.
10 施.
11 原文: 口+扎.

丁。吩咐聲：「安成快着跑，再等一時就要把咱們坑。」安成聞言忙打馬，那車
兒好像一陣風。只聽得鎗兒一聲響，員外難保活性命。列位要問員外生與死，
且等到下回書裡再說明。

西江月

　　自來雄杰之士，往往命運不強，空乏心志路途忙，盡是勞苦現象。文王囚於羑里，孔子陳蔡絕糧，生於憂患死安康，才是聖賢模樣。

上場來『西江月』敘罷，書歸上回。上回書說的是，那安員外出了漢城，這日來到黃海道地界，看見前面有一座高山攔路。以看這座山，兩面盡是黑松林，中有一條大道。老員外說道：「此山甚是兇惡，必有強盜在此，咱家快從那邊繞着走吧。」於是安成趕車望那邊就跑。方才走了一箭多地，只聽那後面，忽啦啦出來了一伙盜賊，有二十多人，老員外看事不好，可就打馬跑起來了。

　　好一個員外安悅公，他的那運氣算不通。想只要平壤去避難，不料想中途路上逢災星。日本人占山為賊寇，要搶來往行路的公，偏趕上員外運不好，就遇見這夥日賊兵。老員外騎馬頭裡跑，眾賊兵步行隨後攻。步行沒有騎馬快，那賊子這才動無名，端槍就把員外來打，咕咚一聲了不成，把員外打落能行馬，太陽一上冒鮮紅。中途員外廢了命，那車子跑了個影無踪。這夥賊又把車子趕，但見那西山以上來了兵。咕咚咕咚把槍來放，打死了日本賊四名。他們才想往回來跑，在後邊人來了二百多兵。兩面夾攻把他來打，僅僅跑了賊子四名。押下賊子逃命且不表，再把拿賊子的英雄明上一明。

話說高麗黃海道仁里村，出了一位英雄，姓侯名弼，字表元首。從小父母雙亡，有一哥哥名佐字元良，將他養活了七歲，上學念書，至十七歲。聽說美國學堂甚好，他就辭別哥嫂，上了美國。在他那陸軍學堂，住了三年，學成了一身兵式體操之法，滿腹出兵戰陣之方。他回到家中，也不去作官，就在這仁里村，將他屯中的那些少年，挑了三百餘人，立了農備學堂，買了些個快槍，天天教他們下操。臨近有賊，他就率領農備兵，盡力剿出，所以他那地方沒有賊匪。光陰如箭，不覺的就是三年之久，那些少年全操練好了又續了二百餘人，仍就的教練，預備教練多了，好打外人。趕上他那時運不好, 哥嫂又一齊下世, 拋下一個姪兒, 名喚侯珍, 年方七歲, 他教他念書, 自己也不娶媳婦。

這日正在屋中看書, 忽見外邊有人來報, 說是離這十五里地, 有一座奇峰山, 那塊有一夥日本強盜, 在那裡途劫戶搶, 甚是兇惡, 特此報知。候弼一聽這個信息, 就點齊了自己練的那些農備隊, 前去打賊。正趕上那安成趕着車子跑過來, 他上前就問, 說道:「你們跑甚麼?」安成說道:「我們是往平壤去的, 路過這個山, 出來了一夥日本賊人, 嚇的我就跑。我們的員外還在後邊呢, 不知性命如何, 你們快去救他吧!」元首道:「我正正是打賊, 你們可在此等着, 待我們打走了賊, 然後再把你們送過山去。」吩咐已畢, 他可就率領着兵前進。走不多時, 只見那邊日本賊趕過來。他們可就一齊開槍, 將日賊打死了無數, 只跑了四個。於是他又轉過山頭, 往前一看, 只見那道口, 躺着一個死尸, 知道必是安員外, 被賊打死了, 急令人抬着到安成的車前, 說道:「你來看看, 這個死尸, 不是你的主人麼?」安成一看, 正是那員外, 急忙跑到車前說道:「太太呀, 不好啦!員外被賊打死了。」老安人一聽這話, 慌忙把公子交與老媽, 跳下車子一看, 可就哭起來了。

　　老安人一見員外喪了命, 不由的兩淚淋淋放悲聲。說道是:「只想逃難得好
　　處, 那知道中途路口把命坑。早知這樣事情也不能走, 道不如在那漢城住幾
　　冬。那管他日本作亂不作亂, 或者還不能死在他手中。現如今躲還未能躲出
　　去, 尋思起那樣重那樣的輕? 小嬰兒未滿三四歲, 是何人能勾[1]教把名兒成?
　　丈夫呀! 你死一生只顧你, 拋下了我們母子苦令丁[2]。叫丈夫你在陰城等一等,
　　我與你一同去去[3]枉死城。」老夫人越哭越痛如酒醉, 忽然間一口濁痰到喉嚨。
　　咕咚一聲倒在流[4]平的地, 那邊裡嚇壞家人老安成。走上前一看安人閉了氣,
　　他這才捶胸垛足放悲聲。叫了聲:「太太你快醒來把[5], 多歸陽世少歸陰城。太
　　太呀! 你令若是歸陰去, 我們那公子可是誰照應?」你看他前邊拍來後邊打,
　　太太招呼的不住聲。老安成招呼了多一會, 只聽的安人那邊哼一哼。

----

1 夠.
2 伶仃.
3 那.
4 溜.
5 吧.

話說安成招呼了多一會, 只聽太太哼了一聲, 從口中吐出了一塊濁痰, 哎喲的一聲, 說道:「可把[6]了我啦。」眾人一見太太活了, 一齊上前勸導, 說:「太太不要悲啼了, 人已經死了, 哭也無益。」侯弼又說道:「太太不要悲傷。天道也不早了, 先把員外的尸首, 抬到我們的莊上, 買口棺材, 成殮起來, 然後再送你母子上平壤, 豈不好麼?」安人聞言, 說道:「那們我[7]母子可就感恩不盡了。」遂問道:「義士高姓大名?」侯弼答道:「敝人姓侯名弼, 字表元首, 這仁里村的人氏。」安人說道:「就是侯義士了。」遂即拜了一拜。元首連忙還禮說道:「請安人上車吧。」於是安人上了車子, 元首又讓兵士抬着員外的尸首, 回到莊上, 將安太太讓到他的家裡, 安置好了, 又命家人, 上街上買了一口棺材, 把員外成殮了。到了次日, 擇了一塊吉地, 埋葬起來。太太送靈回來, 又住了一宿。第二日命安成套上車子, 就要起身。元首堅留不住, 他就派了四名人, 前去護送。安人對着元首說道:「義士請來上座, 受賤人母子一拜吧。」

老安人未從開口淚盈盈, 尊了聲:「元首義士你是聽: 我夫妻帶着家財去逃命, 不料想中路上有災星。我丈夫被那日人活打死, 我母子也是幾乎把[8]命坑。多虧了義士率兵來搭救, 才保全我母子的活性命。到後來又將我們收留下, 還埋葬我的丈夫死尸靈。這恩德真是高如山來深似海, 怎叫我生死存亡不感情。請義士快來上邊坐, 使我母子一拜盡盡這點誠。」侯元首再三推辭說不可, 老安人說不受拜來可不中。侯元首無奈這才上邊坐, 老安人母子雙雙拜流平。拜罷起來又把話來講:「賤人我現在還有一事情, 望義士千萬不可不應允, 鄙人奉送物一宗。我孩兒帶着一塊石如意, 贈與義士莫嫌輕。」說完了就將如意遞過去, 說道:「夫人你可不要把意生。日本人奇峰山上為賊寇, 無故的把咱韓國來陵[9]。咱全是韓國的好百姓, 外人要欺服[10]就當把他攻。打他們本是我們應盡的職, 這本是算不了甚麼恩情。太太哪, 你快快把車上, 趁這天道暖

---

6 怕.
7 我們.
8 原文: 口+把.
9 凌.
10 負.

和奔前程。」安人他使[11]一禮來把車上, 那四名護送庄丁隨後行。侯義士送了一程才回去, 那車子順着大道走如風。到夜晚不過住在招商店, 到白天還是奔走前程。曉行夜宿非一日, 這一天到了平壤城。進了北門往南拐, 來到了雲府大門庭。走安人二門以外把車下, 驚動了裡邊那些眾家丁。

話說安太太, 這日到平壤裡, 拿出二十兩銀子, 賞了那四個護送人, 吩咐他們回去。次又找着雲府, 進了大門, 下了車子, 內裡家人慌忙稟報雲老夫人。老夫人急忙接出門外, 讓到座中坐下, 說道:「表妹一路勞苦哇!」又說:「甥兒長這大了。」這個時候, 雲大人聽說, 也過來了。大家見禮已畢, 雲大人問道:「妹子給何人穿的孝?」夫人答道:「要是問我穿這孝, 真是讓人一言難盡了。」

老夫[12]未從開口淚漣漣, 尊了聲:「表兄夫人聽我言。在京城因為日本常作亂, 我夫妻才想逃難到這邊。帶了些細軟東西把路上, 這一日到了那座奇峰山。日本在此山為賊寇, 打劫那來往客人賣路錢。正趕上我們車子從那走, 聽見那松林以內喊連天。慌忙的趕着車子往來跑, 那賊人此時已經出了山。用槍兒把你妹夫活打死, 因這個我們母子把孝穿。」

雲大人聽着說道:「妹丈被賊打死, 真是悲痛。」可就哭起來了。

雲大人聞言淚紛紛, 罵了聲:「惡賊日本人。我妹丈與你何讐並何恨, 最不該傷他性命害他身。你看他家中老的老來幼的幼, 老幼無能甚難云。老的也有四十歲, 幼的未滿三四春。那人沒有一片忍, 日本害人好恨[13]心。我若是拿住日本狗黨子, 扒皮剜眼報讐痕[14]。」

話說老大人傷感已畢, 遂又問道:「妹妹, 妹丈被賊打死, 你們母子怎麼逃出來的

---

11 施.
12 老夫人.
13 狠.
14 恨.

呢?」夫人說:「表兄不知,聽我說來。」

安夫人未從開口淚盈盈,尊聲:「表兄你是聽:我們車子趕着頭裡跑,那後邊賊人追趕不放。幸虧是步行沒有車子快,到後來來了一幫救命星。仁里村有義士侯元首,領了人馬打退那些眾賊兵,又將我母子留到他莊上,因此才逃了活性命。」

雲大人說道:「元首到[15]算個義士。」夫人說:「還有好處呢。」那義士又買一口好棺槨,成殮起你那妹夫死尸靈。成殮後又埋在一塊平川地,全是那元首義士好恩情。到後來又把兵丁派我送,因此半路這才得安寧[16]。老安人說罷一些前後話,雲大人在那邊又問一聲。

話說安太太說罷員外被害的原由,又把那侯元首怎樣的除賊,怎樣的殯葬員外,怎樣的派人護送,說了一遍。雲大人從那邊問道:「他派那人,可是在那呢?」夫人說道:「我已吩咐回去了。」雲大人又說道:「妹丈已死了,你們母子,就在這住口罷。趕外甥長大的時候,與我那在岫兄弟,跟落峰孩兒請上個先生,讓他們一齊念書,學問成了,然後再治服那日本,以與妹丈報讐吧。」安太太又說:「從今而後,就免不了在你們這招擾啦。」在霄說:「表妹你說的是那裡話呢?咱們雖然是表兄弟,也不亞如親兄弟,望表妹無存意見才好。」安夫人說道:「那我是感恩不盡了。」按下安太太住在雲府不表。

單說那日本惡賊,被侯弼打死了無數,只逃走了四個賊。這個四個人打聽了一會,才知是那侯弼的農備隊,他們可就想出道來,說道:「這人若不除治,後來必為我國之害。」於是這些個惡賊,到了那黃海道交涉局裡,去告侯弼。甚麼教[17]交涉局呢?就是外國人與中國人打官司地方。這四個人到了交涉局,把侯弼告了,說道:「他們是商人,去上仁川買貨,路過那奇峰山,被那仁里村侯弼,領了些兵丁,拿我們當作了賊,將我們打死了無數,搶奪去我們的財物錢,幸虧我四人的腿快,才跑出來。望

----

15 倒.
16 寧.
17 叫.

181

交涉局大老爺, 速速與我拿人。」這交涉局的總理, 姓任名忠, 那朴永[18]孝的外甥。當日接了這張呈子, 忙派了劉、陳二位衙役, 去上仁裡村拿侯弼, 這且不表。

單說這交涉局中, 有一位先生, 姓黃名伯雄, 他與侯弼八拜為交, 父母雙亡, 所以在外邊當差。當日得了這個信息, 暗說道:「侯弼是義士, 那能辦出這個事情呢? 其中必然有差。或者是他得罪了日本人, 想只要害他也有的, 我不如先與他送上一信, 免了這禍, 豈不是好麼?」於是拾道拾道, 騎上坐馬, 可就奔仁里村走下來了。

好一個多端智謀黃伯雄, 一心要與那侯弼把信通。說起來:「元首本是一義士, 萬不能作出這樣惡事情。想必是他把日人得罪了, 若不然怎能告他到官中? 看起來那恨[19]毒日人必將他害, 要使那義士一命歸陰城。我今要不與他把信來送, 他必然遭在日人毒手中。」你看他叨叨念念來的快, 仁裡村不遠就在咫尺中。進了村屯轉個灣兒往東走, 眼前裡就是元首大門庭。大門外甩鐙離鞍下了馬, 柳陰樹拴上他那馬能行。邁大步進了元首上房內, 正趕上元首那裡來用工。猛抬頭看見伯雄把屋進, 他這才站起那身形在了, 就道是:「賢弟幾時來到此, 望賢弟恕我無禮失遠迎。」慌忙的拉着伯雄他坐下, 「賢弟呀, 今日可是刮的那陣風。聞聽說你在衙門當書手, 你怎麼能勾[20]來到此地中?」伯雄說:「兄長你是不知道, 日本人告你無故來行兇。他們說你們聚眾行霸道, 因搶財傷了他們又幾名。現如今交涉局裡把你告, 那任忠已經準了他的呈。不久的就若派人來拿你, 你快快的拾道拾道把路。再等一時若不走, 你的命就怕保不成。小弟我因此來送信, 望兄長千萬躲躲這災星。」侯元首一聽這些話, 不由的無名大火往上沖, 吩咐一聲:「快點隊!」立刻間點齊五百農備兵, 點齊兵馬就要走, 一心要與那日本把命。說到此處咱們住一住, 歇歇.喘喘你們再聽。

---

18 泳.
19 狠.
20 夠.

第二卷

表的是行路君子到街坊，見一位老者氣昂昂。那人不解其中的意，走上前來問端詳。說：「老丈你為何來生氣？對我說說有何妨。」老者說：「你休來管我的事，現在我是實則忙。」那人說：「要告訴我來替你辦，你何必似這樣的慌張？」老者說：「你要實則把我問，聽我對你說短長。老夫姓李名季用，離此不遠我家鄉。兒子南學把書念，老夫家中賣酒漿。這幾年間生意好，積下錢財治地方。賣[1]了五頃山田地，還有三間小草房。一頭我自己家裡住，那一頭裡招客商。那一日鄰居周芳蓋房子，扔木頭壓倒我一堵牆。當時老夫就把他問，他言語立刻就與我修上。一連呆了三天整，他也未與我修墙。不與我修墙不要緊，那客人誰也不住我這鄉。都說我的院墻破，恐怕丟了他行裝。」到後我又把他問，他說：「老夫亂喊喊。我今上官府把他告，試試這個老周芳。」那人說：「這個事本來不要緊，你何必告他到官場？」依我勸你拉倒吧，回家去還讓他與你來修墙。」老者說：「我非是不能忍，但是我生成以來就不懼強。人生本是一口氣，誰肯讓誰把硬漢當。有志氣的人兒無人惹，無志氣的人兒他必遭殃。家與國本是一個理，誰不來把軟的傷。人人要都象我這樣，我管保國家不能亡。好氣的總管是好汗[2]，好氣的準算是兒郎。要是一點氣性也沒有，誰能保國定家邦？」老者說罷揚常[3]去，那人也就走他鄉。上場來幾句散言書歸正，要聽還得開正張。

上回說的，侯元首點兵，要去與日本拼命，那不過是說書的一個回頭，並從無有那個事情。單說侯元首，聽罷黃伯雄一片言語，只氣的他三煞神暴跳，五雷豪氣飛空。說道：「日本人佔山為寇，打傷人命，還說我打了他們，真是可恨，我非去與他辦白不可。」伯雄從那邊說道：「兄長不要如此。現在咱國裏的大臣，相[4]着日本那交涉

1　買.
2　漢.
3　長.
4　向.

局的總理任忠, 又是當朝大臣朴永⁵孝的外甥, 去了也恐怕難我⁶好。依我看, 不如逃跑在外, 想個方法, 鼓動鼓動民氣。民氣要是全強了, 然後再治那日本, 保全咱國家, 也不落遲晚。兄長要是願意, 我有一個老表叔, 姓李名正, 現在平壤作提法司, 咱們去投奔他那去, 豈不是好嗎?」侯弼聽了一聽, 說道:「可也是呀!這個時候, 與他們治氣, 也是妄然。」於是收拾收拾, 帶了些個財物, 備上一匹快馬, 抱着姪兒侯珍, 騎上馬, 同着黃伯雄, 可就捕奔平壤大路來了。

好一個侯弼小英雄, 他一心要上平壤躲災星。在馬上不住胡叨念, 說道是:「象⁷我侯弼真苦情, 從小裡二老爹娘去了世, 倚靠着兄嫂度時冬。十七歲涉重洋游美國, 在學堂廢⁸了三年苦功。回家來不把官來作, 練民勇預備把那日人攻。又不幸哥嫂一齊去了世, 抛下個姪兒苦伶仃。還想着練齊民勇把日人打, 那知道無故生出事一宗。日本人奇峰山上為賊寇, 傷害那各處的好百姓。也是我領兵將他打的苦, 所以他要害我的活性命。多虧了伯雄賢弟來送信, 若不然我命一定被他坑。今日裡要上平壤去逃難, 也不知李正肯容不肯容, 還想要謀個方法吹民氣, 也不知事情能成不能成。如果是老天隨了人心願, 必然展展我的好威風。使我那數萬人民改改志, 使我那國家安隆以安隆; 使喚那奸臣的賊子全死淨; 使喚那日本強徒減減雄。那時節我也創個立憲國, 我也使那共和主意⁹列朝宗, 也讓高麗為個獨立國, 免去受那大國的欺凌。」正是那侯弼馬上胡思想, 看了看西方墜落太陽星。他這才尋找那個招商店, 猛看見那邊挑出一燈籠。他三人這才進了院, 拴上馬就住在此店中。押下他三人住店且不表, 再把那二位公差明一明。

話說那劉、陳二位公差, 領了簽票去拿侯弼, 走了兩天, 才到那仁里村。此時侯弼已走了一天多啦, 他二人尋了幾天, 也莫打聽着下落, 就回城交票。任忠一看沒拿來人, 後來又一訪聽, 才知道那日本人妄告不寔, 也就拉倒了。這且不表。

----

5 泳.
6 找.
7 像.
8 費.
9 義.

單說日本明治皇帝，這日早朝，殿頭官宣道：「各大臣聽真，有事出班早奏，無事就捲簾退朝。」忽見伊藤從班部中說道：「臣有本奏。」日皇說道：「愛卿有何本奏？」伊藤說：「我主在上，聽臣下道來。」

伊藤他未從開口喜洋洋，尊了聲：「我主在上聽其洋。高麗國金氏玉均要變法，求咱們暗地以裡把他幫。也不知怎麼了的不嚴密，那中國的兵馬來把咱們抗。在漢城與咱打一仗，將咱的兵敗到仁川傍。想只要因着這個強勢力，那知道又受了中國的傷。在高麗咱們雖然有勢力，還是不趕他們中國強。若不先把中國牢籠住，怎麼經營高麗那地方？不得高麗也是難以分中國，不如先拿定一個好主張。先與他定下一個大條約，在高麗別讓他的勢力比咱強。我主你看這事好不好？臣就要上那中國去一蹚[10]。」

日皇說：「愛卿之言，正合我意，你就去辦吧。」

伊藤一見日皇應了聲，他這才坐上輪船撲西行。論走也得半個月，說書的只用鼓捶一不[11]扔。這日進了中國界，來到了我們那座天津城。下輪船就把我總督衙門進，見了那通商大臣李文忠。

這个時候李鴻章，已經服滿了，所以直隸總督還是他坐着。當日見了伊藤，說道：「貴國到此，有何事辦？」伊藤說：「無事不敢到此，只因高麗國中，常起內亂，咱們兩國，常因着這個失和氣。今日想要立個條約，自今以後，高麗要有亂事，咱們兩國，你告訴我，我告訴你，咱們兩國合着平定他國之亂也，省着害咱兩國的商業，豈不是好嗎？」於是李鴻章就答應了，他與他立下條約，伊藤可就回國去了。列位明公，你們想想，高麗是咱們屬國，有亂咱就與他平了，何必跟日本合着去辦呢？躲還躲不開，哪可以讓他插上手呢？高麗滅亡，李鴻章也是有罪呀！這且不題。
單說日本領事井上馨，在高麗看他那內治，一天比一天強，打聽着人說：「這些政治，全出於閔后之手。」他尋思道：「此人若不除治，必為日本之害。」於是想出一條

---

10 趟.
11 下.

道來, 假說請客, 遂把那親日黨們全部請來, 酒席筵前說道:「我看諸公皆有經邦濟世之才, 可歎你君不能重用, 專倚着皇后, 將來你國必為他一人鬧壞了。」朴永[12]孝、鄭秉夏諸人一齊說道:「此事我們也是不願意, 但是沒有甚麼主見, 大人若有高見, 可指示指示我們。」井上馨說道:「敝人到有一條拙見, 諸公願聞, 聽我道來。」

　　好一個多謀多智井上馨, 他生出來一種狠毒的心。「看諸公皆有經邦濟世略, 可惜你君不能善用人。專倚着王妃閔后把政掌, 高麗國將來壞在他的身。諸人要想只把國救, 必得先除治了這個人。敝人我有一條小拙見, 敢在諸公面前陳一陳。用銀錢將他左右買服下, 讓他好與你們留下門。得門路將人伏在他宮裡, 出來時就去把他尋。不怕他有多大才與智, 管教他一命歸了陰。我說此道好不好, 望諸公沉吟以沉吟。」朴永[13]孝那邊開言道, 說:「這道兒甚合我的心, 閔皇后他那把門的, 也曾與我有過親。明日我就把他買下, 合上五百兩金與銀, 現在不怕他不乾, 錢大就能通了神。」眾人齊聲說道:「好!」他[14]看他一個一個喜吟吟。說話之間天色晚, 各人坐上轎子轉家門。

話說朴永[15]孝回到家中, 想起來井上馨告訴他那條道, 暗說道:「現在把宮門新換這官, 姓霍名建修, 是我一個親戚, 我要託他去辦, 必然能成。」當下命家人, 將霍建修請來。說道:「大人黃夜將卑職喚來, 有何吩咐?」永[16]孝說:「無什麼吩咐, 有一件事, 想要託閣下辦辦呢。」建修說:「大人只管講來, 何必拘之呢?」永[17]孝遂把那話對他一說, 又拿出五百銀子, 說道:「暫以此相奉, 等事情成的時候, 還有重謝, 並且要保你升官。」霍建修一見這個相應, 心眼暗暗的就動了, 說道:「大人, 咱們是親戚, 用着卑職, 這一點小事, 那敢不效犬馬之勞?」朴永[18]孝一聽樂了, 當下將自己的心腹, 有力氣的人, 挑了八名, 命建修帶進宮中, 就說是新招的護衛兵, 讓他八人

----

12 泳.
13 泳.
14 你.
15 泳.
16 泳.
17 泳.
18 泳.

把守內宮門, 閔后要出來的時候, 必定難逃公道。於是霍建修拿了銀子, 帶着人, 洋洋得意, 回到衙中。第二日就命他八人, 把守內宮門, 專等着行事。這且不表。

單說那閔皇后, 這日坐在宮中, 悶悶不樂, 忽然想起一件大事, 急命常隨, 去把寇大人請來, 就說有事相商。常隨去了, 不多一時, 寇伩[19]臣到來, 參見一畢, 說道:「娘娘將臣下喚來, 有何事相商?」娘娘說:「卿你不知, 聽愛[20]家道來。」

皇后未從開口面帶悲傷, 尊了聲:「儒臣愛卿聽其詳: 咱高麗現今甚軟弱, 又被那兩個大國夾中央。中國雖然是咱們的祖國, 看光景也是自顧不遑。他國的君臣也是無善政, 要倚着他不久的就要亡。日本子本是一個虎狼國, 起首他那居心就不良。又趕上咱國屢屢有內亂, 奸臣們纔勾他們到這鄉。累次的在咱國裡增勢力, 想必是要奪取咱們地方。眾奸賊寡知眼前圖富貴, 逡把那國計民生伩[21]一傍。日本國好比一群虎, 咱高麗好比一群羊, 羊要靠虎求安泰, 那羊一定被虎傷。那群虎已經入了咱的國, 想個什麼方法把他抗。想只要打還打不過, 就得忍着氣兒圖自強。聞人說日本昨日來請客, 朴永[22]孝諸人全都到那鄉。看他們必定有點事, 若不然那能無故飲酒漿。他的事咱們雖然不知道, 大料着準是破壞咱家邦。看起來日本所以把野心起, 全由着咱們國裡那奸黨。我今日想把奸黨除治盡, 愛卿你可有個什麼方? 愛卿我左思右想無主意, 纔把愛卿你請到這鄉。」寇儒臣一聽這句話, 尊了聲:「娘娘十[23]歲聽言良, 要想除治那奸黨, 微臣我有計一椿。雲在霄鎮守平壤地, 他那裡馬壯兵又強。暗地裡與他去封信, 讓在霄帶兵離平壤。大兵到這漢城地, 管教那些個奸臣性命喪無常。」寇大人說罷一些話, 閔娘娘從着那邊開了腔。

話說寇儒臣對着閔后, 畫了一片除賊臣的計策, 閔皇后說道:「雲在霄可是掌着十三道的兵權? 我素常也知道他的忠義, 但是事情準得嚴密, 不要走漏了消息才好。要是讓他們以知道, 就落一個打虎不死, 反來傷人。我看這個事情, 準得一個快

---

19 儒.
20 哀.
21 扔.
22 泳.
23 千.

人前去送信, 讓那神不知鬼不覺, 就把那奸臣們除治了, 就是這個人很難找。」寇儒臣說道: 「送信之人不難, 微臣有一個族中姪兒, 名本良, 家業零落, 父母雙亡, 為我家的管事。此人方十八歲, 有膽量, 又生了兩條快腿, 一天能走五百餘里, 念了幾年書, 也很曉得大義。要是讓他上平壤送信, 準能妥適還快當。」閔后說是: 「既有此人, 我就寫信, 明日就使那本良前往。」說完拿起筆來, 寫了一封書子, 交與儒臣, 說道: 「千萬小心! 可別走漏了消息, 要是走漏了消息, 你我全好不了。」

那寇儒臣諾諾連聲, 辭別了娘娘, 出離宮院, 來在家中, 將寇本良喚過來, 說道: 「我命你出蹚門, 願意不願意呀?」本良說道: 「姪兒蒙叔父厚恩, 就是赴湯投火, 姪兒也無有不願意的。但不知將姪兒那邊差遣?」儒臣說: 「你既願意, 這有書信一封, 下倒²⁴平壤十三道提督雲大人那塊。明日就可前往, 千萬可不要失落了。」本良說: 「是了。」

待了一宿, 第二日清晨, 寇本良用了早饍, 帶了盤費, 拾道一個包, 背在肩上, 就要起身。且說仉²⁵臣有一子, 名喚本峰, 年方八歲, 本良天天領着他玩耍, 所以他跟本良十分親近。這日聽說本良要出門, 他早早的起來, 稟告他父母, 說是要送送我哥哥去。他父母說: 「你去吧。可要早早回來。」於是本峰領了個老家人, 跟着本良出門而去。這且不表。

單說, 那閔皇后, 自從將寇仉²⁶臣送走以後, 他心中覺着悶悶不樂。到了晚間, 那明月在天, 越發添了一番愁悶, 遂令宮娥引路, 去上那後花園玩賞。於是宮娥前頭引路, 出了宮門, 好不淒²⁷慘也。

> 閔皇后邁步出宮庭, 看了看零露瀼瀼夜色明。滿院中習習秋風吹人面, 各處裡
> 唧唧草蟲亂悲鳴。看起來秋冬閉塞無好處, 那趕那春夏之間物色興? 我把那強
> 盛國家比春夏, 又把那軟弱之國比秋冬。人人都把春夏盼, 沒有一個盼秋冬。
> 我國家現今就是秋冬季, 想什麼方法把那春夏生? 這娘娘叨叨念念往前走, 不
> 知不覺的進了花園中, 看了看各樣花草全凋落, 惟有那幾盆綠菊色香馨。說道
> 是: 「隱逸君子你怎麼獨受冷? 何不與那百般紅紫鬥春榮? 看起來花草也與人

---

24 到.
25 儒.
26 儒.
27 淒.

一樣，那賢智之人多半埋沒草澤中！」官娥又領着把月台上，好一個寶鏡高懸在太空，猛回首望那西邊迗一目，看見了昏昏將墜一行星。咳！這行星昏昏將墜無人救，那月兒皎皎光寒令人驚。行星他照在我們高麗境，明月兒臨在日本的東京。就着星兒月兒看了一看，足見我高麗將滅日本將興。皇后觀望一會把台下，宮娥打着燈籠前頭行。正是他們往前走，忽然間來了人幾名。若問他們是那幾個，就是那霍建修帶領八名兵。走上前把娘娘忙捉住，從腰中掏出一根繩，用手挽了個猪蹄扣，擂[28]住娘娘那喉嚨。二人一齊速用力，那娘娘嗚呼一命歸陰城。花園中擂[29]死娘娘閔皇后，又殺了宮娥人二名。將尸首扔在澆花井，又聽的人馬鬧轟轟。要問那裡人馬鬧，朴氏永[30]孝發來兵。大兵發到皇宮內，準被他殺個人頭滾滾血水紅。書說此處住一住，歇歇喘喘下回聽。

---

28 勒.
29 勒.
30 泳.

圖存固國要道，總不外乎學問。自識之士待子孫，全都着重本身。先教溫經習

禮，後教博古通令。先生勸勉友人箴，德業自能前進。

上場來『西江月』罷，書歸上回。上回說的，是那朴永孝發兵，是沒有的事情，不過

是說書的一個回頭。閑話少說。

單說那霍建修領着朴永[1]孝八名家丁，把閔皇后擂[2]死，扔在井內。到了天明，到朴

永[3]孝的衙門，見了朴泳孝說道：「事情成了。昨夜晚上，那閔后觀月，乘着那個機

會，我們就把他擂[4]死了，將尸首扔在澆花井內。」朴永[5]孝說道：「好，可以[6]下子去了

我一塊大病。」霍建修說：「還有一件事，昨日下午，閔后將寇儒臣召進宮中，不知商

量些個什麼事情，半晌纔出來。我看此老也當除治了，不然必為後患。」朴永[7]孝說：

「我道[8]有意除治此賊，但是他與那雲在霄最好，現在十三道的兵權。全在在霄的手

中，要是把寇儒臣殺了，他要知道，豈能答應咱們嗎？」建修說：「是，那不妨，卑職

有一條拙見，管保那寇仇[9]臣雲在霄二賊，盡死於非命。」朴永[10]說：「你有何計策，

快快講來。」霍建修說道：「大人在上，聽我道來。」

好一個霍氏建修狗奸佞，要害那寇、雲二位幹國卿。他說道：「在霄鎮守平壤

地，他手下足有十萬虎狼兵。寇儒臣與那在霄甚相好，要私着磨[11]害咱們了不

成。要想着把他二人除治了，敝人我有一計兒甚可行。第一要作下一封好假

1　泳.
2　勒.
3　泳.
4　勒.
5　泳.
6　一.
7　泳.
8　倒.
9　儒.
10　泳.
11　謀.

信，就說是寇雲二人反心生。這封信是那在霄他寫的，約會那寇儒臣來為內應。下書人兒走錯了，將書信送到咱府中。金鑾殿上把本奏，拿着這封信兒作證憑，立逼那皇上把旨下，好除治那儒臣老奸雄。然後咱再派人平壤去，把那在霄老兒調進京。將他兵權去弔[12]了，然後咱再把他一命坑。這是小人一拙見，大人你看可行不可行？」永[13]老說：「正合我的意。」遂急作了信一封，急忙忙把那家丁點齊整，帶領着人馬奔皇宮。記下他們咱不表，急回來把那李熙皇帝明一明。

話說韓皇李熙，那日宿在西宮，清晨方纔起來，有正宮的人來報，說道：「娘娘昨夜帶着兩個宮娥觀月，未見回來，不知那鄉去了，尋找一氣，也無踪影。」李熙聞言，說道：「這事可也怪了！」正在那宮中狐疑，忽有皇門官進來奏道：「說是朴永[14]孝，現在午門外候旨。」李熙聞言，急忙忙上朝，朴永[15]孝上殿，奏道：「我主在上，臣有本奏。」

好一個朴氏永[16]孝狗奸雄，他在那金殿以上把本升。說道是：「雲在霄現今要造反，連[17]合那寇儒臣來為內應。我主要是不憑信，現有他的信一封。」說罷將信呈上去，李熙皇帝用目睜。上寫着：「在霄雲氏三頓首，敬啟於儒臣老年兄。現如今咱國以內君軟弱，我想要奪取他那錦江洪。此時我有兵十萬，望乞着仁兄與我為內應。」韓皇他看罷這封信，遂把那朴永[18]孝來問一聲：「這封信你可是從那得來的？」永[19]孝說：「下書人錯送我衙中，臣將那下書人兒獲拿住，所以知他們要把反心生。望我主速速刷聖旨，臣好斬那儒臣老奸雄。今日要是不把儒臣斬，我就在金殿以上來行兇。」逼的韓王無及[20]奈，他這才寫了旨一封。朴永[21]孝得了皇上旨，教軍場裡去點兵。點齊了一千人共馬，撲奔那儒臣府內

----

12 掉.
13 泳孝.
14 泳.
15 泳.
16 泳.
17 聯.
18 泳.
19 泳.
20 計.
21 泳.

行。眼前來到儒臣府，吵的一聲圍了一個不透風。

話說朴永孝帶領着人馬，把寇儒臣府團團圍住，闖進大門，呼道：「寇儒臣接旨。」單說寇大人正在屋中坐着，尋思那寇本良前去搬兵，不知有成無成。忽有家人來報，說道：「適纔小人聽人說，昨夜晚閔娘娘出宮觀月，不知那鄉去了，現在各處尋找呢。」正說之間，又有家人來報，說道：「大人哪，不好了！外邊有朴永[22]孝帶領着兵馬，把咱宅子圍住，現在院中，喚你接旨呢！大人快出去看看吧！」寇儒臣以[23]聽，尋思必是事情洩漏了，急忙出了屋中。朴永[24]孝罵道：「老賊！你無故勾引雲在霄作反，天子命我前來拿你，快快受綁！」儒臣以[25]聽這話，驚的目瞪口呆，知事情必眞洩漏了，半晌方說道：「我與雲在霄謀反，有何證據？咱兩得面見天子。」朴永[26]孝說道：「你不用辨[27]別啦，天子命我急溜[28]將你斬首，再待幾天，你那羽翼到來，就治不了你啦。」吩咐聲：「兵丁，你們與我快綁！」那兵丁忽啦啦上來，把儒臣綁了，又去屋中，把他家人全部綁了，來到朴永[29]孝眼前交令。朴永[30]孝一查，只三十七口，說道：「聞人說，儒臣家中四十口人，怎麼少三口？少了別人不要緊，他那兒子怎麼也沒有拿來？你們與我快搜一會。」也沒搜着。朴永[31]孝說道：「一個小小孩童，能逃得那裡去？先將他們斬首，然後再捉他三人，也未為遲晚，大凡不能出此城中。」於是將他們拉在車上，可就撲奔法場走下來了。

好一個為國忠良寇仇[32]臣，坐在那車子以上淚紛紛。只誠想：「搬兵好來除奸黨，那知道忽然洩漏巧原因。也不知這機關怎麼漏，他就要斬我全家共滿門。那君王我也不能得見面，上何處與他把那是非分。滿朝中皆與奸賊同一黨，是

---

22 泳.
23 一.
24 泳.
25 一.
26 泳.
27 辯.
28 馬上.
29 泳.
30 泳.
31 泳.
32 儒.

何人能夠與我把冤伸？死了我寇氏一家不要緊，最可惜大韓江山被人吞。聽人說昨夜娘娘去觀月，一宿裡未從去上宮內存。說話着不知人兒在那裡，說死了尸首下落無處尋。大概是為那奸賊他們害了，若不然怎麼就一夜影無蹤？若果然娘娘也是喪了命，這機關洩漏就算眞。奸賊們朝廷以內把君迫，外邊裡欺壓眾多好子民。有朝一日惡貫滿，准被那萬把鋼刀把身分。有人要把那奸賊除治了，老夫我死在九泉也甘心。也不知本峰送他哥哥到何處？也不知本良侄起身未起身？也不知他們哥兩[33]知道不知道，大料着無人與他送信音。果然要有人與他哥兩把信送，我寇門或者能夠有後根。」正是大人胡思想，眼前來到法場正中心。朴永[34]孝那邊傳下命，叫了聲：「大小兒郎細聽眞。將法場與我圍好了，別讓進來外邊人。立刻就將他們斬，不要等着那時晨[35]！」軍士一聽這句話，將寇氏一家圍在當心。在　在車上將他一家全提下，椿柍以上綁住身。劊子手虎頭大刀忙舉起，克[36]又一聲血淋淋。一煞時寇氏一家全廢命，但見那地下人頭亂紛紛。法場裡幹國忠良廢了命，朴永[37]孝又領着兵丁把他小兒尋。五街八巷翻了個遍，也未見着寇家一個人。押下永[38]孝尋人且不表，再把那本良兄弟云一云。

話說寇本良兄弟與那老院公三人，出了家門，正走之間，本峰說：「哥哥，今日遠行，我得遠遠送送。聞聽人說，城北十里以外，有一座集賢館，甚是幽雅，今天咱們到那裡，連與哥哥餞行，代觀觀景致。哥哥你說好與不好？」本良說：「兄弟說好便好。」於是他三人就往前走。

到了城外，忽見迎面一少年，騎馬如飛而來，到了跟前，搬鞍下馬，說道：「賢弟你望那裡去？」本良以[39]看，不是別人，是那親王李應藩之子李樹蕭。此人與寇本良最相好。當日在街頭溜馬，見了本良背包而行，忙問道：「賢弟你望何處去？」本良答道：「我上平壤探親去。」又問道：「本峰他跟之作什麼呢？」本良說：「他要上集賢

---

[33] 倆.
[34] 泳.
[35] 辰.
[36] 原文: 口+克.
[37] 泳.
[38] 泳.
[39] 一.

195

館連觀景致, 代與我餞行。」樹蕭說：「不是城北那集賢館嗎?」本良說：「正是。」樹
蕭說：「你你在那等着我, 我到家中取點錢來, 也到那集賢館去。」本良說：「是。」
本良又問道：「兄長這匹馬在那買的? 如此之快。」樹蕭說：「前日在市上買的。此
馬一日能行八百里路, 要像賢弟你那足, 可能夠跟上這匹馬的步。」本良說：「眞算
是快馬。」說罷, 樹蕭上了馬, 說道：「你們可千萬等着我。」於是樹蕭回家。
那寇本良三人, 不多一時到了集賢館, 進了屋中, 酒保過來到上茶, 說道：「你三位
用什麼飯, 眵⁴⁰甚麼菜呢?」本良說：「是不忙, 我們還有一位未到呢。」酒保就過去
了。他們吃了一會茶, 又到外邊觀看了一會景致, 樹蕭也靡來。正在着急之時, 只見
樹蕭從外邊慌慌張張進來, 說道：「賢弟呀, 不好, 不好了!」本良說：「怎的了?」
樹蕭說：「我跟自回到家中, 聽家人說, 昨晚上閔娘娘出宮觀月, 未見回來。以後又
聽人說, 朴永⁴¹孝在金殿上, 告你家大人, 與雲在霄謀反。現在那朴永⁴²孝領着兵,
把你家人全都綁上, 要去斬首, 賢弟你快領着公子, 騎上我這匹馬逃命吧! 再等一
時不走, 他們必各處派兵嚴拿, 你那時就走不了啦。賢弟你快着吧! 保全公子性命
要緊!」本良以⁴³聽這個話, 說道：「事到這個樣, 我先把公子保護出去, 接續寇門
香煙要緊。」遂告訴那老家人, 說道：「你先去逃命吧, 日後打聽準了, 咱家中老幼
的性命如何, 再與我上平壤送信。」樹蕭說：「你不用管他, 快上馬走吧!」於是本良
抱着本峰上了馬, 二人灑淚而別。樹蕭那馬, 走路如飛, 本良暗暗的說道：「我二人
可許能逃出性命?」走了一時之間, 連影兒也看不見。遂聽樹蕭遂又跟那老家人說
道：「你隨我來吧, 日後再與他們送信。」那老家人跟着樹蕭去了, 不表。
單說本良把那馬, 緊緊加了幾鞭, 那馬四蹄登空, 如雲霧一般, 可就撲奔平壤走下
來了。

　　好一個寇氏本良小英雄, 他在那馬上不住緊加功。心急只嫌馬走慢, 不住的緊
　　緊用鞭扔。那馬本是一匹追風豹, 走起來好像雲霧一般同。轉眼間就是七八
　　里, 不多時出了漢城地界中。在馬上想起家中老與幼, 不由的撲簌兩眼落淚
　　痕。開言：「不把別人罵, 罵了聲朴氏泳孝狗奸佞。我與你一無仇來二無恨,

----

40 炒.
41 泳.
42 泳.
43 一.

你為何害我全家活性命？幸虧是樹蕭兄長來送信，要不然我們兄弟也得把命坑。到後來又賜我們一匹馬，此馬好比一歡龍。龍虎馱我兄弟出虎口，好一似死裡逃生。我兄弟好比一雙失群雁，誰要見了誰欺凌。如果是一路平安無有事，也算是祖宗以上有陰功。我今還帶着娘娘一封信，大料着裡邊必有大事情。聞聽說娘娘昨夜未回轉，那性命八成有死無有生。我本是平壤送信一個客，那誠想成了一雙逃難星。滿道上衰草含煙射人目，各處的臨崖老樹起秋風。各山上樹葉飄零刮刮響，各河裡與那天光一色青。遠山上片片祥雲才出岫，草地裡蕭蕭牧馬乍悲鳴。看起來孤客遠行誰不怨，況其是身負重冤外邊行。到平壤我把雲老大人見，讓他速速就發兵。大兵發到漢城去，好與我家報冤橫。」一煞時走了六百里，看了看玉兔向東升。天道黑了也不住店，乘着日[44]色奔前程。書中裡押下寇氏兩兄弟，急回來把那永[45]孝明一明。

話說朴永[46]孝殺了寇氏滿門，又派人尋找本峰，五街八巷翻遍了也沒有，說道：「他知道信息，有人將他放逃了，他要走也必望平壤，投雲在霄去。」遂又派些人馬前去追趕。列明公你們想想，寇本良騎的是追風豹，又走了多時，他們那裡趕得上？那兵丁趕了一程，踪影未見，也就回來交令。朴永[47]孝說：「既靡拿住，量其一小孩子能怎的。」遂又上金殿奏本，說：「逆臣寇儒臣已經除治了，那雲在霄是他一黨，要知道了，也必然作亂，望我主再刷一道旨意，命霍建修上平壤，把雲在霄調進京來，先去了他的兵權，然後再殺他，以絕後患。」李熙說：「雲在霄累次有功，說他是作反，也靡有甚麼憑據，去了他的兵權，也就是了，那可把他調進京來殺了呢。」朴永[48]孝說：「昏王，事情到了這個樣子，你還說他不能作反呢。今日你要不刷旨意，我就先把你這昏王除治了！」說着就向前去，韓皇見勢不好，說：「我刷也就是了。」於是刷了一道旨意，命霍建修上平壤，調雲在霄不表。單說李熙皇帝回到宮中，思想起自己的江山，可就落起淚來了。

44　月.
45　泳.
46　泳.
47　泳.
48　泳.

李熙皇帝獨坐官中淚盈盈，思想起自己江山好傷情。「滿朝中無有一個好臣宰，俱都是貪祿求榮狗奸佞。朴永[49]孝立逼我把旨意下，殺了位忠心無貳幹國卿；又派我把那雲氏在霄調，不應成[50]就向我來行兇。在霄他要知其中的事，必能勾[51]除淨這幫狗奸佞。」正是那君王宮中胡叨念，忽聽樵樓以上起了更；樵樓上打動更幫不緊要，想起來閔氏皇后女俊英，說道是：「卿呀！你那裡去了？為甚麼一夜一天未回宮。莫非說你讓奸臣謀害了？怎麼也不見你那死尸靈？如果愛卿為國把命兒殞，叫王我心中怎樣疼。就着你一天一夜未回轉，你那命大概是歸了枉死城。也不知何人將卿你害死，也不知你那尸首何處扔，也不知害你你怎麼無人救，也不知你為甚麼出了宮？卿呀你死一生只顧你，拋下寡人我的是難容。是何人能勾[52]與我這來勤政事？是何人能勾[53]前來與我治江洪？是何人巧修政治安黎庶？是何人重定軍章整整兵？韓國裡諸般政策皆卿定，所以近幾年來得太平。愛卿你死不要緊，寡人折了一左肱。卿你一死我就受了氣。心思起怎不讓人痛傷情。」這君王越哭越痛如酒醉，好似萬斛珍珠落前胸。正是這君王宮中哭閔后，忽聽得金雞三唱大天明。押下李熙皇帝咱先不表，正表表那重根安幼童。

話說安氏住在雲霄府，光陰似箭，日月如梭，不覺就是三年之久。這年重根年方六歲，精神怜俐[54]，就過於旁兒。這日，雲在霄之弟在岫，在霄之子落峰，在書房中玩耍，看見墙上掛着一張畫，上畫着一個小孩在園中，拿一把小斧，那邊有一顆新折的嬰[55]桃樹，旁邊站着一個大人，象[56]是斥罵這小孩子的樣子。重根不解其意，正趕上在霄在屋中看書，遂問道：「此畫是甚麼人的故事？」在霄見他問的有意思，遂告訴他說道：「此小孩叫華盛頓，是美國人，那邊一人是他父親。原先他父與他一把斧子，命他出去遊玩。他到園中，把他父親最愛惜的一顆樹，被他斫折了。不時

---

49 泳.
50 承.
51 夠.
52 夠.
53 夠.
54 伶俐.
55 櫻.
56 像.

間，他父也到園中，見樹倒折在地，遂問道：『此是何人伐的？』華盛頓直言無隱，遂道：『爹爹呀，是我伐的。』他父見他不說謊話，轉怒為喜，就把他赦了。到後來，英國待美國人最暴虐，他帶着兵血戰八九年，叛英獨立，是世界上一個大奇人。」重根聽在霄說完，遂問道：「此人可學不可學呢？」在霄說道：「此人可學。」又問道：「得怎麼學呢？」在霄說：「得念書。」重根說：「舅舅何不請個先生，讓我們念書，也學華盛頓呢？」在霄見他說話甚奇，遂又想道：「我國此時甚是軟弱，若是出一奇人，也是我國的幸福。再說我兄弟兒子，也全當念書了。」於是寫了一張請先生的告白，貼在門首。

這日來了一人，上前把告白揭了，家人將那人領至書房，見了在霄。在霄問道：「閣下貴姓高名，那裡人氏？」那人說道：「在下姓侯，名弼，字元首，黃海仁里村人氏。」在霄聞言，驚訝不已。正是：

英雄想要學賢智，來了仁村是正人。

要知元首怎麼到此，且聽下回分解。

從來奸臣賊子，大抵不能久長。欺君犯上害忠良，皇天那能見諒？說起韓國臣
宰，盡是些個奸黨。在霄發兵到那鄉，個個全把命喪。

『西江月』罷，書歸上回。上回說的，是那侯元首說出姓名，雲在霄聽說他是侯元首，
急忙跑到後堂，見了安太太說道：「妹妹常念誦你那恩人長恩人短，今日你那恩人
來到咱家了。」太太說：「是那侯元首嗎？」大人說道：「正是。」太太說道：「現在那
裡？」大人答道：「現在書房呢。」太太說道：「你快領我去見他。」於是他二人到了
書房，太太一見元首在那邊坐着，衣裳襤褸[1]。太太上前跪施禮說道：「恩人到此，
有所不知，望祈恕罪。」元首愕然不知所為，忙說：「太太錯認了人啦。我與你有何
恩？」太太說道：「恩人忘了奇峰山日本人劫道的事了嗎？」元首忽然想起，說道：
「你就是安太太嗎？」安太太說道：「正是。」安太太又問道：「恩人怎麼到此？」元
首說：「太太要問我怎麼到此，真是讓人一言難盡了。」

侯元首未從開口帶悲容，尊了聲：「太太在上聽分明。只因為那年我把日本
打，傷了他們賊徒好幾名。日本人因此懷下不良意，一言要害我的活性命。黃
海道交涉衙門把我告，他說我搶奪財物來行兇。任忠賊準了他的狀，派公差拿
我元首把命釘。多虧了黃氏伯雄把信送，我這才帶領侄兒躲災星。伯雄他表叔
在此作提法，我三人帶着財物這邊行。那日到了劍水驛，我們三人宿店中，該
着是我們三人命不好，那伯雄劍水驛上染病症。伯雄他一病病了一年整，將銀
錢化[2]了一個淨打空。行李馬匹全賣淨，我又在長街賣字為營生。賣字遇見陳
月李，他命我到他家中教兒童。因此我劍水驛上把館設，將伯雄接到我學房
中。到後來伯雄病好平壤去，我叔姪就流落在劍水城。教書到了一年整，又見
了學生名張英。偷盜東西被我打，吃了毒藥歸陰城。張家因此將我告，我這才
受罪牢在獄中。陳月李上下與我來打點，才將我搭救出火坑。各學生每人幫我

1　襤褸.
2　花.

錢十吊，我叔侄才能往這邊行。上月到了這城內，聞人說提法李正把官升。李正升官全罷去，我叔侄又撲了一個空。無奈又在長街把字賣，到夜晚宿在城北古廟中。聞人說伯雄也隨李正去，我叔侄無錢不能那邊行。始纔間賣字從此過，看門首貼着招師榜一封，我效那毛遂來自薦，也不知大人肯容不肯容。」元首他說罷前後話。安太太那邊嘆一聲

話說候元首說罷，前後一片言語，老安人從那邊歎道：「這都是為我母子，讓恩人受了這些折磨，讓我母子怎麼忍的？」雲大人也從那邊說道：「元首先生到此，真乃是天然有分，就在我家中教這幾個小孩兒吧。」遂又叫家人到北古廟中，把寇珍接來，與他叔侄換上新衣服。於是擺酒宴慶賀，先生飲酒之間，在霄說道：「這幾個兒童，就教先生分神了。」元首說：「若不棄嫌，僕自能盡心教誨。」在霄說：「先生說的那裡話來？」當日天色已晚，將他叔侄安排在書房安歇。

第二日，安重根、雲在岫、雲落峰、寇珍一齊拜了師，眾人上學讀書。又呆了幾日，陳月李聽說元首又教了書，遂把他的兒子陳金思，侄兒陳金暇送來，後又有岳公、孫子寄[3]、王慎之、蕭鑑、趙適中一班人，全從元首受業，暫且不表。

單說寇本良兄弟，騎着那馬，走一晝一夜，就離平壤落二三百里路了，尋思後邊退[4]兵也不能有，遂到了店中打打尖，喂喂馬。又走二天，到了平壤城內，找着雲府。兄弟二人下了馬，見一個門軍在那邊站着，本良上前說道：「你去上內傳稟你家大人得知，就說有漢城寇府來人要見。」門軍進去報於在霄。在霄說道：「讓他進來吧。」于是將本良兄弟領進去了，見了在霄。在霄認得是寇本良，說道：「侄兒怎麼到此？」又指着本峰說道：「此小兒是何人？」本良答道：「我叔父儒臣的兒子本峰。」在霄說道：「你兄弟二人為何到此？」本良長歎了幾聲說道：「伯父不知，聽小侄道來。」

本良開言道：「伯父你是聽。問我怎到此，讓人痛傷情。」寇本良未從開口淚珠橫，尊了聲：「伯父大人細耳聽。從那年跟着法美打一仗，咱們朝中只到如今未安靜。先有那金氏宏集來賣法，後又有金玉均來狗奸雄。暗地裡勾引日本把京進，殘殺黎民百姓害公卿。到後來宏集奸臣開了斬，金玉均也逃奔在日本東

3　奇.
4　追.

京。閔娘娘皇官以內把政掌，這幾年國中稍稍得太平。那知道又出個奸賊朴永[5]孝，他與那日本勾手胡亂行。滿朝中臣宰全與他一黨，將天子皇后全都一旁扔。閔娘娘看出奸賊無好意：暗地裡將叔父召進宮。想只要除了奸臣那一黨，只怕着現在手下無有兵。因此才皇后親自寫了一封信，他命我伯父這邊來班[6]兵。前夜晚娘娘出官未回轉：想必是被那奸臣把命坑。也不知那個機密怎麼漏，奸臣們一齊行了凶。朴永[7]孝金殿以上奏一本，他言語我叔父與你反心生。立逼皇上把旨意下，領人馬來到我們的家中。將我的一家人口全綁去，大略着難保那命殘生。寇本峰送我出城外，所以未遭奸賊毒手中。後有那李樹蕭與我們把信送，又賜我一匹馬追風。因此我們兄弟才逃了難，望伯父快快與我報冤橫。」說罷又把那娘娘的信遞過去，雲大人拆開從上看分明。大略着沒有別的事，也就是讓在霄發兵除奸佞。雲在霄聽說前後一些話，不由的無名大火望上升。手指着漢城高聲罵，罵了聲：「朴永[8]孝來老雜種。娘娘，寇氏與你何仇恨，你要害了他們活性命。我今不把你們除治了，枉在陽間走一程。」說着惱來道着怒，令旗令箭拿手中。立刻間點了十萬人共馬，剋日就望漢城行。這日正然望前走，忽見那迎面以上來股兵。

話說雲在霄當日聽着這個信息，對着本良說道：「你家人大概是被害了，你兄弟兩個，就在這念書吧，我就與你們報仇去。」本良兄弟遂上了學。

在霄就點了十萬人馬，撲奔漢城而去。這日正望前去行，只見迎面來了一夥人馬，約有一千餘人。在霄命探子去探。探了一回，回來說道：「他們說是領皇上之意，調大人的。」在霄說：「不用說了，一定是那奸臣的一黨。等到跟前，你們全與我拿住！」趕到了跟前，忽拉一圍，把他們全都拿住了。

霍建修說道：「你們是那裡的兵丁，敢綁天子親使！」在霄說：「甚麼親使不親使的？」於是命兵丁札下營寨，將霍建修帶上來，在霄問道：「你找什麼親使？」建修說：「我奉天子命令，上平壤調雲在霄，你們快快將我放了，要悞了大事，你們可擔

5　泳.
6　搬.
7　泳.
8　泳.

罪不起。」雲在霄哈哈大笑，說：「我就是雲在霄，你調吧。我知你是朴永[9]孝的一黨。我且問你，那寇仉[10]臣家怎樣？」建修說道：「全都斬首了，只有兩個家人，一個公子，不知那鄉去了。」在霄又問道：「何人說仉[11]臣與我謀反？」建修不說。在霄說：「你着實說來，我饒了你的命，要不然，我斬你的首。」建修無奈，就將朴永[12]孝造假信的事由，說了一遍。在霄又問他說：「那閔娘娘是誰害的？」建修說：「不知道了。」在霄說：「軍士們與我推出去殺。」建修慌忙說道：「大人別忙，我知道了！」在霄說：「你知道快快說來！」建修遂將怎麼定的計策，怎麼殺的，將尸首扔在那井裡，一五一十的全都說了。

在霄這才將霍建修綁上，拉在車上，到了漢城，先將朴永[13]孝全家拿住，又將那鄭秉夏、趙義淵、禹範無、李東鴻、李范東、李臣孝、權榮重那些个奸黨全都拿住，聯霍建修一齊綁到法場斬首。又將娘娘的事，奏明天子。天子命人在井中，將閔皇后尸首撈出成殮，又將寇仉[14]臣家的尸首，找着成殮，在一個大棺材內，拿着朴永[15]孝與霍建修的靈祭奠了，將寇家的棺槨埋葬了。雲在霄辭別天子，回到平壤。正是：

朝中奸黨才除盡，全羅禍水又生根。

要知後事如何，且聽下回分解。

---

9 泳.
10 儒.
11 儒.
12 泳.
13 泳.
14 儒.
15 泳.

話說黃伯雄自從劍水驛病好, 到了平壤, 為李正當普通科科長, 後來李正又升為全羅道的按察使, 伯雄也跟他去了。後來打聽人說, 侯元首在雲府教書, 他捎信讓元首前來當差, 元首不肯來, 由是他二人各有安身之處。光陰似箭, 日月如梭, 不覺就是六年。這日伯雄在飯館吃飯, 看對棹[1]三位少年, 講究起來了。

> 那人說:「今天天氣實在清, 咱三人好好在此飲幾杯。」那人說:「咱們只知來飲酒, 想一想現在國家煞樣形? 君王他日日宮中不理事, 將國政全都靠給那奸佞。我既為高麗國中一百姓, 就當保護我這錦江洪。況其說人人皆有一分子, 那身家財產全都在國中。我今日正宜想個保國道, 也就算保護身家活性命。若還是終日遊蕩把酒飲, 這國家不久的就要傾。國家他好比一座高樓閣, 我們這數多人兒在其中。一旦若柱子折了屋兒倒, 我們可是何處去逃生? 要想着保護國家無別道, 在於我數萬人民學問成。如果是人人皆都有學問, 自能保國求強致太平。我有心除去他那西洋教, 把我這東方學問興一興。連[2]合那數萬人心成一體, 好除治朝中那個狗奸雄。」那二人從着傍邊開言道:「賢弟的見識與我兩人同。」正是他三人對坐來講話, 轉過來黃海人材[3]黃伯雄。

話說黃伯雄見他三人, 言的甚是正大, 遂上前問道:「列位高姓大名?」他三人見問, 慌忙起身答道:「在下姓金名有聲, 這位姓錢名中飽, 那位姓堯名在天, 俱是本地的人氏。閣下貴姓高名?」伯雄答道:「在下姓黃名伯雄, 黃海道仁里村人氏, 現在按察使衙門充當科長。」金有聲三人一齊說:「不知黃先生到此, 多有慢待, 望祈恕罪。」伯雄說:「諸位說的哪裡話來, 今日之見, 乃三生有幸, 講什麼「慢待」二字。」
於是他四人坐在一處, 各敘了年庚。有聲向伯雄說道:「閣下既是仁裡村人氏, 有

1　桌.
2　聯.
3　才.

一位侯元首，你可認識嗎？」伯雄說道：「此人與我最相契，那有個不認識呢？」有
聲說道：「他現在作什麼呢？」伯雄說道：「他現在平壤府教書。」又把他二人逃走
在外，受那些顛險的事情，說了一遍。有聲說道：「那人學問最佳，可惜不能見用。」
伯雄問道：「閣下怎麼認的他呢？」有聲說道：「賢弟有所不知，只因前幾年家君作
平安道詳源府的知府，上任的時候，路過那仁里村，忽然染病，遂找宿在元首的家
中。那元首與家君請醫生治病，一月有餘，那病體方好。又將錢鈔化[4]短，元首又幫
了我父子許多的盤費，才得上任，那恩情至今不忘。後來打聽人說，他遭了官司，逃
走在外，所以永遠也沒報上他的恩情。」伯雄說道：「既然如此，咱們是一家人了。」
說罷，哈哈大笑。伯雄說道：「方才諸公說是想要倡興東學，敝人看這個事情也狠[5]
好，但不知諸公怎麼倡興法？」有聲答道：「我們也沒什麼狠[6]好的方法，不過是立下
一個會兒，招集些個國人，慢慢的排斥西學而已。」於是他四人越說越近，便又讓
酒保重新煮了點酒，要了點菜，大家歡飲了一會。

當日天晚，有聲付了酒錢，各自回家。由此你來我往，我往你來，一天比一天的親
近，遂商量着，立了一個大會專研究排斥西學，倡興東學。那些受官吏壓迫的人，漸
漸歸了他們的會中。數月之間，就集了好幾萬人，聲勢甚盛，就想着要搬移政府，改
換國家。這且不表。

單說日本伊藤聞聽高麗起了東學黨，他就又想出壞道來，命家人伊祿：「你去把金
玉均請來。」伊祿去了不多一時，將金玉均請來，讓至屋中坐下。金玉均說道：「大
人將在下找來，有何話講？」伊藤說：「賢弟不知，聽我道來。」

> 好一個詭計多端伊藤君，你看他一團和氣喜吟吟，尊了聲：「玉均賢弟聽我
> 講，今日有件大事對你云。只因為你國軟弱無善政，那年上足下變法來維新，
> 我也從暗中將你來幫助，那知道事情不成白廢[7]心，空搭上我國兵丁人無數，
> 還搭上你那全家共滿門。到後來我的兵敗回了國，足下也逃在這邊來安身。現
> 如今閔家用事的全都死，閣下的冤仇也算是得伸。閣下的冤仇雖然招[8]了雪，

4　花.
5　很.
6　很.
7　費.
8　昭.

205

你國家還是未能起精神。我勸你現今不必把別的顧，還是要整頓你國固邦根。聽人說你國起了東學黨，現在已經聚了好幾萬人。大主意雖以興學為名目，依我看反對政府是實云。我看你不如入在東學黨，與他們同心共濟謀生存。我國家還是幫助着你，你國裡你再安上一個內應人。內有應來外有救，事情沒有個辨[9]不真。你今就去投那東學黨，借着他們把勢力伸，管保你能勾[10]成大事，管保你能勾[11]建功勳。我今有此一件事，敢在閣下面前陳。」伊藤說罷一些話，又聽的玉均一邊把話云。

話說金玉均聽罷伊藤的言語，遂說：「我早就想着回國，只因沒有因由，今日聽大人一言，頓開茅塞，大人要果能幫助我們作事，則玉均感恩不盡了。」伊藤說：「我說話那有不算之理，你儘管放心大膽去做吧。可有一樣，你那國中能夠有內應麼？」玉均答道：「原先那朴永[12]孝、鄭秉夏諸人，皆與我相好，現在那些人全都被雲在霄殺了。近時與我相好的，尚有一人，就是那李完用。聽說他在朝中，也狠[13]有勢力。我今先到全羅地，投在東學黨中，然後再與那李完用捎上一封書子，他必能助我一膀之力。」伊藤說：「是不錯，你就此前往吧。」於是金玉均拾道拾道，坐上汽船奔全羅道而去。諸明公你們想想，伊藤讓金玉均，借着東學黨的勢力，整頓高麗國，他那不是真心。他是怎的呢？ 皆因東學黨雖然人多，盡是些無知的百姓，必不能成大事。他讓金玉均鼓動他們作亂，他好乘之這個瓜分中國吞併高麗。這是伊藤的意思，到後來果然歸了他的道。這且不表。

單說黃伯雄自從與金有聲等相好，就結為生死弟兄，他可就不回衙中辦事，天天與他們倡興東學。看只[14]邊人一天比一天隨的多，後來泰仁、古埠兩縣的人，全都隨了，也有好幾萬人，就把泰仁縣地方那座完山占了，大夥公舉金有聲為督統，那堯在天、錢中飽、黃伯雄三人皆為首領，就在那造鎗買馬，聚草屯糧，想要行大事。

這日他們四人正在大帳議事，忽有小校來報說道：「外邊有人求見。」有聲不知是

----

9 辨.
10 夠.
11 夠.
12 泳.
13 很.
14 這.

什麼人，只得接出帳來，將那人讓至屋中，分賓主坐下。有聲說道：「閣下家住那裡？姓甚名誰？到此有何公幹？」那人答道：「在下姓金名玉均，漢城人氏，只因前幾年在朝居官，偶然變法，得罪國家，逃在日本，近聞閣下倡興東學，想要來此入夥，不知閣下肯收留否？」有聲說道：「在下正愁頭目少呢。閣下今日到此，眞乃天然幸事。」於是他四人也各道了姓名，又推玉均為督統，玉均不肯，只得為了個頭目。當日殺牛宰羊，大排筵宴，慶賀新頭領。酒席前，有聲向玉均說道：「現在咱們人馬器械也狠[15]齊整，想只要行大事，可得從那下手呢？」玉均說：「督統在上，聽我道來。」

金玉均未從開口面帶歡，尊了聲：「有聲賢弟聽我言：咱們的兵馬器械俱完備，想只要行這大事不費難。我今日所以能夠來到此，全都是那伊藤博文告訴咱。他言說：『人要想着做大事，必得賴數多強大眾民權。聞人說全羅起了東學黨，你何不投奔他們到那邊？到那裡入於他們一塊內，與他們合衷共濟把任擔。藉着那庶多民力來作事，我管保能勾[16]保國圖治安。暗地裡我還幫着你，再與你籌上道一番。朝中內結下一個大臣宰，與你們好把信息傳。』這就是裡勾外連的策，本是那伊藤博文對我言。這個道兒不知好不好，望眾位仔細參一參。」

金有聲說道：「這個計策都是狠[17]好，但是這內應無人，可怎麼辦呢？」金玉均說：「要是求那內應之人，可就不難了。」

金玉均復又開了聲：「賢弟在上洗耳聽。想只要把那內應找，不過是費上信一封。朝中大臣李完用，他與我實則有交情。今日與他送上一封信，讓他與咱為個內應。我兩耐着交情重，必然能勾[18]來應成。」

---

15 很．
16 夠．
17 很．
18 夠．

有聲說：「既然如此，兄長快快與完用寫信吧。」玉均說：「是了。」

金玉均提起三寸毛竹峰，你看他刷刷點點寫分明，上寫着：「拜上拜上多拜上，拜上了完用李仁兄。自從漢城分手後，於今七載有餘零，常思懷罪難回本國，每於無人之處淚盈盈。伊藤見我這個樣，才與我想出計一宗。他命我投奔東學黨，借着人家勢力好回京。我今入了這東學黨，為了那黨內的大首領，想只要發兵把漢城進，就是無人作個內應。我今想把兄長來累，兄長你怎麼耐難也得應成。兄長今日要應許我這件事，小弟我實在是感恩情。」金玉均寫罷這封信，貼上簽兒封上了封。選一個兵丁送了去，他這才回過頭來把話明。

話說金玉均寫完那書信，封上口，選了一個強兵送去，遂向着金有聲說道：「此信而去，大概能勾[19]有成，咱們等着聽信吧。」有聲說道：「那是自然。」吊了幾天，那送信之人回來，將回書呈上。玉均一看，說道：「事情成了。」有聲說道：「既然有了內應，咱們可是從那下手呢？」玉均說：「咱們當宜先把這泰仁、古埠兩縣占了，以為根基，然後再往漢城進發，進可以戰，退可以守，豈不是妙嗎？」有聲說道：「此道正好！」於是點齊了人馬，分做五隊，一人帶領一隊，一隊三千人，浩浩蕩蕩，殺奔泰仁縣而來。

好一個英雄金有聲，他一心要把國家興。自己創下東學黨，招納各處眾人丁。只因為高麗國王他昏弱，信任奸臣胡亂行。嚴刑苛法苦待百姓，天下黎民不得安寧。日本又來行暴虐，人民長受他的欺凌。毒虐之政甚如水火，百姓嗷嗷四境真苦情。皇上無福民遭難，這些冤枉向誰鳴？無奈才入東學黨，想要借此除奸雄。除盡朝中眾奸黨，大家好去享太平。那知有聲主意錯，想去[20]道來甚平庸。日本本是韓國大仇寇，那可與他有私通？玉均本是一賊子，那可用他為首領？完用本是一奸黨，那可依他為內應？一着錯了無處找，有如下棋一

---

19 夠.
20 出.

般同。作事總要思想到，西[21]里胡塗[22]算不中。有聲作事不思想，才創[23]下一個大禍坑。中日因此來交戰，高麗因此失江洪。未來之事咱不表，再表表他們發大兵。完山上點起人共馬，忽忽啦啦往前行。人馬好像一片水，刺刀照的耀眼明。金有聲頭裡領着隊，後跟着催陣督都黃伯雄。浩浩蕩蕩往前走，一心要奪那座泰仁城。大兵發到泰仁縣，準備着殺個天崩地裂血水紅。咱們說到此處住一住，下回書裡再表明。

----

21 稀.
22 稀裡糊塗.
23 闖.

話說金有聲等五人，帶領人馬，殺奔泰仁縣而來。單說這泰仁縣的知縣，姓于名澄，當日正在衙中辦公，忽有探馬來報，說道：「大人哪，不好了！」于澄說道：「什麼事情，你這樣驚惶？」探馬答道：「大人不知，只因咱這城北五十里外，有座完山，前幾個月有一個什麼金有聲，倡興東學，招集些個人占了那山。這三四個月之間，不知怎麼聚了一萬多人，現在攻咱城池來了。離此尚有十餘里地，大人快拾道着跑吧！再等一時，他們到來，咱們這城中，又無預備，恐怕難逃性命！」于澄一聽，嚇的面目改色，忙着拾道拾道，帶着家眷，投奔全州而去。單說金有聲來到泰仁縣，靡費事，就把那座城池得了，遂又商量去取那古埠縣。

話分兩頭，單說全州的督統姓洪名啟勛，這日正在府內看書，忽有門役進來說道：「啟稟大人得知，外面有泰仁縣知縣于澄求見。」洪啟勛說：「請進。」不多時，于澄進來，使禮坐下。洪啟勛說：「賢弟有何緊事？親自到此？」于澄說：「這事可了不了啦。」

　　于知縣[1]未從開口面帶慌，尊了聲：「大人在上聽其詳：有一個金氏有聲全州住，他一心要把東學倡。他們同夥的人兒有四個，各處裡演說惑愚氓。無知的百姓受他惑，全都入在他的那鄉。現在聲勢實在大，又占了那座完山岡。三個月聚了人無數，積草屯糧製造鎗。一心要改變那政府，一心要除治那君王。領着人馬把山下，簡直的殺到泰仁傍。本縣一聽勢不好，無奈何才到此處躲災殃。望大人速速想方法，不久的就要到這方。」洪啟勛一聽這些話，嚇的他臉兒直發黃。全州城沒有多少人共馬，好叫我心中無主張。看起來我國將來要拉倒，是怎麼屢次把亂揚？自從那永[2]孝奸賊滅除後，我國裡稍稍得安康。只誠想國內常常享安泰，那知今日又起禍一場。我們的兵馬實在不強盛，怎能勾[3]除治他們一幫？事到此逼我也無有法，就得拿這殘兵敗將走一場，萬一要把他

1　于澄.
2　泳.
3　夠.

們打敗了。也算是我國的福分強。要是不能勾[4]把他們來勝，也就免不了把身亡，人生百歲也是死。何必把這個事情放心上。洪大人這才到了教軍場，看了看那些兵將好悲傷。

話說洪大人思想一會，遂來在教軍場內一看那兵將老的老，小的小，器械也不整齊，子藥也無多少，暗自說道：「像這樣的兵將，可有何用呢?」事到如此，也說不了啦，遂挑了三千兵，自己帶領着，撲奔泰仁縣而去。這且不表。

單說金有聲自從得了泰仁縣，又商量着去取古埠，遂命堯在天帶領一隊人馬鎮守泰仁。自己與金玉均等點齊兵馬，望古埠進發。一路秋毫無犯，百姓望風而降，靡廢[5]事也就把古埠縣得了。古埠縣的知縣徐聱，見勢不好，逃奔全州而去。中途上過[6]見那洪啟勛的兵，遂把上項之事，對洪啟勛述說了一遍。洪啟勛說道：「賊人既在古埠，咱不必奔泰仁，奔古埠去吧。」遂帶兵丁撲奔古埠而發。這日到了古埠，離城十里，安營下寨。早有探馬報於有聲，有聲聞言，慌忙上了大帳，可就傳起令來了。

金有聲坐在大帳中：令旗令箭手中擎。開言不把別人叫，叫聲：「大小眾兵丁，洪啟勛今日發人馬，一心要把咱們攻。大家可要齊用力，別讓他們把咱贏。」眾兒郎一齊說：「尊令!」一個一個抖威風。金有聲這才拿出一支令：「玉均將軍你是聽，你領三千人共馬，前頭以裡作先鋒。出城你往北邊走，對他右邊用鎗崩。」玉均領命他去了，又叫一聲黃伯雄：「命你領着三千隊，出此城中正南行，繞個灣[7]兒正西轉，在他左邊用鎗攻。」伯雄領命他去了。又叫一聲錢老兄：「中飽兄你把城來守，準備着敗陣打接應。」傳令一[8]畢把帳下，自己也領三千兵，人馬駝駝向前去，威威烈烈鬼神驚。出城走了七八里，遠遠望見那股兵，吩咐一聲：「扎住隊，列成陣式就開攻。」洪啟勛這邊也看見，將人馬列在西與東。中間讓出一條路，對着有聲用鎗轟。兩邊這才一齊開鎗打，勢如爆竹

4　勾.
5　費.
6　遇.
7　彎.
8　已.

211

一般同。烈烟飛天看不見面，彈子吱吱來往沖。自辰時打到晌午正，有聲傷了
五百兵。正是啟勳要得勝，忽聽的左右鎗兒響連聲。要問那裡鎗兒響，來了玉
均、伯雄人二名。左右夾攻一齊打，可惜啟勳那些兵。兩邊的兵丁直是倒，轉
眼間死了七百名。有聲的兵將又往上闖，忽拉一聲炸了營。啟勳一見勢不好，
帶領人馬敗下風。啟勳的兵馬頭裡跑，有聲後邊追趕不放鬆。三千兵馬死了一
大半，才逃出龍潭虎穴中。二十里外安營寨，看了看手下只剩三百名。那些個
也有跑的也有死，這一仗敗的實在凶。無奈何收拾殘兵往北走，不回全州奔漢
城。一心要把天子見，讓那君王想調停。押下啟勳且不表，再把有聲得勝明一
明。

話說金有聲打了一個勝仗，得了無數器械，又收了許多降兵，遂同玉均、伯雄，帶領
人馬回到古埠，殺牛宰羊，大排宴筵，慶賀功勞。那有聲在酒席筵前，對着四位頭
領說道：「現在咱們把洪啟勳打敗了，他必然搬兵前來復仇，到那個時候，咱們兵
雖然勾[9]用，但是少帶領之人，一旦敗了，豈不貽笑大方？此時不得不先打算打算。」
黃伯雄從那邊說道：「兄長有一個人，你忘了嗎？」有聲說：「是何人呢？」伯雄說：
「就是侯元首，現在平壤雲府教書，此人才料[10]學問，勝你我兄弟十倍，兄長素常日
子，也是常稱道此人。今日何不修封書信，把他請來，讓他幫[11]助作事呢？」有聲說
道：「若非賢弟一言，幾乎悮了大事，我怎麼就把他忘了呢？」遂命黃伯雄，與元首
寫了一封書信，下到平壤而去。這且不提。
單說洪啟勳打了一個大敗仗，看這東學黨聲勢甚盛，恐怕日後難治，遂帶着殘兵敗
將，見天子去。這日到了漢城，見了天子，把東學黨亂奏了一遍。天子聞聽此言，嚇
的魂不附體，說道：「這可如何是好呢？」遂把兵部尚書李完用選上殿，這個時候，
雲在霄的兵權，全都撤了，所有一概兵事，全歸李完用調用，當日上得殿來說道：
「我主將臣喚來，有何事相商？」天子說道：「現在全羅道有東學黨作亂，你快派些
兵丁，讓洪啟勳領着前去打賊。」於是李完用選了些老少不堪之兵，發了幾尊不好使
的炮，就讓啟勳帶去。洪啟勳大兵，與那東學黨又連打數仗，也未得勝，全羅城池

----

9 夠.
10 幹.
11 原文: 扌+邦.

全都失了, 洪啟勳陣亡而死。外面告急文書, 屢次望京裡報, 天子也是無法。當時驚動了那親王李應藩, 急忙上金殿, 對着天子說道:「現在兵微將弱恐其不能剿賊, 再等幾日, 必釀成大禍, 咱們不如上中國求救去吧。」李熙皇帝說:「叔父說好便好。」遂坐上輦, 到了中國領事使館。袁世凱接到屋中坐下, 說道:「國王到此, 有何軍情大事相商?」熙皇說道:「將軍不知, 聽小王道來。」

好一個幼小無謀李熙皇, 你看他未從開口淚汪汪:「要問我今日到此什麼事, 將軍你細[12]耳聽其詳。只因為金有聲賊子造了反, 在全羅倡興東學惑愚氓。金玉均從日本回來入了夥, 領着那無數愚民來遭殃。先攻破泰仁、古埠兩個縣, 現如今臨近城池全部降。聲勢泰重無人敢攔, 洪啟勳也敗兵在那鄉。我 國的兵將屢次打敗仗, 那賊匪一天比着一天狂。全羅道大小城池全都陷, 不久的就到這座漢城傍。我國裡兵微將寡不能治, 敢乞求貴國發兵把我幫。貴國裡若是坐視不來救, 我韓國眼睛瞅[13]着就要亡。高麗本是中國一屬國, 年年進貢在朝堂。我國的亂也就是你國亂, 我國亡你國也難久長。我國與你國界挨界, 咱兩國本是唇齒之邦。唇亡齒寒古人講, 獨不記虢虞事一椿。貴國今日若不把我國救, 別的國必然把手張。要等着他國插上手, 於你國臉上也無光。望貴國快發人共馬, 好來平亂到這方, 一來是我國把恩德感, 二來是保護你國眾紳商。小王我因此來求見, 望領事思量一思量。」

話說高麗國王說完了一片言語, 袁世凱說道:「國王既來求救, 我國那有不發兵的道理。」遂將韓皇這一片求救的言, 寫了一封電信, 打到咱國。咱國中遂派海軍提督丁汝昌, 帶了兩隻輪船, 先到仁川, 保護咱國的商人, 又派直隸提督葉志超, 太原鎮總兵聶士成, 帶領一千五百人, 拉了十尊大炮, 望高麗進發。押下一頭, 再表一尾。

單說侯元首在雲府教書。光陰迅速, 不知不覺, 就是十一年。正趕上這年東學黨作亂, 他一聽說這個話, 他遂對着學生們說道:「你們好好求學吧, 看看現在咱們國家這樣軟弱, 日本屢次前來起事, 現在又起了內亂, 將來怕是不好, 要想護咱這國

---

12 洗.
13 原文: 目+丑.

家, 全仗着你們當學生的了。」正自說着, 書童進來稟道：「說外面有下書人要見侯先生。」侯元首說道：「那處下書的人？ 讓他進來吧。」不多一時, 那下書的進來, 使[14]了一禮, 將書子呈上。侯元首接過, 拆開封口, 可就看起來了。

上寫着：「拜上元首老仁兄」；下墜着：「敬祝福履與時逢, 咱兄弟自從在劍水驛分了手, 於是忽忽八九冬。常想仁兄不見面, 每于無人之處落淚橫。在全州小弟也從與兄捎過信, 請兄長前去當差到衙中。兄長回信說是教書好, 所以你我兄弟又未必相逢。現如今小弟立下一朋友： 他的名叫金有聲。此人與兄也有舊, 他言說兄長與他有恩情。有聲創下東學黨, 小弟我也入在那裡中。錢中飽、堯在天人兒兩個, 還有那金氏玉均老英雄。在完山以上立下會, 招集無數眾人丁, 想着要改換政府行新政, 想着要易換君主民權行。日本國外面幫助我, 李完用朝中為內應。人馬也有二萬整, 得了那泰仁、古埠兩座城。兄長素抱保國志, 何不今日顯威風？ 望兄長見字無辭這邊往, 我這裡現在缺少一頭領。一來是咱們兄弟得相聚, 二來是保護國家求太平。這機會實在是不容易, 兄長你千萬不要把他扔。」右寫着：「黃氏伯雄三頓首」, 左寫着：「七月九日燈下沖。」元首他看羅[15]這封信, 不由的腹內叮嚀又叮嚀。

話說侯元首看了伯雄這封信, 暗自想道：「他們倡興東學, 藉着這個名目, 以改易國家, 命我前去幫助他們, 這道是好事。但是他們倚着日本, 又收留那賊子金玉均, 以本國人害本國人, 不用說事情不能成, 就是成了必入了日本人的圈套。再說這些無知的百姓, 那能成大事呢？」正是他胡思亂想, 忽有人來說道：「有中國一千多兵從南邊過去, 說是替咱國平東學黨賊。」元首說：「得啦, 那中國兵一去, 他們必然瓦解, 我若不去勸他們改邪歸正, 恐怕難免一敗之苦。」遂對着學生們說道：「你們在家用功, 我上全州去幾天就回來。」說罷命家人將那匹追風豹備上, 把那送信人先打發了, 然後騎上那匹追風豹, 撲奔全州而去。
這日到了全州, 正趕上有聲新近把全州打破, 此時全在城裡住着呢。元首打聽明白, 進了城, 到衙門以外, 見了門役, 說：「你快去通報你們頭領得知, 就說有侯元

---

14 施.
15 罷.

首前來求見。」門役進去報于有聲, 有聲聽說元首來了, 急忙頂冠束帶, 與那金玉均等, 一齊接出門來, 讓至大廳, 分賓主坐下, 正是：

英雄迷路無人救, 來了仁村渡筏人。

要知後事如何, 且看下回分解。

話說侯元首來至大廳坐下，黃伯雄將金有聲等四人，與他引見了。有聲說道：「家父蒙叔父厚恩，無以報答，今叔父到此，乃三生有幸。」元首道：「十餘年不見，長了這大，你要不提起，我也不認識了。」遂又問道：「你令尊現在何處？」有聲答道：「家父已經去世三年矣。」元首聽說，歎息了一會。有聲說道：「姪兒學疏才淺，不能擔此重任，叔父今日到此，請把這些事務，一概擔任了吧。」元首說道：「我今來此，原非與你們入夥，只因咱們盡是大韓好民，所以我有幾句金石良言相勸，諸公肯願聞否？」有聲說：「叔父你既有開導我們，那有不願聞之理？」元首說：「願聞，聽我道來。」

好一個才高智廣元首君，你看他未從開口笑吟吟，叫了聲：「諸位英雄且洗耳，在下我有幾句良言面前陳。我今日到此非是來入夥，想只要喚醒諸位在迷津。世界上多少保國大傑士，全都是自己想道謀生存。昔日裡意國出個哥倫布，他本是世界第一探險人。這英雄憂愁本國土地少，他這才坐上帆船海洋巡。探出了亞美利加新大陸，各國裡一見有地就遷民。屬着那英國人民遷的廣，把那座亞美利加四下分。英國人對待美人過暴虐，出來了一位英雄華盛頓。在國中暗暗把那民權鼓，那百姓全都起了獨立心，與英國打了九年鐵血戰，才能勾[1]叛英國獨立重古今。華盛頓本是五洲一豪傑，他作事未嘗依靠外國人。你幾位現今倡興東學黨，想只要改變政府去維新。諸君的意思雖然是狠[2]好，但是那根基未能立的深。如果要社會以上作大事，必得賴數多強大眾國民。國民的程度要是不能到，怎麼能推翻政府換主君？你黨中盡是些個無賴子，有幾個知道保國去圖存？不過藉着這個來取快樂，事若敗一個一個亂紛紛。依我看你們黨人不足恃，終久的必為他人害了身。日本國本是一個虎狼國，斷不可暗地裡倚他們。日本國自從維新到今日，無一天不想把咱國吞。每趕上咱國以內有亂事，他必然跳在前頭把手伸。明着以保全咱國為名目，暗地

---

1 夠.
2 很.

裡寔在來把主權侵。今日裡不知想出什麼壞，也不知施下什麼狠毒心。大概他是要破壞咱的國，斷不能幫助你們去維新。前幾年日本待咱那些事，諸君們也許親眼見過眞。既然是知道日本他不好，為什麼今日還把他們親？諸君們倚着日本來作事，好以[3]似着引着猛虎入羊群。現如今皇上求救於中國，那中國發來一千五百軍。水師隊從着仁川上了岸，拉着那開花大砲整十尊。看你烏合之眾不能中用，必不能敵攔那個中國軍。既不能把那中國兵來攔，必得取救於那日本人內陳。日本人豈肯白白幫助你，就得將多少禮物向他國。大只說割上幾塊好土地，小只說拿上幾萬雪花銀。想只要圖強保國求安泰，反落下多少亂子國內存？諸君們對準心頭問一問，倒看看那樣輕來那樣陳[4]。有甚事可以興那中國辦斷，不可聽那日本亂胡云，日本人談笑之中藏劍戟，處處裡盡是些個虎狼心！那中國本是咱們的祖國，終不能安[5]心把咱國家吞！看諸君俱是聰明才智士，是怎麼作出事這樣渾[6]？勸你們即早回頭就是岸，別等着船到江心釜舟沉。那時節茫茫大水無人救，諸君們就得一命歸了陰。諸君們為事身死不要緊，連累了四才[7]多少好黎民！看諸君現時失路無人救，我這才渡來仙筏與迷津。勸諸君快快回頭醒了吧，隨着我極樂之處躲災塵。我那裡也有英雄十幾位，同他們歐美各國訪學問。學問成回國再把大事作，那時節自能保國與忠君。在國中倡倡自治吹民氣，在朝內修修政治固邦根。利權兒全都操在咱的手，要作事何須專專倚靠人？我今天勸你們這些個話，全都是就着你們的利弊說原因。諸君們聽不聽來我不管，我正要騎上馬兒轉家門。」侯元首說罷前後一些話，提醒了全羅作亂五六人。

話說金有聲等五人，聽侯元首說了一片言語，一個一個象[8]如夢初醒的一般，說道：「我們少年作事，到是沒有高遠的見識，若非先生一言，幾乎創[9]出大禍來。」金玉均也說道：「我早頭也悶不開這個扣兒，今日聽見元首之言，我才知道，日本竟用這個

3 　一.
4 　沉.
5 　存‧居.
6 　糊塗.
7 　方.
8 　像.
9 　闖.

道來坑害咱們的國家。我當日作事不思, 使喚咱們國家失了多少權力, 並不知日本人笑裡藏刀, 暗有奪取咱國的意思。現今事情已徑[10]到了這個時候, 咱們正是得想了個局外的方法才是。」有聲說道:「我今身墜迷途, 什麼見識也沒有, 再讓侯叔父與咱們出個道吧。」遂又問元首, 元首說:「你們全有改邪歸正的心意了。」五人一齊說道:「我們當初作事不思, 差不[11]點靡[12]鬧出大禍, 將身家性命搭上。今日先生良言相勸, 救我們的性命, 我們那有不願意的道理?」元首說道:「諸位既然如此, 聽我道來。」

侯元首未從開口面帶歡, 叫了聲:「列位豪傑聽我言: 你諸位既欲改惡來向善, 我有一條道兒陳面前。這裡頭一概事情全別管, 今夜晚隨我逃走在外邊。咱們不往別處裡去, 去到那平壤地方把身安。在平壤我有一個大學館, 內中有九個有志的男。他們常愁國家弱, 想只要上那美國念書篇。只因為他們現在皆年幼, 所以遲延這幾年, 諸君們若有志把弱國救, 也可以求學到外邊。要能勾[13]學來好政治, 保全國家不廢[14]難。這是敝人一拙見, 望諸公仔細參一參。」他五位一齊說是好, 今晚上就可以望外顚[15]。說話之間天色晚, 大家一齊用晚餐。吃飯以[16]畢忙收拾, 帶了許多盤纏錢。聽了聽樵樓起了二更鼓, 他六人睄睄[17]的出房間。槽頭上牽過能行馬, 各人備上寶刀鞍。搬鞍上了能行馬, 撲奔平壤走的歡。看了看滿天星斗無雲片, 好一個皓魄當空寶鏡懸。齊說今夜是七月十五日, 你看那月光明亮甚新鮮。他六人說說笑笑走一夜, 到讓那露水濕透身上衣衫。剪斷捷說來的快, 那日到了平壤間。他幾人一齊住在雲府內, 準備着遊學在外邊。押下他們咱且不表, 再把那東學黨人言一番。

話說那些東學黨, 早晨起來, 看看五位全都靡了, 找了多時, 一個也靡找着, 一齊說

----

10 徑.
11 一.
12 沒.
13 夠.
14 費.
15 走.
16 一.
17 悄悄.

道：「不用尋找了，八成讓昨日來的那位先生拐去了，咱們散了吧。」內裡出來二人說道：「萬不可散的，他們怕事跑了，咱們正宜望前接着辦才是。咱們要是散了，豈不讓那外人笑話嗎？」大夥說道：「既然如此，你二位就當首領吧。」於是眾人將他二人推為首領。單說這二人，一個叫袁道中，一個叫馬賓，當日為了首領，就打家劫寨，攻奪城池，比原先還凶。這且不表。

單說日本伊藤，自從金玉均走後，他常常派人，打聽韓國東學黨的消息。這日有一探子回來說道：「韓國東學黨甚是兇猛，將那全羅一道全都破了。他國的兵屢次打敗仗，現時高麗王求救於中國，聽說中國就要發兵，前來與他們平亂了。」伊藤聞言，心中歡喜說道：「這回可有奪取韓國與中國的機會了。」遂急來至金殿，見了日皇，日皇說道：「愛卿上殿有何本奏？」伊藤說：「我主不知，聽臣道來。」

好一個多智多謀伊藤公，你看他未從開口帶春風，尊了聲：「萬歲臣的主，敝臣我有本奏當躬。高麗國出了一賊子，他的名叫金有聲。在國中倡興東學黨，他同夥還有人三名。金玉均也去入了他的黨，求咱們幫他把事行。聞人說現時聲勢實在盛，攻破了全羅一道各地城。他國兵屢次打敗仗，那韓王一見發了蒙。暗地裡求救於中國，那中國就要發大兵。咱們想要吞併高麗與中國，這個機會不可扔。咱們也發兵高麗去，就說是與他把內亂平。東學黨本是些個無賴子，平他們必然不廢[18]工。等着那東學黨人平定後，再將兵住在漢城中。中國若是將咱問，就拿着改革高麗內政來為名。中國要是不讓咱們改，咱們就說他背着天津條約行。他要說高麗是中國的屬國，咱就說高麗獨立在大同。若果然是你們的屬國，為什麼讓他人民胡行兇？因此就與他把交涉起，因此就與他開戰功。那中國雖然是大國，他的那兵將甚稀鬆。要是與他開了仗，臣管保準能把他贏。趕到那中國打了敗仗，那高麗可就獨落在咱手中。這是微臣一般拙見，我主你看可行不可行？」

話說伊藤將話說完，日皇說道：「愛卿之言，甚合孤意。但不知那百姓們，願意不願意？」伊藤說道：「這事不難，臣將此事發到議院，讓咱全國人民議上一議，

---

18 費.

議妥了, 然後再辦, 也不為遲晚。」日皇說道:「此法甚妙, 但不宜遲晚, 就去辦吧。」於是伊藤將想要與中國開戰爭高麗的事情, 發到各議院中, 讓他們議。那全國的人民, 遂開了一個大會議, 全都願意。伊藤見全國人都願意了, 遂派了一個陸軍士將, 名叫山縣有朋, 帶領着三千兵馬, 拉了三十尊大炮, 往高麗進發。這且不表。

單說那葉志超、聶士成, 領着一千餘人, 來與高麗平定東學黨。這日到了全羅之界, 探聽離賊人有十幾里地, 遂扎下營寨, 吊起炮來, 拿千里眼一照, 開炮就打。這個時候, 早有探馬報於袁道中、馬賓二人。袁道中間道:「他們離此不遠?」探馬說道:「離此不過十餘里地。」袁道中說:「不要緊。」正說着, 忽聽咕咚一聲, 炸子子咯啦啦從空中落下, 花拉[19]的一炸, 崩死三百餘人, 就不好了。

忽聽探馬跑到報一聲, 嚇壞了那個袁道中。說道是:「中國兵離此有多遠?」探馬說:「十五里地有餘零。」袁道中說是不要緊, 猛聽的大炮響咕咚。要問那裡大炮響, 聶士成那邊開了攻。咯啦啦的一聲響, 炸子子落在他的營。花啦就望四下炸, 傷了賊人三百兵。二頭領一見勢不好, 說:「這炸子子實在是凶。再待一時要不跑, 恐怕難保活性命。」正是他們要逃命, 那邊的炮連着響了十幾聲。這幾炮來打的准, 他們人傷了千餘兵。袁道中這邊望後退, 聶士成那邊直是攻。東學黨眼睛瞅[20]着死無數, 又傷了他們頭領袁道中。馬賓自己逃了命, 那些兵漫山遍野逃了生, 中國兵打到跟前裡, 忽啦一聲就往上衝。每人抽出刀一把, 克[21]又[22]克又如切蔥。自早晨殺到太陽落, 那東學黨死甚苦情。聶士成那邊傳下令, 吩咐一聲紮下營。

話說聶士成與葉志超, 將東學黨打散了, 扎下大營, 點自己兵馬, 僅僅傷了三十餘人。遂又領着兵, 把那全州恢復了。不幾天, 將那餘黨全都平盡了, 城池全都得回來。於是領兵奔漢城。這且不表。

----

19 嘩啦.
20 原文: 目+丑.
21 原文: 口+克.
22 原文: 口+又.

單說日本山縣有朋領着兵馬, 早已到了漢城, 住在他的領事衙門, 聽說中國把東學平了, 他就要起事。正是:

> 東學黨亂方除盡,　又見中日起禍端。

要知後事如何, 且聽下回分解。

話說中國兵到了漢城之時，日兵已經住在他的領事衙以內，每日出去擾亂百姓，無所不為。那百姓受不起暴虐，遂有三四百人，聚在一處，攻打他們。那日本一見，可就越發鬧起亂來了。

> 好一些日本強徒禮不通，他在那高麗國內來行兇。白日裡各處打家來劫寨，到夜晚投宿民間亂胡行。有人要是把他來衝撞，抽出刀子就行兇。無故將人活殺死，官府內也不能把冤平。因此百姓們起了情，三百四百聚成營。日本又去把百姓惹，百姓就與他把命拼。日本一見把他們來攻打，這才越發了不成。無所不為胡亂了，將百姓害的好苦情。他們這樣還不滿意，又上那領事衙門把狀升。硬說是高麗人民不懂禮，見了他們就眼睛紅。搶去他們多少好財帛，劫去他們行李馬匹好幾宗。望領事與我們快作主，若不然這個苦處無處鳴。領事一聽這句話，急忙來到高麗政府中。見了高麗政府諸元老，他這才慢慢的把話明，說道：「是你國起個東學黨，江山轉眼就要扔。我們好意來相救，你百姓為什麼把我們攻？搶去多少好財物，傷了幾名好兵丁？你百姓這樣膽肆來作亂，全都是你們政府無正經。從今後我得與你們改政治，從今後我得把你們法律更。一來是替着你國求安泰，二來是保護我國商與兵。不怕你們不應允，今日我就來實行。」這領事說罷了一些話，嚇壞了高麗國內眾公卿。

話說日本領事，說要改革高麗的內治，那政府大臣，一個一個嚇的目瞪口呆，半晌方說出話來，說道：「我們的百姓無知，有傷貴國之人，望領事不要動怒，我們甘願包賠。」一領事說道：「包賠也不行，今日包賠了，明日還是那樣，我們吃虧吃大了。說什麼也算不中，非改你們內治不可。快去告訴你們皇上去吧。」說罷，騎馬回衙門去了。

這些大臣面面相覷，呆了一會，都說道：「咱們既然無法，還得稟報於天子得知。」于是上了金殿，將此事奏於韓皇。韓皇說：「這可是如何是好？」內有一大臣奏道：「我主可以將此事報于中國領事，看看他將如何對待？」韓皇說道：「既然如此，寡人我就前去。」遂命御卒套上車輦。

韓皇上了車輦，來到中國領事衙門大門以外下輦。早有人報于袁世凱，世凱出來，接至屋中坐下，說道：「今王到此，有何商量？」韓皇說道：「無事不敢到此，只因日本的兵士，被我國的百姓打傷了，他們領事到我政府問罪，硬說我內治不善，致使人民行兇，就要與我國更改內政。寡人尋思，貴國是我國的祖國，日本要改革我國的內政，就有敢奪我國之心。咱兩國是唇齒之邦，我國又為你國的屬國，日本要是把我國滅了，你國也是狠[1]受害的。所以寡人才來，將此事告于貴領事，望領事連連想方法以處之。」袁世凱說道：「今王暫且回宮，下官先去見他的陸軍大將山縣有朋，讓他撤兵，然後再與他辦此交涉，豈不是好嗎？」於是他二人一齊出了領事館，韓皇回宮去了。

袁世凱來到日本領事衙門，見了山縣有朋，說道：「高麗內亂已經平了，貴國就可以撤兵回國，省着在他國中不便，使他們那些百姓驚惶。」山縣有朋同他那領事一齊說道：「咱兩國在天津定條約的時候，不是說是高麗有亂，咱兩國互相派兵來平嗎？今日我們與他來平內亂，本是好意，他那百姓將我們兵丁打傷不少，還搶奪我們的財物，可道是為什麼呢？因為這個，所以我們將兵住在這裡，一來是他國的內治不好，我們代他改革改革，二來是保護我國的商人。」袁世凱說道：「高麗本是我國的屬國，你國本干涉不着，為什麼改他國的內政？再說你那兵丁，全都帶着鎗刀，他們的百姓，怎麼能夠欺侮你那兵丁呢？」他二人又說道：「袁領事，你說什麼高麗是你國的屬國？我看高麗是獨立國。」袁世凱道：「你們怎說他是獨立國？」山縣有朋說道：「他既是你國的屬國，他國的內治，你們為什麼一點也不管呢？今日看我們要改革他國的政治，你又來干涉我們，想只要背天津條約怎的。要背條約，就算不行！」說着說着，就決裂了。袁世凱一見他們不撤兵，一邊又要改革高麗的內政，知道是不好了，急忙回到衙門，寫了一封摺子，由電報局打到咱國的外務部。外務部的尚書，見袁世凱打來電報摺子，知道必是緊要之事，遂急忙見了光緒皇爺，將摺子呈上。光緒皇爺接過摺子，可就看起來了。

　　上寫着拜上拜上多拜上，拜上光緒我主有道皇　只因為高麗起了東學黨，一心
　　要破壞他那家邦。咱國裡發兵把他救，那日本也發兵來到那鄉。到後來咱國平

---

[1] 很.

定東學黨，日本兵在韓國以內發了狂。白日裡打家去劫寨，夜晚間任意投宿在民房。無所不為來作亂，那韓民一怒把他抗。因為韓民不受他的暴，所以他又起了壞心腸。對着他國的領事把話講，硬說那高麗人民把他們傷，他領事就望高麗政府去，對着那大老臣工說其詳。我們好意與你來平難，為什麼你百姓把我兵來傷？看起來皆是你們內政不善，我今日就與你們改改良。除去你們那些個齷齪政，將你這法律改改章。那日本一心要把高麗政治改，為臣我也曾與他們犯商量。臣讓他把兵馬撤回，國 他言語保護商人在那方。臣又說高麗是我們的屬國，他言說高麗是獨立邦。臣不許他幹涉高麗政，他就與為臣說不良。看起來他是要把高麗滅，若不然何為這樣的張狂？高麗本是咱國的屏藩國，他要亡咱國也恐怕不久長，為臣我因此才把本來工，望我主快快想個好主張。下寫着：「袁世凱來三頓首　叩稟我主高麗永久平康。」光緒爺看罷了這摺子，不由的一陣一陣心內慌。

話說光緒皇爺看罷袁世凱的摺子，對着滿朝文武說道：「日本這樣野心，咱們可是如何對待他呢？」那滿朝文武齊聲說道：「我主，日本欺侮高麗，就是欺侮咱們中國，非得跟他開仗不可，要不跟他開仗，把高麗就白白的讓給他了。」其中惟有那李鴻章不願意與那日本開仗。但是一個人不願意，也是靡法子，于是遂將中日開仗事情，佈告各國知道，然後命左寶貴、衛汝貴，領六萬人馬，望高麗進發，又命丁汝昌，帶十二支兵船，把守黃海。這且不表。
單說日本山縣有朋與中國領事決裂了，遂既回到國中，對他國皇一說。國皇說：「既決裂，咱們就與他開仗！」這個時候，中國的戰表已經傳到日本了。那日本一見中國與他們開仗，全都樂了。于是點了三十萬陸軍，讓東鄉平八郎帶頭一隊，山縣有朋帶第二隊，伊東佐亨[2]帶第三隊，先望高麗進發。又命代[3]山岩帶二十支大鉄甲船，撲奔黃海，與咱國的海軍開仗。由是中日兩國，可就開起戰來了。

這日本貪而無厭野心生，一心要與我國把高麗爭。住[4]高麗的兵馬他不撤，硬

---

2 伊東祐亨.
3 大.
4 駐.

要把高麗國的政治更。袁世凱也從[5]將他問，他言說我國禮不通。「高麗本是獨立國，我們幹涉怎不中，既說高麗是你們屬國　為什麼讓他人民亂胡行？看起來全是你們國的錯，你還有甚麼言語向我說？我們的兵馬一定不能撤，高麗的政治一定另改更。今日就是這樣辦，看看你們與何能？」袁世凱一見事決裂，他這才打本進了京。本章打到北京內，怒惱光緒有道龍：「日本今日欺侮我。必與他們開戰功。」點了六萬人共馬，派了三位大元戎。頭一個就是左寶貴，二一個就是聶士成，還有一個衛汝貴，每人領着二萬兵。祭了大纛起了隊，浩浩蕩蕩出北京。人馬駝駝望前走，這日到了韓國中。大兵發到平安道，牙山以下扎了營。押下中國且不表，再把日本明一明。日本聽說中國與他來開仗，他們一個一個樂的了不成。各處裡就把人馬調，選了三十萬大陸兵，他派了元帥人三個，列位不知聽我明，東鄉平八郎領着頭一隊，第二隊的元帥叫小[6]縣有朋。第三隊裡也有大元帥，他的名字叫伊東佑亨[7]。軍樂炮隊全都有，坐上輪船起了程。這日到了仁川地，上岸就奔牙山行。兩下相隔整十里，咕咚大炮開了聲　左寶貴獨擋頭一隊　衛汝貴後邊打接應　兩邊一齊開了炮，烈煙遮天令人驚。自晨打到晌午後，我國傷了三千兵　老將宋慶有武勇，一人咱能把日本沖，陸軍敗陣且不表。再說海軍丁總戎。丁汝昌鴨綠江口來把守，大山岩帥[8]着海軍望前攻。兩下相隔八九里，忽聽大砲如雷鳴。日本船望前直是闖，將我船就望四下沖，炸子咯啦直是响　打沉我國兩船兵　日本也沉船一個　死了兵丁幾百名　由此又打了三時整　三支輪船又沉海中　眼看着我軍就要敗　接應兵隊不見動靜，左寶貴活活被那炮打死，可憐那多年老將喪殘生。我軍這才敗了陣，平壤兵隊跑個空。到後來又打了好幾仗，盡是我敗日人贏。日本兵簡直的望前趕，過了鴨綠大江奔海城。我兵退入奉天內，日本佔了九連城。金州、鳳凰全都陷，大連、蓋[9]州人被敵人攻。丁汝昌一見事不好，帶着七支輪船逃了牛。後來又在威海打一仗，我國的兵丁死的數不清。丁汝昌無奈仰藥死，可憐他功未著來命亦坑。我國與那日本打了數十仗，未聽見說有一仗把那日本贏。

5　曾.
6　山.
7　伊東佐亨.
8　率.
9　盍.

像這樣全是什麼原[10]故？約不過兵未練來將惜生。為兵的一開仗來荒無措，為將的一臨大敵發了蒙。如此兵來如此將，那能不把國家坑。還有一個奸相頂不好，就是那合淝李文忠。李鴻章一心不願與日戰，他說是日本雖小兵甚雄。倘若是一戰不能將他勝，那時節想要罷兵萬不能。到那時欲戰不能罷不得，何不與他商量着辦事情。看起來他的見識是狠[11]好，但是他不當把那私心生。因為事情不隨他的意 他不可西里糊突[12]把事行。不發兵來也不發餉，因此咱國才敗下風。此是我國兵敗故，令人聞之痛傷情。咱國一看不能把日本勝，無奈何這才和約在北京。

話說中國與日本打了一年多仗，中國也靡打一個勝仗。當日德美兩國，各自派來一位大臣，前來觀戰。美國的大臣叫福世德，德國的大臣叫蘇林哥耳，在此觀戰，看中國屢打敗仗，福世德對着蘇林哥耳說道：「日本野心如狼，不可讓他直是逞雄，現在中國算永遠不能勝了，咱們何不與他兩國說和了呢？」蘇林哥耳說道：「這都是好事，咱們二人就此前往吧。」

他二人遂來在咱政府，將和約的事情一說。這個時候，李鴻章極力求和，那皇上也看着不能夠勝了，遂應了他二人的意思，把李鴻章為全權大臣，跟着福世德、蘇林哥耳，上日本和約。從天津上了火船，一直的到日本的東京。到了日政府，見了伊藤，才說出和約之事。正是：

士卒不練難爭勝，將帥無學奚建功。

要知後事如何，且聽下回分解。

---

10 緣.
11 很.
12 稀里糊塗.

話說福世德三人, 到了日本政府。門軍通報進去, 伊藤博文接出門來, 一見李鴻章,
就知是求和。遂讓至客廳, 分賓主坐下, 有人獻上茶來。茶罷擱盞, 伊藤欠身說道:
「貴大臣門前來到此, 有何大事相議?」福世德從旁答道:「無事不敢到此。只因中
日兩國開戰, 已經一年有餘, 日兵屢勝, 清兵屢敗, 黃海以內, 骨積如山, 遼東半島,
尸骸遍野, 損世界和平之性, 傷天地好生之德。某憫生靈之塗炭, 哀黎庶之逃亡,
是以私自連和[1]德國大臣, 不揣冒昧來與你兩國說和, 以睦友邦之情, 而保東亞之和
平。不知貴大臣肯納否? 如果見允, 現有中國派來全權大臣李公在此, 望貴大臣三
留意焉。」伊藤答道:「日本區區三島, 地少人稀, 內而臣工, 無有如吳大澂與李公
之才; 外而將帥, 無有如葉志超、丁汝昌之勇。政令之不善, 法度之不修, 莫我國若,
今忽戰勝大邦, 實為僥[2]倖。既承二國之美意, 來作說和, 敝國焉有不願罷兵修好之
理? 但是想要和約, 必得應許我們幾件事情。若不然, 我們還是開戰。」李鴻章說
道:「我們既然上趕只[3]前來求和, 大凡不大離的, 靡有不應許之理。但不知貴大臣
所說的, 是那幾件事?」伊藤說:「要問我那幾樣事, 且聽我慢慢的道來。」

　　這伊藤未從開口帶春風　尊了聲:「三國大臣仔細聽。只因為中日不和開了戰,
　　發兵馬苦了各處眾百姓。你二國說和本來是好意, 敝國家焉能不應成[4]? 但是
　　我有幾件事, 敢在面前明一明, 中國日本向來狠[5]和睦, 只因為高麗起戰爭,
　　從今後認高麗為獨立國, 不許中國干涉他的事情; 從今後不許高麗國王朝中
　　國, 從今後不許他們進貢北京。此是敝國講和第一件事; 第二件事來聽我明。
　　自從與你們中國開了仗, 至而今一年有餘零。我們費了兵餉好幾萬兩, 又傷了
　　無數眾兵丁, 要和約你得包我們欵[6], 好養活陣亡兵丁他的父與兄。將兵餉賠

1　聯合.
2　僥.
3　着.
4　承.
5　很.
6　款.

上三萬萬兩，這是敵人第二宗，第三件還得割與我們幾塊土地，就要那遼東半
島澎湖臺灣幾座城，黃海北岸那些群島，全得割入我們日本封。第四件還要開
上幾個商埠，就是那重慶、沙市、蘇州、杭州、北京城。湘潭、梧州也得開為
商埠，這是我的第四宗。若是應許這四件事，咱兩國就可以罷戰爭；若不應許
這四件事，想要休兵萬不能。再添上我的兵丁幾十萬，一定攻破你那北京城。
李輔相你既是全權大宰相　這個事可要調停一調停，開戰好來是和約好，想一
想那樣重來那樣輕？李輔相聞言嚇了一跳：呀這個要來可了不成。」說道：「是
等到下處想一想　明日你再把信聽。」說罷出了日政府，德美的大臣回上自己領
事衙門中。也該着李鴻章的時運不好，大街以上逢了災星。李鴻章順着大街往
前走，忽然間那邊來了人一名，相離不過十幾步，拿出手鎗就行凶。只聽得哎
哎哎一聲響，李輔相打倒地流平。左頰以上着了彈子，不住直是冒鮮紅，巡警
一見着了曼[7]將刺客抓住不放鬆

話說打李鴻章這刺客，是日本人，名叫小山。只因為他哥哥在天津，作出不法之事，
讓李鴻章治死。小山每想與他哥哥報仇，但靡有機會。偏趕上這一年，李鴻章到在
他國和約，他就在街上候着，見李鴻章一過來，他就是一鎗，打倒在地。巡警慌忙
上去捉住刺客，送到他國的審判聽一詢，纔知道因為甚麼。那伊藤聽說：「告訴不
要把他殺了，他是一個愛國的赤子，監禁幾年也就是了。」這且不表。
單說李輔相當日受了一鎗，正打到顴角上，跌倒在地，跟人叫了一會，才醒過來。於
是用轎子抬到馹館[8]。這個時候，伊藤聽說，親自前來謝罪。一看李公之傷甚是沉
重，說道：「這是我國保護的不周到，致使貴大臣受這樣的重傷，我們有罪了。」李
鴻章說道：「你所說那四件，我可實不能全允，望貴國剪裁剪裁。」伊藤見李公處九
死一生之時，尚不忘國家大事，暗暗的想道：「不憶[9]中國尚有這樣的忠臣，真是愧
殺[10]我們。」遂命御醫前來調治。醫生來到一看，說道：「必須將彈子箍出，方可能
好。」李公說道：「任死不箍出此彈，不敢以己身之創劇，誤國家之大局。」日皇重其

7　原文: 日+曼.
8　驛館.
9　意.
10　煞.

忠忱, 特下了二十一日停戰之令。李公見他下了停戰之令, 遂又與伊藤說道:「我國派我來辦全國大事, 誤為你們刺客所傷, 你準得把你所擬那四條, 減少一點, 我才能應允。若不然, 我就死于你國, 讓我政府向你們問罪。」伊藤說道:「貴大臣不要如此, 你讓把彈子箍出, 我必能對得着你, 也就是了。」李公一聽此言, 遂命將彈子箍出, 用藥調治着, 一天比一天見好, 那和約之事, 也漸漸的有成了。但是這二十一日的停戰日期, 可是轉眼就要到, 李公恐怕再一開仗, 就不好辦啦。遂與伊藤將和約之事就說定了。在日本馬關的地方, 立了條約。德美兩國的大臣, 也都到了。就鋪上紙, 可就寫起條約來了。

好一個足智多謀李文忠、敢與那伊藤把條約爭。大街上一鎗幾乎廢了命, 那伊藤一見發了蒙。下了那二十一日停戰令, 這和約之事纔有成 只因為小山一鎗打的好 那日本的約求才減輕 在馬關之地把合同寫, 德美兩國的大臣在其中, 第一條應許高麗為獨立國。不許受咱中國封, 高麗王也不許朝中國, 也不許進貢到北京; 第二條賠他們兵費二萬萬兩, 照先前減去一萬萬兩有餘零; 第三條澎湖、遼東歸日本, 還搭上台灣一省城, 照原先減去黃海以北衆嶼島, 這也是鴻章他的功; 第四條將重慶、沙市、蘇州、杭州開為通商埠, 許他們貿易在其中, 照先前減去北京、湘潭、梧州三處地, 全仗着文忠死力爭。合同寫完畫了押, 兩國這才罷了兵。衆明公你們思一思來想上一想, 看此事傷情不傷情? 高麗國本是咱的屬國, 應該在咱們的權限中。只因為我們人心不齊勢力軟弱, 硬讓日本奪在手中。打敗仗傷了兵丁無其數, 還包他兵餉二萬萬兩有餘零。台灣一省既然歸日本, 還搭上遼東、澎湖、無數城。由是高麗歸日本管, 把咱中國一傍扔。得高麗就要奪我東三省, 請明公聽着心驚不心驚? 這土地不是皇上的土地, 咱百姓是這土地主人翁。當主人不能把自己的土地保, 終久必得受人家的欺凌! 我同胞快快醒來罷, 不要西里糊突[11]度時冬。我說此話不是胡講究, 日本人的手段寔在雄。現時裡大家想保護還不晚, 再等幾年可就怕不行。聞言少敘書歸正, 再把那中日兩國明一明。

---

11 稀里糊塗.

話說李鴻章在馬關地方, 與日本伊藤定下條約, 各人劃¹²上押, 德美二國的大臣也劃¹³上了押, 事情就算成啦。德美二國的大臣各歸本國去了, 日本也把兵全都撤回國中。此時李鴻章的傷痕已經全好, 遂坐上輪船, 歸國交旨。中日的戰爭, 至此算完了。中國在高麗的勢力, 到這也算全靡啦。列位聽聽, 可惜不可惜? 閑話少說。單說日本把中國勝了, 得了好幾塊土地, 君臣們甚是快樂。這日君臣們大排宴筵, 慶賀功勞。酒席筵前, 伊藤對着日皇說道:「我主常想奪取高麗, 瓜分中國, 這回可有望了。」

這伊藤未從開言笑吟吟, 尊了聲:「我主萬歲聽臣云: 想當初愁着咱國土地少, 遂欲要外邊去把勢力伸。以¹⁴下手先定了二條道, 猶是併吞高麗瓜分中國的心。現如今中日兩國一仗, 那中國敗的不堪云。認承高麗為獨立國, 咱們可就有法把它尋。中國在高麗的勢力已靡有, 那高麗就算在咱的手心。原先微臣我也狠¹⁵把愁犯, 恐怕難與中國爭生存。只因為他們是大國, 地廣人多重古今。想咱們區區三島一小國, 恐怕是一敗就難翻了身。那知道他們更軟弱, 一個一個賽死人。早知道中國這個樣, 何必在他身上多分神, 現今咱們既然有勢力, 還得想個方法把高麗吞。微臣我有一條道, 我主在上聽原因。挑一位元勳大老高麗去, 帶上數千大陸軍。將兵屯在他國內, 就說是替他改政來維新。那政治全都落在咱的手, 管保他不能來動身。明着為保護他為文明國, 暗地裡寔行把他國分。還¹⁶是微臣一拙見, 望我主思尋一思尋。」日皇那裡開言道:「愛卿的見識寔在深, 從今咱們就這樣辦, 任憑愛卿你配分。」由是日本就要監督韓國, 可苦了那些朝鮮民。押下此事且不表, 再把那元首侯氏云一云。

話說侯元首與金有聲等五人, 從全羅逃到平壤, 就想着要讓他那些學生們, 跟金有聲等五人, 前去遊學美國, 偏趕上中日開戰, 他就等着看他兩國的勝敗。尋思着, 若是中國勝了, 高麗或者不能亡; 若是日本勝了, 我國可是有早晨, 無下晚了。到後

----

12 畫.
13 畫.
14 一.
15 很.
16 這.

來果然是日本勝了,元首一聽日本勝了,心中十分的恐懼,遂將他那些學生,喚至屋中。正是:

　　家貧方能識孝子,　國弱才顯有心人。

畢竟不知後事如何,且聽下回分解

繡像英雄淚　卷二

咱們可就有法把他尋

原先微臣我也狠把愁犯

地廣人多重古今

那知道他們更軟弱

何必在他身上多分神

微臣我有一條道

帶上幾千大陸軍

那政治全都落在咱的手

暗地裡竟行把他國分

任憑噯卿你配分

日皇那裡開言道

中國在高麗的勢ヵ為已靡有

恐怕難與　爭生存

想咱們區區三島一小國

一個一個賽死人

現今咱們既然有勢力

我主在上聽原因

將兵屯在他國內

管保他不能來動身

還是微臣一拙見

愛卿的見識寔在深

由是日本就要監督朝鮮國

可若是那些朝鮮民云一云

那高麗就算在咱的手心

只因為他們是大國

恐怕是一敗就難翻了身

早知中國這個樣

還得想個方法把高麗吞

挑一位元勳大老高麗去

就說是替他改政來維新

明着為保護他為文明圖

望我主恩尋一思尋

從令咱們就這樣辦

再把那元首且侯氏云一云

押下此事且不表

話說侯元首與金有聲等五人。從全羅逃到平壤就想只要讓他那些學生們跟金有聲等五人。前去遊學美國偏趕上中日開戰他就等着看他兩國的勝敗尋思着若是中國勝了高麗或者不能亡若是日本勝了我國可是有早晨。到後來果然是日本勝了元首一聽日本勝了心中十分的恐懼遂將他那些學生喚至屋中正是

國弱才顯有心人　畢竟不知後事如何。且聽下回分解。

家貧方能識孝子

109

還搭上遼東澎湖無數城
得高麗就要奪我東三省
咱百姓是這土地主人翁
我同胞快快醒來罷
日本人的手段寔在雄
閒言少敘書歸正

台灣一省既然歸日本
把咱中國一傍扔
這土地不是皇上的土地
終久必得受人家的欺凌
我說此話不是胡講究
再等幾年可就怕不行

還包他兵餉二萬萬兩有餘零
由是高麗歸日本管
請明公聽著心驚不心驚
當主人不能把自己的土地保
不要西里糊突度時冬
現時裡大家想保護還不晚
再把那中日兩國明一明

話說李鴻章在馬關地方與日本伊藤定下條約。各人劃上押。德美二國的大臣也劃上了押。
事情就算成啦德美二國的大臣各歸本國去了。日本也把兵全都撤回國中此時李鴻章的
傷痕已經全好遂坐上輪船歸國交旨中日的戰爭至此算完了中國在高麗的勢力到這也
算全扉啦列位聽聽可惜不可惜開話少說單說日本把中國勝了得了好幾塊土地君臣們
甚是快樂這日君臣們大排宴筵慶賀功勞酒席筵前伊藤對著日皇說道我主常想奪取高
麗瓜分中國這回可有望了。

這伊藤來從開言笑吟吟　　尊了一聲我主萬歲聽臣云　　想當初愁著咱國土地少
遂欲要外邊去把勢力伸　　以下手先定了二條道　　猶是併吞高麗瓜分中國的心
現如今中日兩國一仗　　那中國敗的不堪云　　認承高麗為獨立國

縱我就死于你國讓我政府來向你們問罪。伊藤說道貴大臣不要如此。你讓把彈子箱出我
必能對得着你。也就是了。李公以聽此言遂命將彈子治出用藥調治着。一天比一天見好。那
和約之事。也漸漸的有成了。但是這二十一日的停戰日期。可是轉眼就要到。李公恐怕再一
關仗就不好辦啦。遂與伊藤將和約之事就說定了。在日本馬關的地方立了條約。德美兩國
的大臣。也都到了。就鋪上紙可就寫起條約來了。

好一個足智多謀李文忠　　　　敢與那伊藤把條約爭

那伊藤一見發了蒙　　　　　　下了那二十一日停戰令

只因為小山一鎗打的好　　　　那日本的約求才減輕

德美兩國的大臣在其中　　　　第一條應許高麗為獨立國

照原先減去黃海以北衆嶼島　　不許受咱中國封

高麗王也不許朝中國　　　　　也不許進貢到北京

照先前減去一萬萬兩有餘零　　第二條賠他們兵費二萬萬兩

許他們貿易在其中　　　　　　第三條澎湖遼東歸日本

照先前減去北京湘潭梧州三處地　還搭上台灣一省城

合同寫完畫了押　　　　　　　第四條將重慶沙市蘇州杭州開為道埠

兩國這才罷了兵　　　　　　　全仗着文忠宛力爭

看此事傷情不傷情　　　　　　衆明公你們思一思求想上一想

高麗國本是咱的屬國　　　　　應該在咱們的權限中

只因為我們人心不齊勢力軟弱　硬讓日本奪在手中　打敗仗傷了兵丁無其數

也該着李鴻章的時運不好　　大街以上逢了災星　　李鴻章順着大街往前走

忽然間那邊來了人一名　　相離不過十幾步　　拿出手鎗就行凶

只聽得哎哎一聲响　　李輔相打倒地流平　　左頰以上着了彈子

不住直是冒鮮紅　　巡警一見着了睡　　將刺客抓住不放鬆

話說打李鴻章這刺客是日本人名叫小山只因為他哥哥在天津作出不法之事讓李鴻章治

死小山每想與他哥哥報仇但屢有機會偏趕上這一年李鴻章到他國和約他就在街上

候着見李鴻章一過來他就是一鎗打倒在地巡警慌忙上去捉住刺客送到他國的審判廳

以詢縶知道因為甚麼那伊藤聽說告訴不要把他殺了他是一個愛國的赤子監禁幾年也

就是了這且不表單說李輔相當日受了一鎗正打到顎角上跌倒在地跟人叫了一會才醒

過來於是用轎子抬到駒館這個時候伊藤親自前來謝罪一看李公之傷甚是沉重說

道這是我國保護的不周到使貴大臣受這樣的重傷我們有罪了李鴻章說道你說那四

件我可實不能全允望貴國剪裁伊藤見李公處九冤一生之時尚不忘國家大事一看說道

的想道不憶中國尚有這樣的忠臣真是慚愧殺我們遂命御醫前來調治醫生來到一看說道

必須將彈子箝出方可能好李公說道任冤不箝出此彈不敢以己身之創劇誤國家之大局

日皇重其忠恍特下了二十一停戰之令遂又與伊藤說道我國派

我來辦全國大事誤為你們刺客所傷你準得把你所擬那四條減少一點我才能應允若不

106

繡像英烈傳　卷一　二十

這伊藤未從開口帶春風

發兵馬苦了各處眾百姓

但是我有幾件事

只因為高麗起戰爭

從令後不許高麗國王朝中國

第二件事來聽我明

我們費了兵餉好幾萬兩

好養活陣亡兵丁他的父與兄

第三件還得割與我們幾塊土地

全得割入我們日本封

湘潭梧州也得開為商埠

咱兩國就可以罷戰爭

再添上我的兵丁幾十萬

這個事可要調停一調停

李輔相聞言吓了一跳

明日你再把信聽

尊了聲三國大臣仔細聽

你二國說和本來是好意

敢在面前明一明

從令後認高麗為獨立國

自從與你們中國開了仗

又傷了無數眾兵丁

將兵餉賠上三萬萬兩

就要那邊東半島（澎湖臺灣幾座城）

第四件還要開上幾個商埠

這是我的第四宗

若不應許這四件事

一定攻破你那北京城

開戰好來是和約好

呀這個要求可了不成

說罷出了日政府

只因為中日不和開了戰

敝國家焉能不應成

中國日本向來狠和睦

不許中國干涉他的事情

此是敝國講和第一件事

至而今一年有餘零

要和約你得包我們款

這是敝人第二宗

黃海北岸那些蠆島

就是那重慶沙市蘇州杭州北京城

想要休兵萬不能

李輔相你既是全權大宰相

想一想那樣重來那樣輕

說道是等我到下處想一想

德美的大臣回上自己領事衙門中

他二人的意思派李鴻章為全權大臣跟着福世德蘇林哥耳上日本和約從天津上了火船

一直的到日本的東京到了日政府見了伊藤才說出和約之事正是

士卒不練難爭勝　將帥無學莫建功　要知後事如何且聽下回分解

第十三回　專傅相定約馬關　日政府監督韓國

話說福世德三人到了日本政府門軍通報進去伊藤博文接出門來以見李鴻章就知是求和遂讓至客廳分賓主坐下即有人獻上茶來茶罷擱盞伊藤欠身說道貴大臣們前來到此

有何大事相議福世德從旁答道無事不敢到此只因中日兩國開戰已經一年有餘日兵屢

勝清兵屢敗黃海以內骨積如山遼東半島尸骸遍野損世界和平之性傷天地好生之德某

憫生靈之塗炭哀黎庶之逃亡是以私自連和德國大臣不揣冒昧來與你兩國說和以睦友

邦之情而保東亞之和平不知貴大臣肯允否如果見允現有中國派來全權大臣李公在此

望貴大臣三留意焉伊藤答道日本區區三島地少人稀內而臣工無有如吳大澂與李公之

才外而將帥無有如葉志超丁汝昌之勇政令之不善法度之不修算莫我國若令忽戰勝大邦

宴為微倖既承二國之美意米作說和徹國焉有不願罷兵修好之理但是想要和約必得應

許我們幾件事情若不然我們既然上趕只前來求和大凡不大

難的雖有不應許之理但不知貴大臣所說的是那幾件事伊藤說要問我那幾樣事且聽我

慢慢的道來

大連蓋州人被敵人攻

後來又在威海打一仗

可惜他功未著來命亦坑

像這樣金是什么原故

為辦的一臨大敵發了蒙

還有一個奸相頂不好

他說是日本雖小兵甚雄

到那時欲戰不能罷不得

但是他不當把那私心生

因為事情不隨他的意

不發兵來此不發餉

令人聞之痛傷情

話說中國與日本打了一年多仗。

丁汝昌一見事不好

丁汝昌無奈仰藥砲

我國的兵丁死的數不清

我國與那日本打了數十仗

來聽說有一仗把那日本贏

約不過兵未練來將惜生

為兵的一關仗來慌無措

那能不把國家坑

李鴻章一心不願與日戰

那時節想要罷兵萬不能

他看起來他的見識是狠好

他不可西里糊突把事行

此是救國兵歇故

無奈何這才和約在北京

帶著七支輪船逃了生

咱國一看不能把日本勝

那時中國也虧打一個勝仗當日德美兩國各目派來一位大臣

德國的大臣叫蘇林哥耳在此觀戰看中國屢打敗仗咱們

前來觀戰。日本野心如狼不可讓他直是逞雄。咱們現在中國算永遠不能勝了咱們

德對著蘇林哥耳說道日本這道道是好事咱們二人就此前往吧他二人遂來在

何不與他兩國說和了呢蘇林哥耳說道這個時候李鴻章極力求和那望上也看着不能夠勝了遂應了

咱政府辦和約的事情一說

選了三十萬大陸兵
他派了元帥人三個
列位不知聽我明
東鄉平八郎領着頭一隊
第二隊的元帥叫小縣有朋
第三隊裡也有大元帥
他的名字叫伊東佑亭
軍裝炮隊全都有
坐上輪船起了程
這日到了仁川地
上岸就奔牙山行
兩下相隔整十里
咕咚大炮開了聲
左寶貴獨攬頭一隊
衛汝貴後邊打接應
兩邊一齊開了炮
烈烟邊天令人驚
自晨打到晌午後
我國傷了三千兵
老將宋慶有武勇
一人咱能把日本冲
陸軍敗陣且不表
再說海軍丁總戎
丁汝昌鴨綠江口來把守
大山岩帥着海軍望前攻
兩下相隔八九里
忽聽大炮如雷鳴
日本船望前直是闖
將我船就望四下冲
炸子略啦直是响
打沉我國兩船兵
日本也沉船一個
宛了兵丁幾百名
由此又打了三時整
三支輪船又沉海中
眼看着我軍就要敗
接應兵隊不見動靜
左寶貴活活被那炮打死
可憐那多年老將喪残生
我軍這才敗了陣
平壤兵隊跑個空
到後來又打了好幾仗
盡是我敗日人贏
日本兵闖直的望前趕
我兵退入奉天內
過了鴨綠大江奔海城
金州鳳凰全都陷

鬧東洋寃恨難伸傳　卷之一　一二二

102

中國的戰表已經傳到日本了。那日本一見中國與他門開仗全都樂了。于是點了三十萬陸軍。讓東鄉平八郎帶頭一隊，山縣有朋帶第二隊，伊東佐享帶第三隊，先望高麗進發，入命大山岩帶二十支大鉄甲船，撲奔黃海，與咱國的海軍開仗，由是中日兩國可就開起戰來了。

這日本貪而無厭野心生　一心要與我國把高麗爭　既說高麗是你們屬國

硬要把高麗國的政治更　我們干涉怎不中　他言說我國禮不通

高麗本是獨立國　看起來全是你們國的錯　你還有甚么言語向我說

為什么讓他人民亂胡行　袁世凱也從將他勸　今日就是這樣辦

我們的兵馬一定不能撤　高麗的政治一定另改更　他這才打本進了京

看看你們有何能　袁世凱一見事決裂　日本令日散侮我

本章打到北京內　怒惱光緒有道龍　派了三位大元戎

必與他們開戰功　點了六萬人共馬　還有一個衛汝貴

頭一個就是左寶貴

每人領着二萬兵　二一個就是聶士成　浩浩蕩蕩出北京

人馬駞駞望前走　祭了大纛起了隊　大兵發到平安道

牙山以下扎了營　這日到了韓國中　還把日本明一明

日本聽說中國與他來開仗　押下中國且不表　再把日本細的了不成

他們一個一個藥的了不成　各處裡就把人馬調

因為韓民不受他的暴
硬說那高麗人民把他們傷
我們好意與你來平難
我今日就與你們政攻良
那日本一心要把高麗政治改
他言語保護商人在那方
臣不許他干涉高麗政
若不然何為這樣的張狂
為臣我因此才把本來工
叩稟我主高麗承久平康

所以他又起了壞心腸
他領事就望高麗政府去
為什么你百姓把我兵來傷
除去你們那些個齟齬政
臣我也曾與他們犯商量
他就與為臣說不良
高麗本是咱國的屏藩國
望我主快快想個好主張
光緒爺看罷了這摺子

對着他國的領事把話講
對着那大老臣工說其詳
看起來皆是你們內政不善
將你這法律政攻章
臣言說他把兵馬撤回國
他言說高麗是獨立邦
看起來他是要把高麗滅
他要亡咱國也恐怕不久長
下寫着袁世凱來三頓首
不由的一陣一陣心內慌

話說光緒皇爺看罷袁世凱的摺子
他對着滿朝文武說道日本這樣野心咱們可是如何對待
他日本欺侮高麗就是欺侮咱們中國非得跟他開仗不可要
他呢那滿朝文武齊聲說通我主
他把高麗就白白的讓給他了其中惟有那李鴻章不願意與那日本開仗但是一
不跟他開仗
個人不願意也是廢法子于是遂將中日開仗事情布告各國知道然後命在寶貴衛汝領
六萬人馬望高麗進發又命丁汝昌帶十二支兵船把守黃海這且不表單說日本山縣有朋
與中國領事決裂了遠既回到國中對他國王一說國皇說既決裂咱就與他開仗這個時候

100

242

繪像英烈傳 卷二 二十四

驚惶。山縣有朋同他那領事一齊說道。咱兩國互相派兵來平嗎。令日我們與他來平內亂。本是好意。他那百姓怕我們兵丁打傷不少。還搶奪我們的財物。可道是為什么呢。因為這個所以我們將兵住在這裡。一來是他國的內治不好。我們代他改革改道。二來是保護我們的商人。

國本干涉不著。為什么改他國的內政。再說你那兵丁。全都帶著鎗刀。他們的百姓怎么能夠欺侮你那兵丁呢。他二人又說道。袁領事。你說什庬高麗是你國的屬國。我看高麗是獨立國。

袁世凱道。你們怎說他是獨立國。山縣有朋說道。他既是你國的屬國。他國的內治你們為什么一點也不管呢。令日看我們要改革他國的政治。你又來干涉。我們想只要改革高麗的的要背條約就算了不行。說著就決裂了。袁世凱一見他們不撤兵。一邊又要改革高麗的

内政。知道是不好了。急忙回到衙門寫了一封摺子。由電報局打到咱國的外務部。外務部的尚書。知道見袁世凱打來電報摺子。知道必是緊要之事。遂急忙見了光緒皇爺。將摺子呈上光緒皇爺接過摺子。可就看起來了。

上寫著拜上拜上多拜上

拜上光緒我主有道皇

只因為高麗起了東學黨

一心要破壞他那家邦　　咱國裡發兵把他救　　那日本也發兵來到那鄉

到後來咱國平定東學黨　　日本兵在韓國以內發了狂　　白日裡打家去劫寨

夜晚間任意投宿在民房　　無所不為來作亂　　那韓民一怒把他抗

99

這領事說罷了一些話

吓壞了高麗國內眾公卿

話說日本領事說要改革高麗的內治那政府大臣一個一個吓的目瞪口呆半晌方說出話來說道我們的百姓無知有傷貴國之人望領事不要動怒我們甘願包賠日領事說道包賠也不行令日包賠了明日還是那樣我們的人吃虧吃大了說什麼出算不中非政你們內治不可快去告訴你們皇上去說罷領事騎馬回衙門去了這些個大臣面面相覷呆了一會都說道咱們既然無法還得稟報于天子得知于是上了金殿將此事奏于韓皇韓皇說道這可是如何是好內有一大臣奏道我主可以將此事報于中國領事看看他將如何對待韓皇說道既然如此寡人我就前去遂命御卒套上車鑾來到中國領事衙門大門以外下鑾卑有人報于袁世凱出來接至屋中坐下說道令王到此有何事商量韓皇說道無事不敢到此只因日本的兵士被我國的百姓打傷了他們領事到我政府問罪硬說我內治不善致使人民行凶就要典我國更改內政寡人尋思貴國是我國的祖國日本要改革我國的內政就有欺奪我國之心所以寡人才來將此事告于貴領事望領事連速想方法以處之袁世凱說道也是狼受害的令王暫且回宮下官先去見他的陸軍大將山縣有朋讓他撤兵然後再與他辦此交涉豈不是好嗎于是他二人一齊出了領事館韓皇回宮去了袁世凱來到日本領事衙門見了山縣有朋說道高麗內亂已經平了貴國就可以撤兵回國省著在他國中不便使他們那些百姓

話說中國兵到了漢城之時。日兵已竟住在他的領事衙以內。每日出去擾亂百姓。無所不為。那百姓受不起暴虐。遂有三四百人聚在一處。攻打他們那日本一見可就越發開起亂來了。

好一些日本強徒禮不通　他在那高麗國內來行凶
到夜晚投宿民間亂胡行　有人要是把他來衝撞
無故將人活殺宛　官府內也不能把寬平
三百四百聚成群　因此百姓就與他把命拼
日本一見把他們來攻打　無所不為胡亂鬧
將百姓害的好苦情　又上那領事衙門把狀升
硬說是高麗人民不懂禮　搶去他們多少好財帛
卻去他們行事馬匹好幾宗　若不然這個苦處無處嗚
望領事與我們快作主　見了高麗政府諸元老
領事一聽這句話　說道是你國起個東學黨
他這才慢慢的把話明　你百姓為什么把我攻
我們好意來相救　你百姓這樣胆肆來作亂
傷了幾名好兵丁　全都是你們政府無正經
從令後我得與你們改政治　一來是替着你國求安泰
從令後我得把你們法律更　不怕你們不應允
二來是保護我國商與兵　今日我就來實行

要問那裡大炮响
炸子子落在他的營
二頭領一見勢不好
恐怕難保活性命
這幾炮來打的準
馬賓自己逃了命
晶士成那邊直是攻
忽听一聲就往上衝
自早晨殺到太陽落
吩咐一聲扎下營

話說晶士成與葉志超將東學黨打散了扎下大營點了點自己兵馬僅僅傷了三十餘人遂
又領着兵把那全州恢復了不幾天將那餘黨全都平盡了城池全都得回來於是領兵奔漢
城這且不表單說日本山縣有朋領着兵馬早已到了漢城往在他的領事衙門聽說中國把
東學平了他就要起事正是

第十二回　中日交兵由韓國　德美說和為友邦

東學黨亂方除盡　又見中日起禍端　要知後事如何。且聽下回分解。

晶士成那邊開了攻
花啦就望四下炸
說這炸子實在是凶
正是他們要逃命
他們人傷了千餘兵
東學黨眼睛著兄無數
那些兵漫山遍野逃了生
每人抽出刀一把
那東學黨死甚苦情

咯啦啦的一聲响
傷了賊人三百兵
再待一時要不跑
那邊的炮連着响了十幾聲
袁道中這邊望後退
又傷了他們頭領袁道中
中國兵打到他們前裡
哎叹哎叹如切惢
晶士成那邊傳下令

96

繡像事略　卷二

咱就說他背着天津條約行

若果然是你們的屬國

因此就與他開戰功

要是與他開了仗

那高麗可就獨落在咱手中

話說伊藤將話說完日皇說道愛卿之言甚合孤意但不知那百姓們願意不願意伊藤說道

這事不難臣將此事發到議院讓咱全國人民議上一議妥了然後再辦也不為遲聰日皇

說道此法甚妙但不宜遲延就去辦吧於是伊藤將想要與中國開戰爭高麗的事情發到各

議院中讓他們議那全國的人民送開了一個大會以議全都願意伊藤見全國人都願意了

逐派了一個陸軍士將名叫山縣有朋帶領着三十兵拉了三千馬拉了三十尊大炮往高麗進發這且

不表單說那葉志超聶士成領着一千餘人來與高麗平定東學黨這日到了全羅地界探聽

離職人有十幾里地送扎下營寨吊起炮來拿千里眼一照開炮就打這個時候早有探馬報

於袁道中馬賓二人袁道中閒道他們離此不遠探馬說離此不過十餘里地袁道中說不

要緊正說着忽聽咕咚一聲炸子子咯咻咻從空中落下花拉的一炸崩死三百餘人就不好了

他要說高麗是中國的屬國

為什么讓他人民胡行凶

那中國雖然是大國

臣管保準能把他贏

這是微臣一般拙見

我主你看可行不可行

趕到那中國打了敗仗

他的那兵將甚稀鬆

因此就與他把交涉起

咱就說高麗獨立在大同

忽聽探馬跑到報一聲

探馬說十五里地有餘棗

吓壞了那個袁道中

袁道中說是不要緊

說道是中國兵離此有多遠

猛聽的大炮響咕咚

怕事跑了。咱們正宜望前接着辦才是咱們要是散了豈不讓那外人笑話嗎。大夥說道既然

如此你二位就當首領吧。於是衆人就將他二人推為首領單說這二人一個叫袁道中一個

叫馬寶當日為了首領就打家劫寨攻奪城池比原先還凶這且不表單說日本伊藤自從金

玉均走後他常常派人打聽韓國東學黨的消息這日有一探子回來說道韓國東學黨甚是

凶猛那全羅一道全都破了他的兵屢次打敗仗這回可有奪取韓國與中國的機會了。

要發兵前來與他們平亂了伊藤聞言心中歡喜說道。可有奪取韓國與中國的機會了。

遂急來至金殿見了日皇說道愛卿上殿有何本奏伊藤說我主不知聽臣道來

好一個多智多謀伊藤公你看他未從開口帶春風

做臣我有本奏當躬高麗國出了一賊子尊了聲萬歲臣的主

在國中倡興東學黨他同黨還有人三名他的名叫金有聲

求咱們幫他把事行。聞人說現時聲勢實在盛金玉均也去入了他的黨

他國兵屢次打敗仗那韓王一見發了蒙攻破了全羅一道各池城

那中國就要發大兵咱想要吞併高麗與中國暗地裡求救於中國

咱們也發兵高麗去就說是與他把內亂平這個機會不可扔

平他們必然不廢工等着那東學黨人平定後東學黨本是些個無賴子

中國若是將咱們間就拿着改革高麗內政來為名再將兵住在漢城中

中國要是不讓咱們改

繡像某俠傳　卷二　　　　　　　　　　　三十二

我有一條道見陳面前　這裡頭一概事情全別管　今夜晚隨我逃走在外邊
咱們不往別處裡去　去到那平壤地方把身安　在平壤我有一個大學館
内中有九個有志的男　他們常愁國家弱　想只要上那美國念書篇
只因為他們現在皆年幼　所以遷延這幾年　諸君們者有志把弱國救
也可以求學到外邊　要能勾學來好政治　保全國家不廢難
這是敝人一拙見　望諸公仔細參一參　他五位一齊說是好
令晚上就可以望外顛　說話之間天色晚　大家一齊用晚餐
他六人睄睄的出房間　帶了許多鹽鏹鏹　聽了聽樵樓起了二更鼓
吃飯以畢忙收拾　槽頭上牽過能行馬　各人備了寶刀鞍
搬鞍上了能行馬　撲奔平壤走的歡　看了看滿天星斗無雲片
好一個皓魄富空寶鏡題　齊說令夜是七月十五日　你看那月光明亮甚新鮮
他六人說說笑笑走一夜　他幾人一齊往在雲府内　剪斷捷說來的快
那日到了平壤間　再把那東學黨人言一番　準備著遊學在外邊
押下他們咱且不表
話說那些「東學黨早晨起來。看看五位全都靡了。找了多時一個也靡我著。一齊說道不用尋
找了。八成讓昨日來的那位先生拐去了。咱們散了吧。内裡出來二人說道萬不可散的他們

諸君們為事身死不要緊
我這才渡來仙筏與迷津
我那裡也有英雄十幾位
那時節自能保國與忠君
利權兒全都操在咱的手
全都是就着你們的利鮮說原因

侯元首說罷前後一些話
提醒了金羅作亂五六人
諸君們聽不聽來我不管
要作事何須專倚靠非人
在國中倡倡自治吹民氣
同他們歐美各國訪學問
勸諸君快快回頭醒了吧
連累了四才多少好黎民

看諸君現時失路無人救
隨着我極樂之處躲災塵
學問成回國再把大事作
在朝內修修政治固邦根
我今天勸你們這些箇話
我正要騎上馬兒轉家門

話說金有聲等五人聽侯元首說了一片言語一個一個象如夢初醒的一般
作事到是沒有高遠的見識若非先生一言幾乎創出大禍來金玉均也說道我早頭也問不
開這個扣兒令日聽見元首之言我才知道日本竟用這個道來坑害咱們的國家我當日作
事不思便喚咱們國家失了多少權力並不知日本人笑裡藏刀暗有奪取咱們國的意思現今
事情已徑到了這箇時候咱們正是得想了個局外的方法才是有聲說道我今身墜迷途什
么見識也沒有再讓侯叔父與咱們出道吧遂又問元首說道諸位既然如此聽我道來
意了五人一齊說道我們當初作事不點羞不點臉開出大禍將身家性命搭上今日先生良
言相勸救我們的性命我們那有不願意的道理元首說道諸位既欲改惡來向善

侯元首未從開口面帶歡
叫了一聲列位豪傑聽我言
你諸位既欲改惡來向善

92

繡像英雄淚　卷二

依我看你們黨人不足恃
斷不可暗地以裡倚他們
每起上咱國以內有亂事
暗地裡寔在來把主權侵
大概他是要破壞咱的國
諸君們也許親眼見過真
諸君們倚著日本來作事
那中國發來一千五百軍
看你爲合之衆不能中用
必得取救於那日本人陳
大只說割上幾塊好土地
反落下多少亂子國內存
有甚事可以與那中國辦
處處裡盡是此個虎狼心
看諸君俱是聰明才智士
別等著船到江心釜舟沉

終久的必爲他人害了身
日本國自從維新到令日
他必然跳在前頭把手伸
令日裡不知想出什么壞
也不知施下什么狠毒心
既然是知道日本他不好
好似引著猛虎入羊摹
現如令皇上求救於中國
水師隊從著仁川上了岸
必不能敵攩那個中國軍
日本人豈肯白白幫助你
小只說拿上幾萬雪花銀
諸君們對凖心頭問一問
斷不可聽那日本亂胡云
那中國本是咱們的祖國
是怎么作出事來這樣渾
勸你們即早回頭就是岸
那時節茫茫大水無人救

日本國本是一個虎狼國
無一天不想只把咱國吞
明著以保全咱國爲名目
前幾年日本那些事親
爲什么令日還把他們親
既不能把那中國兵來攩
杜著那開花大砲整十尊
就得將多少禮物向他國
想只要圖強保國求安泰
到看看那樣輕來那樣陳
日本人談笑之中藏劍戰
絕不能安心把咱國家吞
諸君們就得一命歸了繪

識了。遊又問道。你令尊現在何處有聲答道家父已經去世三年矣。元首聽說歎息了一會有

聲說道姪兒學疏才淺不能擔此重任叔父今日到此請把這些事務。一概担任了吧。元首說

道我今來此原非與你們入夥。只因咱們盡是大韓好民所以我有幾句金石良言相勸諸公

肯願聞否有聲說叔父你既有關導我們那有不願聞之理元首說願聞聽我道來

好一個才高智廣元首君你看他未從開口笑吟吟

在下我有幾句良言面前陳我今日到此非是求入夥叫了一聲諸位英雄且洗耳

世界上多少保國大傑士全都是自己想道謀生存想只要喚醒諸位在迷津

他本是世界第一探險人這英雄憂愁本國土地少昔日裡意國出個哥倫布

探出了亞美利加新大陸各國裡一見有地就遷民他這才坐上帆船海洋巡

把那座亞美利加四下分英國人對待美人過暴虐屬着那英國人民遷的廣

在國中暗暗把那民權鼓那百姓全都起了獨立心出來了一位英雄華盛頓

才能勾叛英獨立重古令華盛頓本是五洲一豪傑與英國打了九年鐵血戰

你幾位現令倡與東學黨想只要改變政府去維新他作事未嘗依靠外國人

但是那根基未能立的深如果要社會以上作大事諸君的意思雖然是很好

國民的程度要是不能到怎么能推翻政府換主君必得賴數多強大眾國民

有幾個知道保國去圖存不過藉着這個來取快樂你黨中盡是些個無賴子

事者歡一個一個亂紛紛

繪像俠義傳　卷二

兄長你千萬不要把他扔

元首他看罷這封信

話說侯元首看了伯雄這封信。暗自想道他們創興東學籍着這個名目。以政易國家命我前去幫助他們。這道是好事。但是他們倚着日本人不用說事情不能成就是成了也必入了日本人的圈套再說這是些無知的百姓那能成大事呢正是他胡思亂想忽有人來說道有中國一千多兵從南邊過去說是替咱國平東學黨的

右寫着黃氏伯雄三頓首

左寫着七月九日燈下冲

不由的腹內叮嚀又叮嚀

元首說得啦那中國兵一去他們必然瓦解我今若不去勸他們政歸正恐怕難免一敗之苦遂對着學生們說道你們在家用功。我上全州去幾天就回來說罷命家人將那匹追風豹備上把那送信人先打發了然後騎上那匹追風豹撲奔全州而去這日到了全州正題上有你快去通報你們頭領得知就說有侯元首前來求見門役進去報于有聲聽說元首來了急忙頂冠束帶與那金玉均等一齊接出門來讓至大廳分賓主坐下。正是

英雄迷路無人救　　來了仁村渡筏人　　要知後事如何且看下回分解。

第十一回　　中國平定東學黨　　日本改革朝鮮政

話說侯元首來至大廳坐下。黃伯雄將金有聲等四人與他引見了。有聲說道家父蒙叔父厚恩無以報答令叔父到此乃三生有幸元首道十餘年不見長了這大你要不提起我也不認

十九

89

覺就是十一年。正趕上這年東學黨作亂他一聽說這個話。他遂對着學生們說道。你們好好求學吧。看看現在咱們國家這樣敝弱日本屢次前來起事現在又起了內亂將來怕是不好。要想護咱這國家全仗着你們當學生的了。正自說着書童進來稟道外面有下書人要見侯先生。侯元首說道那處下書的人讓他進來吧不多一時那下書的進來使了一禮將書子呈上侯元首接過拆開封口。可就看起來了。

上寫着拜上元首老仁兄
下墅着敬祝福願與時逢
咱兄弟自從在劍水驛分了手
每于無人之處落淚橫
於是忽忽八九冬
常想仁兄不見面
在全州小弟也從與兄捎通信
請兄長前去當差到衙中
所以你我兄弟又未必相逢
現如今小弟立下一朋友
此人與兄也有舊
他言說兄長與他有恩情
小弟我也入在那裡中
鐵中飽堯在天人兒兩個
在完山以上立下會
招集無數眾人丁
想着要易換君主民權行
日本國外面幫助我
人馬也有二萬整
李完用朝中為內應
得了那泰仁古埠兩座城
想着要易換政府行新政
何不令日顯威風
還有那金氏玉均老英雄
望兄見字無辭這邊往
有聲創下東學黨
一來是咱們兄弟得相聚
他的名叫金有聲
二來是保護國家求太平
兄長回信說是教書好

將軍你細耳聽其詳
金玉均從日本回來入了夥
現如今臨近城池全都降
我國的兵將屢次打敗仗
不久的就到這座漢城傍
貴國裡若是坐視不來救
年年進貢在朝堂
我國與你國界挨界
獨不記號虞事一樁
要等着他國插上手
於你國臉上也無光
一來是我國把恩德感
好來平亂到這方
小王我因此來求見
望領事思量一思量

只因為金有聲賊子造了反
領着那無數愚民來遭殃
聲勢奉重無人敢攔
那職匪一天比着一天狂
我國裡兵微將寡不能治
我韓國眼睛盯着就要亡
我國的亂也就是你國亂
咱兩國本是唇齒之邦
貴國令日若不把我國救
高麗本是中國一屬國
我國亡你國也難久長
唇齒齒寒古人講
別的國必然把手張
望貴國快發人共馬
二來是保護你國眾紳商

在全羅倡興東學感愚民
先攻破泰仁古埠兩個縣
洪啟勳也從敗兵在那鄉
全羅道大小城池全都陷
敢乞求貴國發兵把我都

話說高麗國王說完了一片言語。袁世凱說道國王既來求救我國那有不發兵的道理。
韓皇這一片求救的言寫了一封電信打到咱國中連派海軍提督丁汝昌帶了兩隻輪
船先到仁川保護咱國的商人又派直隸提督葉志超太原鎮總兵聶士成帶領一千五百人
拉了十尊大炮望高麗進發押下一頭再表一尾單說侯元首在雲府教書光陰迅速不知不

87

255

豈不貼笑大方。此時不得不先打算打算黃伯雄從那邊說道兄長有一個人。你忘了嗎。有聲

說是何人呢。伯雄說就是侯元首現在平壤雲府教書此人才料學問勝你我兄弟十倍兄長

素常日子。也是常稱道此人。令日何不修封書信把他請來讓他那助作事呢。有聲說道若非

賢弟一言幾乎悞了大事我怎么就把忘了呢遂命黃伯雄與元首寫了一封書信下到平壤

而去還且不提單說洪啟勳打了一個大敗仗看這東學黨聲勢甚盛恐怕日後難治遂帶着

殘兵敗將見了天子去這日到了漢城見了天子把東學黨亂奏了一遍天子聞聽此言嚇的魂

不附體說道這可如何是好呢遂把兵部尚書李完用選上殿這個時候雲在霄的兵權全都

撤了。所有一概兵事全歸李完用調用當日上得殿來說道我主將臣喚來有何事相商天子

說道。現在全羅道有東學黨作亂你快派些兵丁讓洪啟勳領着前去打賊於是李完用選了

些老少不堪之兵發了幾尊不好使的炮就讓啟勳帶兵與那東學黨又連打數

仗也未得勝金羅城池全都失了洪啟勳陣亡而宛外面告急文書屢次望京裡報天子

無法當時驚動了那親王李應蕃急忙上金殿對着天子說道現在兵微將弱恐其不能勝賊

再等幾日必釀成大禍咱們不如上中國求救去吧李熙皇帝說叔父說好便好遂坐上鸞到

了中國領事使館。袁世凱接到屋中坐下說道國王到此有何軍情大事相商。熙皇說道將軍

不知聽小王道來

好一個幼小無謀李熙皇　　你看他未從開口淚汪汪　　要問我令日到此什么事

十八

86

列成陣式就開攻
中間讓出一條路
勢如爆竹一般同
自辰時打到晌午正
忽聽的左右鎗兒响連聲
左右夾攻一齊打
轉眼間宛了七百名
啟勳一見勢不好
有聲後邊追趕不放鬆
二十里外安營寨
這一仗敗的實在凶
一心要把天子見
再把有聲得勝明一明
話說金有聲打了一個勝仗得了無數器械。又收了許多降兵。遂同玉均伯雄帶領人馬回到古埠殺牛宰羊大排宴筵慶賀功勞。那有聲在酒席筵前對着四位頭領說道現在咱把洪啟勳打敗了。他必然搬兵前來復仇。到那個時候。咱們兵雖然勾用但是少帶領之人。一旦设了。

洪啟勳這邊也看見
對着有聲用鎗轟
烈烟飛天看不見面
有聲傷了五百兵
要問那裡鎗兒响
可惜啟勳那些兵
有聲的兵將又往上闖
帶領人馬敗下風
三千兵馬宛了一大半
看了看手下只剩三百名
無奈何收拾殘兵往北走
讓那君王想調停
將人馬別在西與東
兩邊這才一齊開鎗打
彈子吱吱來往冲
正是啟勳要得勝
來了玉均伯雄人二名
兩邊的兵丁直是倒
忽报一聲炸了營
啟勳的兵頭裡跑
才逃出龍潭虎穴中
那些個也有跑的也有宛
不回全州奔漢城
押下啟勳且不表

在天帶領一隊人馬。鎮守泰仁目己與金玉均等點齊兵馬望古埠進發。一路秋毫無犯百姓
望風而降靡廢事。也就把古埠縣得了。古埠縣的知縣徐尊見勢不好逃奔全州而去。中途上
過見那洪啟勳的兵。遂把上項之事對洪啟勳述說了一遍。洪啟勳說道職人既在古埠。咱不
必奔泰仁。奔古埠去吧。遂帶兵丁撲古埠而發。這日到了古埠。離城十里安營下寨。早有探
馬報于有聲。有聲聞言慌忙上了大帳。可就傳起令來了。

金有聲坐在大帳中
叫聲大小眾兵丁
大家可要齊用力
一個一個抖威風

令旗令箭手中擎
洪啟勳令今日發人馬
別讓他們把咱贏
金有聲這才拿出一支令

開言不把別人叫
一心要把咱們攻
眾兒郎一齊說尊令
玉均將軍你是聽
出城你往北邊走
又叫一聲黃伯雄
繞個灣兒正西轉
又叫一聲錢老兄
傳令一畢把帳下
威威烈烈鬼神驚
吩咐一聲扎住隊

你領三千人共馬
對他右邊用鎗崩
玉均領命他去了
命你領着三千隊
在他左邊用鎗攻
伯雄領命他去了
準備着敗陣打接應
人馬駝駝向前去
遠遠望見那股兵
自己也領三千兵
出城走了七八里

繡像英烈志　卷二

他一心要把東學倡
無知的百姓受他惑
又占了那座完山岡
一心要改變那政府
簡直的殺到泰仁傍
望大人速速想方法
吓的他臉兒直發黃
看起來我國將來要拉倒
我國裡稍稍得安康
我們的兵馬實在不強盛
就得拿這殘兵敗將走一塲
要是不能勾把他們來勝
何必把那個事情效心上

他們同黨的人兒有四個
全都入在他的那鄉
三個月聚了人無數
一心要除治那君王
本縣一聽勢不好
不久的就要到這方
全州城没有多少人共馬
是怎麼屢次把亂揭
尸誠想國内常常享安泰
怎能勾除治他們那一帮
萬一要把他們打敗了
也就免不了把身亡
洪大人這才到了教軍塲
看了看那些兵將好悲傷

各處裡演說惑愚珉
現在聲勢實在大
積草屯糧製造鎗
領着人馬把山下
一心要除治那君玉
無奈何才到此處躱災殃
洪啟勳一聽這些話
好叫我心中無主張
自從那永孝奸賊滅除後
那知今日又起禍一塲
事到其逼我也無有法
也算是我國的福分强
人生百歲也是宛

話說洪大人思想這一會逐來在教軍塲內一看那兵將老的老小的小器械也不整齊弟子藥也
無多少暗自說道像這樣的兵將可有何用呢事到如此也說不了哦逐挑了三千兵自己帶
領着撲奔泰仁縣而去這且不表單說金有聲目從得了泰仁縣又商量着去取古阜逐命先

十二

高麗因此失江洪
完山上點起人共馬
剌刀照的耀眼明
浩浩蕩蕩往前走
準備着殺個天崩地裂血水紅

第十回　洪啟勳兵敗古埠　侯元首義說有聲

未來之事咱不表
忽忽啦啦往前行
金有聲頭裏領着隊
一心要奪那座泰仁城
咱們說到此處往一住

再表他們發大兵
人馬好像一片水
後跟着催陣督都黃伯雄
大兵發到泰仁縣
下回書裏再表明

話說金有聲等五人帶領人馬殺奔泰仁縣而來單說這泰仁縣的知縣姓于名澄當日正在衙中辦公忽有探馬來報說道大人哪不好了于澄說道什麼事情你這樣驚惶探馬答道大人不知只因咱這城北五十里外有座完山前幾月有一個什么金有聲倡興東學招集些個人占了那山這三四個月之間不知他們到怎么聚了一萬多人現在攻咱城池來了離此尚有十餘里地大人快拾道着跑吧再等一時他們到來咱這城中又無預備恐怕難逃性命于澄一聽嚇的面目改色遂又拾道拾道帶着家眷投奔全州而去單說金有聲來到泰仁縣鹿崇事就把那座城池得了遂又取那古埠縣分兩頭單說全州的督統姓洪名啟勳這日正在府內看書忽有門役進來說道啟稟大人得知外面有泰仁縣知縣于澄說這事可了不了啦進不多時于澄進來使禮坐下洪啟勳說賢弟有何緊事親目到此于澄說道這事請于知縣未從開口面帶慌尊了聲大人在上聽其詳有一個金氏有聲全州住

有成咱們等着聽信吧。有聲說道那是自然。吊了幾天那送信之人回來將回書呈上玉均一看說道事情成了。有聲說道既然有了內應咱們可是從那下手呢。玉均說咱們當宜先把道泰仁古埠兩縣佔了。以為根基然後再往漢城進發進可以戰退可以守豈不是妙嗎。有聲說道此道正好于是點齊了人馬分做五隊。一人帶領一隊。一隊三千人浩浩蕩蕩殺奔泰仁縣而來。

好一個英雄金有聲
招納各處眾人丁
嚴刑苛法苦待百姓
人民長受他的欺凌
皇上無福民遭難
想要借此除奸雄
那知有聲主意錯
那可與他有私通
完用本是一奸黨
有如下棋一般同
有聲作事不思想

他一心要把國家興
只因為高麗國王他昏弱
天下黎民不得安寧
毒虐之政甚如水火
這些寃枉向誰鳴
除盡朝中眾奸黨
想去道來甚平庸
王均本是一賊子
那可依他為內應
作事總要思想到

自己創下東學黨
信任奸臣胡亂行
日本又來行暴虐
百姓嗷嗷四境真苦情
無奈才入東學黨
大家好去享太平
日本本是韓國大仇寇
那可用他為首領
一着錯了無處找
西里胡塗算不中
中日因此來交戰
才創下一個大禍坑

金有聲說道。這個計策到是狠好但是這內應無人。可怎麼辦呢。金玉均說要是求那內應之

人。可就不難了。

金玉均復人開了聲

不過是費上信一封

令日與他送上一封信

必然能勾來應成

有聲說既然如此兄長快快與完用寫信吧。玉均說是了。

金玉均提起三寸毛竹峰

拜上了完用李仁兄

常思懷罪難回本國

才與我想出計一宗

我令入了這東學黨

就是無人作個內應

兄長令日要應許我這件事

貼上簽見封上了封

賢弟在上洗耳聽

朝中大臣李完用

讓他與咱為個內應

想只要把那內應我

他與我實則有交情

我兩耐着交情重

你看他刷刷點點寫分明

自從漢城分手後

每于無人之處淚盈盈

他命我投奔東學黨

為了那黨內的大首領

我令你實在是感恩情

小弟我想把兄長來累

金玉均寫罷這封信

他這才回過頭來把話明

上寫着拜上拜上多拜上

於令七載有餘零

伊藤見我這個樣

借着人家勢力好回京

想只要發兵把漢城進

兄長你怎麼耐難也得應成

選一個兵丁送了去

話說金玉均寫完書信對上口。選了一個強兵送去遂向着金有聲說道此信以去。大概能勾

繡像 卷二 十四

人皆為首領就在那造鎗買馬聚草屯糧想要行大事這日他們四人正在大帳議事忽有小

校來報說道外邊有人求見有聲不知是什麼人只得接出帳來將那人讓至屋中分賓主坐

下有聲說道閣下家住那裡姓名誰到此有何公幹那人答道在下姓金名玉均漢城人氏

只因前幾年在朝居官偶獲變法得罪國家逃在日本近聞閣下倡興東學想要入夥不

知閣下肯收留否有聲說道在下正愁目少呢閣下今日到此真乃天然幸事於是他四人

也各道了姓名又推玉均為督統玉均不肯只得為了個頭目當日殺牛宰羊大排筵宴慶賀

新頭鎮酒席前有聲向玉均說道現在咱們人馬器械也狠齊整想只要行大事可得從那下

手呢玉均說督統在上聽我道來

金玉均未從開口面帶歡

想只要行這大事不費難

他言說人要想着做大事

你何不投奔他們到那邊

藉着那庶多民力來作事

再與你籌上道一番

這就是裡勾外連的策

望衆位仔細參一參

尊了聲有聲賢弟聽我言

我今日所以能勾來到此

必得賴數多強大眾民權

到那裡入於他們一塊內

與他們合東共濟把任担

我管保能勾保國圖治安

朝中內結下一個大臣宰

與你們好把信息傳

咱們的兵馬器械俱完備

全都是那伊藤博文告訴咱

聞人說全羅起了東學黨

暗地裡我還幫着你

本是那伊藤博文對我言

這個道兒不知好不好

我國家還是幫助着你　你國裡你再安上一個內應人　内有應求外有救

事情沒有個辦不真　你令就去投那東學黨　借着他們把勢力伸

管保你能勾成大事　管保你能勾建功勳　我令有此一件事

敢在閣下面前陳　伊藤說罷一些話　又聽的玉均一遍把話去

話說金玉均聽罷伊藤的言語○遂說我早就想着回國只因沒有因令今日聽大人一言頓開

茅塞大人要果能幫助我們作事則玉均感恩不盡了○伊藤說那有不算之理你儘管

放心大胆去做吧○可有一樣你那國中能勾有內應廢玉均答道原先那朴永孝鄭秉夏諸人

昔與我相好現在那些人全都被雲在霄殺了○近時與我相好的尚有一人就是那孝完用聽

說他在朝中也很有勢力我令先到全羅地投在東學黨中然後再用捎上一封書

子○他必能助我一膀之力○伊藤說是不錯你就此前往吧○於是金玉均拾道拾道坐上溜船奔

全羅道而去諸明公你們想伊藤讓金玉均借着東學黨的勢力整頓高麗國他那不是真

心○全○呢管因東學黨雖然人多盡是些無知的百姓必不能成大事他讓金玉均鼓動

他們作亂他好乘之這個瓜分中國吞併高麗這是伊藤的意思到後來果然歸了他的道這

他們倡興東學看只邊人一天比一天隨的多後來泰仁古埠兩縣的人全都隨了也有好幾

且不表單說黃伯雄自從與金有聲等相好就結為生死弟兄他可就不回衙中辦事天天與

他們倡興東學看只邊人一天比一天隨的多後來泰仁古埠兩縣的人全都隨了也有好幾

萬人就把泰仁縣地方那座完山佔了○大夥公舉金有聲為督統那竟在天錢中飽黃伯雄三

有聲答道我們也沒什麼很好的方法不過是立下一個會兒招集些國人慢慢的排斥西

學而已於是他四人越說越近便又讓酒保重新煮了顆酒要了顆菜大家歡飲了一會當日

天晚有聲付了酒錢各自回家由此你來我往一天比一天的親近遂商量着立了

一個大會專研究排斥西學。倡與東李那些受官吏逼迫的人漸漸歸了他們的會中數月之

間就聚了好幾萬人聲勢甚盛就想着要搬移政府政換國家這且不表單說日本伊藤聞聽

高麗起了東學黨他就命家人伊祿去把金玉均請來伊祿去了不多一時

將金玉均請來讓至屋中坐下金玉均說道大人將在下我來有何話講伊藤說賢弟不知聽

我道來。

好一個詭計多端伊藤君

今日有什大事對你云

你看他一團和氣喜吟吟　　尊了聲玉均賢弟聽我講

我也從暗中將你來幫助　　只因為你國軟弱無善政

還搭上你那全家共滿門　　那知道事情不成白廢心

現如今國家用事的全都死　到後來我的兵敗回了國

　　　　　　　　　　　　足下也逃在這邊來安身

閣下的冤仇也算是得伸

你國家還是未能起精神　　那年上足下變法來維新

我勸你現今不必把別的顧　空搭上我國兵丁人無數

現在已經聚了好幾萬人　　閣下的冤仇雖然招了雪

聽人說你起了東學黨　　　還是要整頓你國固邦根

依我看反對政府是實云　　大主意雖以與學為名目

　　　　　　　　　　　　與他們同心共濟謀生存

自能保國求強致太平　我有心除去他那西洋教　把我這東方學問與一興
連合那數萬人心成一體　好除治朝中那個狗奸雄　那二人從着傍邊開言道
賢弟的見識與我兩人同　正是他三人對坐來講話　轉過來黃海人材黃伯雄

話說黃伯雄見他三人言的甚是正大遂上前問道列位高姓大名他三人見問慌忙起身答

道在下姓黃名伯雄那位姓錢名堯在天俱是本地的人民閣下貴姓高名伯

雄答道在下姓黃海道仁里村人氏現在按察使衙門充當科長金有聲三人一齊

說不知黃先生到此多有慢待望祈恕罪伯雄說諸位說的那程話來今日之見乃三生有幸伯

雄講什麼呢伯雄說他現在平壤府有聲向伯雄說道閣下既是仁里村人

氏有一位誤元首你可認識嗎伯雄說道此人與我最相契那有個不認識的呢有聲說道他現

在作什么呢伯雄說他現在平壤府教書又把他二人逃走在外那些顯險的事情說了

一遍有聲說道那人學問最佳可惜不能見用那元首的家中一月有餘那病體方好又遭了官司逃走

有所不知只因前幾年家君作平安道詳源府的知府上任的時候過那仁里村忽然染病

遂我宿在元首的家中那元首與家君請醫生治病一月有餘那病體方好又將錢文化矩元

首又帮了我父子許多的盤費才得上任那恩情至今不忘後來打聽人說他遭了官司逃走

在外所以永遠也沒報上他的恩情如此咱們是一家人了說罷哈哈大笑伯

雄又說道方才諸公說是想要倡興東學做人看這個事情也狠好但不知諸公怎么倡興法

無事東鴻李範東李臣李埈榮重那些個奸黨全都拿住聯霍建修一齊鄉到法場斬首又將

娘娘的事奏明天子。天子命人在井中將閔皇后尸首撈出成殮又將寵佐臣家的尸首我着

成殮在一個大棺材内。拿着朴永孝與霍建修的靈祭奠了。將寵家的棺槨埋葬了。寵在宵辭

別天子。回到平壤正是朝中奸黨纔除盡全羅禍水又生根。要知後事如何。且聽下回分解。

第九回　　金玉均寄書完用　　東學黨作亂全羅

話說黃伯雄目從劍水驛病好到了平壤為李正當普通科科長後來李正升為全羅道的

按察使伯雄也跟他去了後來打聽人說侯元首在雲府教書他捎信讓元首前來當差元首

不肯來由是他二人各有安身之處光陰似箭日月如梭不覺就是六年這日伯雄在飯館吃

飯看對棹三位少年講究起來了。

咱三人好好在此飲幾杯

君王他日日宮中不理事

就當保護我這錦江洪

我今日正宜想個保國道

這國家不久的就要傾

一旦若柱子折了屋兒倒

那人說咱們只知來飲酒

將國政全都靠給那奸佞

況其說人人皆有一分子

也就算保護身家活性命

國家他好比一座高樓閣

我們可是何處去逃生

在於我數萬人民學問成

如果是人人皆都有學問

想一想現在國家熟樣形

我既為高麗國中一百姓

那身家財產全都在國中

若還是終日遊蕩把酒飲

我們這數多人兒在其中

要想着保護國家無別道

赴日就望漢城行　　這日正然望前走

立刻開點了十萬人馬共
忽見那迎面以上來股兵

話說雲在宵當日聽著這個信息。對著本良說道。你家人大概是被害了。你兄弟兩個。就在這念書吧我就與你們報仇去本良兄弟遠上了學在宵就點了十萬人馬撲奔漢城而去這日正望前去行。只見面迎來了一夥人馬。約有一千餘人在宵命探子去探。探了一回你倆個說他倆說是領望上旨意調大人的在宵說不用說了一定是那奸臣的一黨等到跟前你倆個全與我拿住趕到了跟前忽扎一圍把他倆全都拿住了霍建修說道你們是那裡的兵丁敢鄉天子親使建修說我奉天子命令上平壤調雲在宵你們快將我放了要悮了大事你們找什么親使建修說我謀反建修不說在宵說你著實說來我饒了你的命要不然我斬你的首可担罪不起雲在宵哈哈大笑說我就是雲在宵你調我是朴永孝的一黨我且問你那寇仆臣家怎樣建修全都斬首了只有兩個公子不知那鄉去了在宵又問道何人說仆臣與我謀反建修不說在宵說你們快快將我放了在宵又問你快快說來建修透將怎么定的計策怎么殺的將尸首扔在那井裡一五十的全都說了在宵建修無奈就將朴永孝造假信的事由說了一遍那閻娘娘是誰害的建修說你知道了不知道了在宵說軍士們與我推出去殺建修慌忙說道大人別忙我知道了在宵說你知道了這才將霍建修綁上杠在車上到了漢城先將朴永孝全家拿住又將那鄭秉賣趙義淵禹範

繡像英雄淚　卷二

先有那金氏宏集來賣法
殘殺黎民百姓害公卿
閔娘娘皇宮以內把政掌
他與那日本勾手胡亂行
閔娘娘看出奸職無好意
只怕着現在手下無有兵
前夜晚娘娘出宮未回轉
奸臣們一齊行了凶
立逼皇上把旨意下
大略着難保那命殘生
後有那幸樹蕭與我們把信送
望伯父快快與我報寬橫
大略着沒有別的事
不由的無名大火望上升
娘娘寇氏與你何仇恨
枉在陽間走一程

後又有金玉均來狗奸佞
到後來宏集奸臣開了斬
這幾年國中稍稍得太平
那知道又出個奸職朴永孝
將天子皇后全都一旁扔
暗地裡將叔父名進宮
想只要除了奸臣那一黨
他命我伯父這邊來班兵
也不知那個機會怎麼漏
他言語我叔父與你反心生
將我的一家人口全鄉去
所以我未遭奸毒手中
因此我們兄弟才逃了難
又賜我一匹馬追風
說罷又把那娘娘的信遞過去
雲大人拆開從上看分明
也就是讓在宵發兵除奸佞
雲在宵聽說前後一些話
罵了聲朴永孝來老雜種
你要害了他們活性命
我令不把你們除治了
令旗令箭拿手中

朴永孝金殿以上奏一本
他命我伯父這邊來班兵
想必是被那奸臣把命坑
因此才皇后親目寫了一封信
暗地裡勾引日本把京進
金玉均也逃奔在日本東京

手指着漢城高聲罵

說着惱來道着怒

十一

話說俟元首說罷前後。一片言語。老安人從那邊嘆道。這都是為我母子讓恩人受了這些折
歷讓我母子怎么忍。的雲大人也從那邊說道。元首先生到此真乃是天然有分。就在我家中
教這幾個小孩兒吧遂又叫家人到北古廟中。把寇珍接來到此。他的叔侄換上新衣服。於是擺酒
宴慶賀先生飲酒之間。在宵說道這幾個兒童就教先生分神了。元首說若不棄嫌僕自能畫
心教誨在宵說先生說的那裡話來當日天色已晚將他叔侄安排在書房安歇第二日安重
根雲在岫雲落峰峰一齊拜了。眾人上學讀書又呆了幾日陳月孝聽說元首又教了書送
把他的兒子陳金恩侄兒陳金眼送來又有岳公孫子寄王慎之蕭鑑趙適中一班人全從
元首受業暫且不表單說寇本良兄弟騎著那馬走一晝一夜就離平壤落二三百里路了尋
思後邊退兵也不能有遂到了店中打尖喂喂馬又走二天到了平壤城內我著雲府兄弟
二人下了馬見一個門軍在那邊站著本良上前說道你去上內傳票你家大人得知就說有
漢城寇府求人要見門軍進去報于在宵說道讓他進來吧于是將本良兄弟領進去了。
見了在宵在宵認得是寇本良怎么到此又指著本峰說道此小兒是何人本良答
道是我叔父儒臣的兒子本峰在宵說道你兄弟二人為何到此本良長嘆了幾聲說道伯父
不知聽小徑道來

本良開言道　伯父你是聽　問我怎到此　讓人痛傷情　寇本良未從開口淚珠橫
尊了聲伯父大人細耳聽　從那年跟著法美打一仗　咱朝中只到如令未安盚

72

270

黃海道交涉衙門把我告
派公差拿我元首把命釘
伯雄他表叔在此作提法
我們三人宿店中
我又在長街賣字為營生
因此我劍水驛上把館設
我叔姪就流落在劍水城
偷盜東西被我打
我這才受罪牢在獄中
各學生每人幫我錢十吊
閒人說提法李正把官升
無奈又在長街把字賣
我叔姪無錢不能那邊行
我效那毛遂來自薦
安太太那邊嘆一聲

他說我搶奪財物來行凶
我這才帶領姪兒躲災星
那日到了劍水驛
那伯雄劍水驛上染病症
他命我到他家中教兒童
到後來伯雄病好平壤去
遇見了學生名張英
張家因此將我告
吃了毒藥歸陰城
陳月李上下與我來打點
我叔姪才能往這邊行
李正升官全罷去
到夜晚宿在城北古廟中
閒人說伯雄也隨李正去
看門首貼著招師榜一封
元首他說罷前後話
也不知大人肯容不肯容

日来了一人上前把告白揭了。家人將那人領至書房見了。在宵在閣下問道閣下貴姓高名。那

裡人氏那人說道在下姓侯名彌字元首黃海仁里村人氏在宵聞言驚訝不已正是英雄想

要學賢智來了仁村是正人要知元首怎么到此且聽下回分解。

第八回　雲在宵首誅袒日黨　金有聲始倡興東學

從來奸臣賊子　　大抵不能久長

皇天那能見諒　　說起韓國臣宰

　　　　欺君犯上害忠良

　　　　盡是些個好黨

西江月罷書歸上回。上回書說的是那侯元首說出姓名。雲在宵聽說他是侯元首急忙跑到

後堂見了安太太說道妹妹常念誦你那恩人短令日你那恩人來到咱家了。太太說

在宵發兵到那鄉　　　個個全把命喪

是那侯元首嗎大人答道現在書房太太說道你快領

我去見他於是他二人到了書房太太一見元首在那邊坐著衣裳襤褸太太上前施禮說道

恩人到此有所不知不知所為忙說太太錯認了人啦我與你有何恩太太說道你就是安太太嗎安太

太說道正是安太太又問道恩人怎么到此元首說太太要問我怎么到此真是讓人一言難盡了。

侯元首未從開口帶悲容　萬了一聲太太在上聽分明　只因為那年我把日本打

傷了他們職徒好幾名　日本人因此懷下不良意　一言要害我的活性命

綜修華盛頓　卷上

所以近幾年來得太平

卿你一宛我就受了氣

好似萬斛珍珠落前胸

押下李熙皇帝咱先不表

愛卿你宛不要緊

心思起怎不讓人痛傷情

正是這君王宮中哭閏后

正表表那重根安幼童

寡人折了一左肱

這君王越哭越痛如酒醉

忽聽得金雞三唱大天明

話說安氏往在雲霄府，光陰似箭，日月如梭，不覺就是三年之久。這年重根年方六歲，精神怜俐，就過於旁兒。這日雲霄之弟在岫、在霄之子落峰在書房中玩耍，看見墻上掛着一張畫，上畫着一个小孩在園中拿一把小斧，那邊有一顆新折的嬰桃樹，旁邊站着一个大人，象是斥罵這小孩子的樣子。重根不解其意，正趕上在霄在屋中看書，遂問道此畫是什麼人的故事。他父見他問的有意思，遂告訴他說：他到園中把他父親最愛惜的一顆樹被他所折了，這先他父也與他一把斧子，命他出去遊玩。此小孩叫華盛頓，是美國人，那邊一人是他父親，原怒倒折在地，遂把他救了。時間他父也到園中見樹倒折在地，遂怒轉為喜就把他赦了。到後來英國待美國人最暴虐，他帶着兵血戰八九年，叛英獨立，是世界上一個大奇人。重根聽在霄說完，遂問道此人可學不可學呢。在霄說道此人可學。又問道得怎么學呢。在霄說道念書。重根說舅舅何不請个先生讓我們念書，也學那華盛頓呢。在霄見他說話甚奇，遂又想道我國此時甚是軟弱，若是出一奇人，也是我國的幸福。再說我兄弟兒子也全當念書了。於是寫了一張請先生的告白，貼在門首。這

在宵調進京來先去了他的兵權然後再殺他以絕後患孝熙說雲在宵累次有功。說他是作

反也罷有什么憑據去了他的兵權也就是了。那可把他調進京來殺了呢朴永孝說昏王事

情到了這個樣子你還說他不能作反呢今日你要不刷盲意我就先把你這昏王除治了。說

着就向前去。韓皇見勢不好說我就是了於是一道盲意命霍建修上平壤調雲在

宵不表單說孝熙皇帝回到宮中思想起自己的江山可就落起淚了。

李熙皇獨坐宮中淚盈盈

思想起自己江山好傷情

滿朝中無有一個好臣宰

俱都是貪祿求榮狗奸佞

朴永孝立逼我把盲意下

殺了位忠心無貳幹國卿

必能勾除淨這幫狗奸佞

不應成就向我來行凶

在宵他要知道其中的事

又派我把那雲氏在宵調

正是那君王宮中胡叨念

忽聽樵樓以上起了更

樵樓上打動更帮不緊要

想起來閔氏皇后女俊英

說道是卿呀你那裡去了

為什麼一夜一天未回城

莫非說你讓奸臣謀害了

怎麼你也不見你那尸靈

如果愛卿為國把命見殞

叫王我心中怎樣疼

就着你一天一夜未回轉

你那命大概是歸了枉死城

也不知何人將卿你害宛

也不知你那兄首何處扔

也不知害你的是難容

是何人能勾與我這來勤政事

卿呀你兄一生只顧你

拋下寡人我的是難容

是何人能勾前來與我治江洪

是何人巧修政治安黎庶

是何人重定軍章整整兵

韓國裡諸般政策皆卿定

要不然我們兄弟也得把命坑
龍虎駝我兄弟出虎口
誰要見了誰欺凌
我令還帶着娘娘 一封信
那性命八成有冤無有生
滿河裡與那天光一色青
各道上衰草含煙射人目
看起來孤客遠行誰不愁
讓他速速就發兵
一然時走了六百里
乘着日色奔前程

到後來又賜我們 一匹馬
好一似宛裡又逃生
如果是一路平安無有事
大料着裡邊必有大事情
我本是平壤送信一個客
那誠想成了一雙逃難星
聞聽說娘娘昨夜未回轉
也算是祖宗以上有陰魂
我兄弟好比一隻失羣雁
此馬好比一歇龍

着了着玉兔向東升
大兵發到漢城去
況其是身負重寃外邊行
遠山上片片祥雲繞出岫
各處的臨崖老樹起秋風
各山上樹葉飄零刮刮响
草地裡蕭蕭牧馬乍悲鳴
到平壤我把寃老大人見
好與我家報寃橫
天道黑了也不住店
急回來把那永孝明一明

書中裡押下寇氏兩兄弟

話說朴永孝殺了寇氏滿門又派人尋找我本峰五街八巷翻遍了也沒有。說道他知道信息有人將他放逃了。他要走他必望平壤投雲在宵。又派些人馬前去追趕。列明公你們想想寇本良騎的是追風豹又走了多時他們那裡趕得上。那兵丁趕了一程踪影未見也就回來交令。朴永孝說既扉拿住量其一小孩子能怎的。遂又上金殿奏本說速臣寇仇臣已經除治了。那雲在宵是他一黨要知道了也必然作飄望我主再刷一道旨意命寇建修上平壤把雲

到外邊觀看了一會景緻樹蕭也靡來正在著急之時只見樹蕭從外邊慌慌張張進來說道

賢弟呀不好了本良說怎的了樹蕭說我跟自回到家中聽家人說昨晚上閤娘娘出宮觀月

未見你回來以後又聽人說朴永孝在金殿上告你家大人與雲在霄謀反現在那朴永孝領著

兵把你家人全都綁上要去斬首賢弟你那時就走不了咧賢弟你快著保全公子性命要緊本良以聽這

他們必各處派兵嚴拿你那時就走不了咧賢弟你快著保全公子性命要緊本良以聽這

個話說道事到這個樣我先去接續寇門香烟要緊逃告訴那老家人說你不用管

先去逃命吧日後打聽準了咱家中老幼的性命如何再與我上平壤送信樹蕭說你不用管

他快上馬走吧於是本良抱著本峰上了馬二人洒淚而別樹蕭那馬走路如飛本良把那馬緊緊加

說道我二人可許能逃出性命走了一時之間連影起也看不見了不表單說本良把那馬緊緊加

道你隨我來罷那老家人跟著樹蕭去了不表

了幾鞭那馬四蹄登空如雲霧一般可就撲奔平壤走下來了

好一個寇氏本良小英雄

他在那馬上不住緊加功

那馬本是一匹追風豹

不多時出了漢城地界中

轉眼間就是七八里

走起來好像雲霧一般同

不由的撲簌兩眼落淚痕

在馬上想起家中老與幼

明言不把別人罵

罵了聲朴氏永孝狗奸佞

我與你一無仇來二無恨

你為何害我全家活性命

幸虧是樹蕭兄長來送信

心急只嫌馬走慢

66

在車上將他一家全提下

喨叹一聲血淋淋

法場裡幹國忠良廢了命

椿枝以上鄉住身　　刨子手虎頭大刀忙舉起

一煞時寇氏一家全廢命　　但見那地下人頭亂紛紛

朴永孝又領着兵丁把他小兒誅　　五街八巷翻了个遍

押下永孝尋人且不表　　再把那本良兄弟云一云

話說寇本良兄弟與那老院公三人出了家門正走之間本峰說哥哥令日遠行我得速速送

聞聽人說城北十里以外有一座集賢館甚是幽雅令天咱們到那裡連與哥哥餞行代觀

送

觀景緻哥哥你說好與不好本良說好便於是他三人就往前走以看不是別人是

面一少年騎馬如飛而來到了跟前搬鞍下馬說道賢弟你望那裡去本良以看不是別人是

那親王李應潘之子李樹蕭此人與寇本良最相好當日在街頭溜馬見了本良背包而行忙

問道賢弟你望何處去本良答道我上平壤探親去又問道本峰他跟之作什么呢本良說他

要上集賢館連觀景緻代與我餞行樹蕭說不是城北那集賢館嗎本良說正是樹蕭說你你

在那等着我到家中取點錢來也到那集賢館去本良說是乃本良又問道兄長這匹馬在

那買的如此之快樹蕭說前日在市上買的此馬一日能行八百里路要像賢弟你那足可能

勾跟上這匹馬的步本良說真算是快馬過來到上茶說道你三位用什

蕭回家那寇本良三人不多一時到了集賢館進了屋中酒保過來到上茶說道你三位用什

么飯哨什么菜呢本良說是不忙我們還有一位未到呢酒保就過去了他們吃了一會茶又

65

那裡去。先將他們斬首。然後再捉他三人也未為遲晚。大凡不能出此城中。於是將他們拉在
車上可就撲奔法場走下來了。

好一個為國忠良寇仇臣
那知道忽然洩漏巧原因
那君王我也不能得見面
是何人能夠與我把冤伸
聽人說昨夜娘娘去觀月
說宛了尸首下落無處尋
一宿裡未從去上宮内存
這機關洩漏就算真
外邊裡歐壓衆多好子民
若果然那奸賊除治了
也不知本良徑起身未起身
有人要把那奸賊除治了
眼前來到法場正中心
果然要有人與他圍好了
將法場與我圍好了
不要等着那時晨

坐在那車子以上淚紛紛
也不知這个機關怎么漏
上何處與他把那是非分
宛了我寇氏一家不要緊
最可惜大韓江山被人吞
滿朝中皆與奸賊同一黨
他就要斬我全家共滿門
尺誠想搬兵好來除姦黨

老夫我宛在九泉也甘心
也不知他們哥兩知道不知道
我寇門或者能勾有後根
朴永孝那邊傳下命
別讓進來外邊人
軍士一聽這句話
將寇氏一家圍在當心

有朝一日惡貫滿
大概是為那奸賊他們害了
說活着不知人兒在那裡
若不然怎么就一夜影無
奸賊們朝廷以内把君退
準被那萬把鋼刀把身分
叫了聲大小兒郎細聽真
正是大人胡恩想
大料着無人與他送信音
也不知本峰送他哥到何處
立刻就將他們斬

繡像英烈志　卷上

臣將那下書人兒獲拿往
臣好斬那儒臣老奸佞
逼的韓王無及柰
教軍場裡去點兵
眼前來到儒臣府

望我主速速刷聖旨
我就在金殿以上來行兇
朴永孝得了皇上旨
撲奔那儒臣府內行
所以知他們要把反心生
今日要是不把儒臣斬
他這纔寫了旨一封
黜馨了一千人共馬
吵的一聲圍了一个不透風

話說朴永孝帶領着人馬。把寇儒臣府團團住闐道大門呼道寇儒臣接旨單說寇大人正在屋中坐着尋思那寇本良前去搬兵不知有成無成忽有家人來報說道時繞小人聽人說昨夜晚閣娘娘出宮觀月不知那鄉去了現在各處尋㔉呢正說之間又有家人來報說道大人哪不好了。外邊有朴永孝帶領着兵馬把咱宅子圍住現在院中。嗅你接旨呢大人快出去看看吧。寇儒臣以聽必是事情洩漏了急忙出了屋中朴永孝罵道老賊你無故勾引雲在霄作反。天子命我前來拿你快快受鄉儒臣以聽這話駡的目瞪口呆知事情必真別說天子半晌方說道我與雲在霄謀反有何證據咱兩得面見天子朴永孝說道你不用辯别啦天子命我急溜啦啦上來把扒臣鄉了又去屋中把他家人全都鄉了。來到朴永孝眼前交令朴永孝一查只三十七口說道開人說扒臣家中四十口人怎麼少三口。少了別人不要緊他那兒子兵丁忽啦啦上來把扒臣鄉了怎麼也沒有拿來你們與我快搜兵丁搜一會也沒搜着朴永孝說道一個小小孩童能逃得

下書人兒走錯了　將書信送到咱府中　金鑾殿上把本奏

拿着這封信兒作證憑　立通那皇上把旨下　好除治那儒臣老奸雄

然後咱再派人平壤去　把那在宵老兒調進京　將他兵權去弔了

然後咱再把他一命坑　這是小人一拙見　大人你看可行不可行

永老說正合我的意　遂急作了信一封　急忙忙把那李家丁點齊

帶領着人馬奔皇宮　記下他們咱不表　急回來把那李熙皇帝明一明

娥覩月未見回來不知那鄉去了　遂說是朴永孝現在午門外候旨李熙聞言急忙上朝朴永孝

宮中狐疑忽有皇門官進來奏道　清晨方纔起來有正宮的人來報說道娘娘昨夜滯着兩个宮娥覩月一氣也無踪影李熙聞言說道這事可也怪了正在那

上殿奏道我主在上臣有本奏　他在那金殿以上把本升　說道是雲在宵現今要造反

話說韓皇李熙那日宿在西宮　我主要是不憑信　現有他的信一封

好一個朴氏永孝狗奸雄　現如今咱國以內君歉弱　上寫着在宵雲民三頓首

連合那寇儒臣來為內應　李熙皇帝用目聘　我想要奪取他那錦江洪

說罷將信呈上去　望乞着仁兄與我為內應　韓皇他看罷這封信

敬啟於儒臣老年兄　我想要奪取他那錦江洪

此時我有兵十萬　韓皇他看罷這封信

遂把那朴永孝來問一聲　這封信你可是從那得來的　永孝說下書人錯送我衙中

第七回　　寇本良千里寄魚書　　侯元首平壤設祖帳

圖存固國要道　　總不外乎學問　　自識之士待子孫　　全都著重本身

先教溫經習禮　　後教博古通今　　德業自能前進

上場來西江月罷書歸上回。

個回頭開話少說單說那霍建修領着朴永孝八名家丁。把閤皇后播冤扔在井內到了天明。一

到朴永孝的衙門見了朴永孝說道事情成了。昨夜晚上那閤后觀月乘着那個機會我們就

把他擡死了。將尸首扔在澆花井內那朴永孝說道好。可以下子去了我一塊大病霍建修說還

有一件事昨日下午閤了將那寇儒臣名進宮中不知商量些個什么事情。半晌纔出來我看此

老也當除治了。不然必為後患朴永孝說我道有意除治此個但是他與那寇在宵最好現在

十三道的兵權全在在宵的手中要是把寇儒臣殺了。他要知道豈能答應咱們建修說是

那不妨。卑職有一條拙見保那寇什臣雲在宵二職盡冤于非命朴永孝說你有何計策快

快講來。霍建修說道大人在上聽我道來

好一個霍氏建修狗奸佞　　要害那寇雲二徃幹國卿　　他說道在宵鎮守平壤地

他手下足有十萬虎狼兵　　寇儒臣與那在宵甚相好　　要私着磨害咱們了不成

要想着把他二人除治了　　做人我有一計兒甚可行　　第一要作下一封好假信

就說是寇雲二人反心生　　這封信是那在宵他寫的　　約會那寇儒臣來為內應

我把那強盛國家比春夏
沒有一個盼秋冬
遠娘娘叮叮念念往前走
惟有那幾盆綠色菊香馨
看起來花草也與人一樣
好一個寶鏡高懸在太空
咳這行星昏昏將墜無人救
明月兒臨在日本的東京
皇后觀望一會把台下
忽然聞來了人幾名
走上前把娘娘忙捉住
擋住娘娘那喉嚨
花園中擋宛娘娘悶皇后
又聽的人馬開轟轟
大兵發到皇宮內
歇歇喘喘下回聽

又把那軟弱之國比秋冬
我國家現今就是秋冬季
不知不覺的進了花園中
說道是隱逸君子你怎名獨寞冷
那賢智之人多半埋沒草澤中
就著星兒月兒看了一看
猛回首望那西邊送一日
那月兒皎皎光寒令人驚
宮娥打著燈籠前頭行
若問他們是那幾個
從腰中掏出一根繩
二人一齊速用力
又殺了宮娥人二名
要問那裡人馬開
準被他殺个人頭滾滾血水紅

人人都把春夏盼
想什麼方法把那春夏生
看了看各樣花草全凋落
何不與那百般紅紫鬧春榮
宮娥又領著把月台上
看見了昏昏將墜一行星
行星他照在我們高麗境
足見我高麗將滅日本將興
正是他們往前走
就是那霍建修帶領八名兵
用手捉了個豬歸扣
那娘娘嗚呼一命歸陰城
將尸首扔在澆花井
朴氏永孝發來兵
書說此處往一往

60

繡像英雄淚／卷二

就把那奸臣們除治了。就是這個人很難我。寇儒臣說道送信之人不難微臣有一個族中姪
兒名本良家業零落。父母雙亡。為我家的管事。此人年方十八歲。有胆量。又生了兩條快腿。一
天能走五百餘里。書也很曉得大義。要是讓他上平壤送信準能妥通。還快當。閒后一
說是既有此人。我就寫信。明日就使那本良前往。說完拿起筆來寫了一封書子。交與儒臣說
道干萬小心。可別走漏了消息。要是走漏了消息。我命你出蹤門。願意不願意呀。那寇儒臣諾諾連聲辭別了
兒蒙叔父厚恩。就是赴湯投火。姪兒也無有不願意的。但不知將姪兒那邊差遣。仄臣說既
娘娘出離宮院。來在家中。將寇姪兒也。無有不願意。你出蹤門。可前往干萬可不要失落了
願意這有書信一封。下倒平壤十三道。提督雲大人那塊。明日就可前往干萬可不要失落了
本良說是了。待了一宿。第二日清晨。寇本良用了早饍帶了盤費拾一個包背在肩上。就要
起身。且說仄臣有一子。名本峰年方八歲。本良天天領着他玩要。所以他跟本良十分親近
這日聽說本良要出門。他早早的起來稟告他父母說是要送我哥哥去。他父母說你去吧
可要早早回來。於是本峰領了個老家人跟着本良出門而去。這且不表單說那閒皇后目從
將寇仄臣送走以後。他心中覺着悶悶不樂。到了晚間。那明月在天。越發添了一番悲悶。遂令
宮娥引路去上那後花園玩賞玩賞。於是宮娥前頭引路出了宮門好不淒慘也

閒皇后邁步出宮庭　　看了看零露濃濃夜色明

各處裡唧唧草蟲亂悲鳴　　看起來秋冬朗塞無好處

滿院中習習秋風吹人面　　那趕那春夏之間物色興

以起首他那居心就不良
累次的在咱國裡增勢力
遂把那國計民生仍一傍
羊要靠虎求安泰
想個什麼方法把他抗
聞人說日本昨日來請客
若不然那能無故飲酒漿
看起來日本所以把野心起
愛卿呀你可有個什麼方
微臣我有計一椿
寇代臣一聽這句話
暗地裡與他去封信
管教那些個奸臣性命費無常

又趕上咱國屢屢有內亂
想必是要奪取咱們地方
日本國好比一羣虎
那羊一定被虎傷
想只要打還打不過
朴永孝諸人全都到那鄉
他的事咱們雖然不知道
全由着咱們國裡那奸黨
愛卿我左思右想無主意
尊了聲娘娘十歲聽言良
雲在霄鎮守平壤地
讓在霄滯兵離平壤
大兵到這漢城地
閻娘娘從着那邊開了腔

奸臣們繞勾他們到這鄉
眾奸賊寡知眼前圖富貴
咱高麗好比一羣羊
那羣虎已經入了咱的國
就得忍着氣兒圖自強
看他們必定有點事
大料是想把咱家邦
我令日想把奸黨除治盡
繞把愛卿你請到這鄉
要想除治那奸黨
他那裡馬壯兵又強

話說寇儒臣對着閻后畫了一片除賊臣的計策閻皇后說道。
權我素常也知道他的忠義但是事情準得嚴密不要走漏了消息才好要是讓他們以知道
就落一個打虎不宛反來傷人我看這個事情準得一個快人前去送信讓那神不知鬼不覺

58

繡像乙亥劇演　卷二　三一

現在不怕他不幹

他看他一個一個喜吟吟

話說朴永孝回到家中想起他井上瞽告訴他那條道暗說道現在把宮門新換這官姓霍名建修是我一個親戚我要託他去辦必然能成當下命家人將霍建修請來說道大人寅夜將卑職喚來有何吩咐呢永孝遂把那話對他一說又拿出五百銀子說閣下辦辦呢建修說大人只管講來何必拘之呢永孝說無什麼吩咐有一件事想要託閣下辦以此相應的時候還有重謝并且要保舉你升官霍建修一見這個相應心眼暗暗的就動了說道大人咱們有是親戚用看卑職這一點小事那敢不效犬馬之勞朴永孝一聽樂了當下將自己的心腹有力氣的人挑了八名命建修帶進宮中就說是新招的護衛兵讓他八人出來的時候必定難逃公道於是霍建修拿了銀子帶着人洋洋得意回到衛中第二日就命他八人把守內宮門專等着行事這且不表單說那閔皇后這日坐在宮中悶悶不樂忽然想起一件大事急命常隨去把寇仇大人請來就說有事相商常隨去了不多一時寇仇臣到來參見一畢說道娘娘將臣下喚來有何事相商娘娘說卿你不知愛家道來

皇后未從開口面帶悲傷

又被那兩個大國夾中央

他國的若臣也是無善政

說話之間天色晚

錢大就能通了神

眾人齊聲說道好

各人坐上轎子轉家門

萬了聲仆臣愛卿聽其詳

中國雖然是咱們的祖國

咱高麗現令甚軟弱

看光景也是自顧不遑

要倚着他不久的就要亡

日本子本是一個虎狼國

他國之亂也省著害咱兩國的商業豈不是好嗎。於是李鴻章就答應了他與他立下條約伊

藤可就回國去了。列位明公你們想想高麗是咱們屬國有亂咱就與他平了。何必跟日本合

著去辦呢躲還躲不開那可以讓他那想滅亡李鴻章也是有罪呢。這且不題單說

日本領事井上馨在高麗看他那內治。一天比一天強打听著人說這些政治。遂把那親日黨們

手他尋思道此人若不除治必為日本之害於是想出一條道來假說請客

全部請來酒席筵前說道我看諸公皆有經邦濟世之才。可歎你君不能重用專倚著皇后將

來你國必為他一人開壞了朴永孝鄭秉夏諸人一齊說道此事我們也是不願意但是沒有

什麼主見大人若有高見可指示指示我們井上馨說道敝人到有一條拙見諸公願聞聽我道來

好一個多謀多智井上馨他生出來一種的狠毒心看諸公皆有經邦濟世畧

可惜你君不能善用人專倚著王妃閔后把政掌高麗國將來壞在他的身

諸人要想只把國救必得先除治了這個人做人我有一條小拙見

敢在諸公面前陳一陳用銀鍰將他左右買服下讓他好與你們留下門

得門路將人伏在他宮裡出來時就去把他尋不怕他有多大才與智

管教他一命歸了陰我說此道好不好望諸公況吟以況吟

朴永孝那邊開言道說這道兒甚合我的心閔皇后他那把門的

也曾與我有過親明日我就把他買下合上五百兩金與銀

56

綉像俠義英雄傳卷之十

各大臣聽真有事出班早奏無事就捲簾退朝忽見伊籐從班部中說道臣有本奏日皇說道

愛卿有何本奏伊籐詭我主在上聽臣下道來

伊籐他未從開口喜洋洋

尊了聲我主在上聽其詳

高麗國金氏王均要變法

那中國的兵馬來把咱們抗

求咱們暗地以裡把他帮

也不知怎么關的不嚴密

將咱的兵敗到仁川傍

在漢城與咱打一伙

想只要因着這个強勢力

那知道又受了中國的傷

在高麗咱們雖然有勢力

還是不趕他們中國強

怎么營高麗那地方

不如先把中國牢籠住

不得高麗也是難以分中國

若不先拿定一個好主張

先與他定下一個大條約

在高麗別讓他的勢力比咱強

我主你看這事好不好

臣就要上那中國是一蹚

日皇說愛卿之言正合孤意你就去辦吧

伊籐一見日皇應了聲

他這才坐上輪船撲西行

說書的只用鼓捶一不扔

這日進了中國界

下輪船就把我總督衙門進

論走也得半个月

見了那通商大臣李文忠

來到了我們那座天津城

這个時候李鴻章已經服滿了所以直隸總督還是他坐着當日見了伊籐說道貴國到此有

何事辦伊籐說無事不敢到此只因高麗國中常起內亂咱們兩國常因着這個失和氣令日

想要立個條約自令而後高麗要有亂事咱們兩國你告訴我我告訴你咱們兩國合着平定

說道是象我侯彌真苦情
從小裡二老爹娘去了世
倚靠着兄嫂度時冬
十七歲涉重洋游美國
在學堂廢了三年苦功
回家來不把官來作
練民勇預備把那日人攻
又不幸哥嫂一齊去了世
拋下個徑見苦伶仃
還想着練齊民勇把日人打
那知道無故生出事一宗
日本人奇峰山上為賊冠
傷害那各處的好百姓
也是我領兵將他打的苦
今日裡要上平壤去逃難
多虧了伯雄賢弟來送信
若不然我命一定被他坑
所以他要害我的活性命
也不知那李正肯容不肯容
還想要謀個方法吹民氣
也不知事情能成不能成
如果是老天隨了人心願
必然展展我的好威風
使我那數萬人民改改志
那時節我也創個立憲國
使喚那奸臣職子全死淨
使喚那日本強徒減減雄
使我那國家安隆以安隆
正是那侯彌馬上胡思想
也讓高麗為個獨立國
免去受那大國的欺凌
猛看見那邊挑出一燈籠
看了看西方墜落太陽星
他這才尋我那個招商店
他三人這才進了院
拴上馬就住在此店中
押下他三人住店且不表
再把那二位公差明一明
他二人尋了幾天也
話說那劉諫二位公差領了簽票
多啊他二人尋了幾天也
其打聽着下落就回城交票任忠
就去拿侯彌走了兩天才到那仁里村
此時侯彌已走了一天
一看沒拿來人後來又一訪聽才
知道那日本人妄告不寔也就拉倒了
這且不表單說日本明治皇帝這日早朝殿頭官宣道

54

人生本是一口氣
無志氣的人兒他必遭殃
人人要都象我這樣
好的的準算是兒郎

老者說罷揚常去
要聽還得罷揚正張

誰肯讓誰把硬漢當
家與國本是一個理
我管保國家不能亡
要是一點氣性也沒有
那人也就走他鄉

有志氣的人兒無人惹
誰不來把軟的傷
好氣的總管是好汗
誰能保國定家邦
上場來幾句散言書歸正

上回書說的侯元首點兵。要去與日本拚命那不過是說書的一個回頭並從無有那個事情。單說侯元首聽罷黃伯雄一片言語只氣的他三尸神暴跳五靈豪氣飛空說道日本人占山為寇打傷人命還說我打了他們真是可恨我非去與他辨白不可。伯雄從那邊說道兄長不要如此現在咱國裏的大臣相着日本那交涉局的總理任忠。又是當朝大臣朴永孝的外甥。為治那日本保全咱國家也不落進晚。兄長要是願意我有一個老叔姓李名正現在平壤作提法司咱們去投奔他那豈不是好嗎。侯彌聽了一聽說道可也是呀。這個時候與他們再治也恐怕難我好。依我看不如逃跑在外想個方法鼓動鼓動民氣民氣要是全強了然後去了也恐怕難我好作提法司咱們去投奔他那豈不是好嗎侯彌聽了一聽說道可也是呀這個時候與他們伯雄也是妄然於是收拾收拾帶了些個財物備上一匹快馬抱着侄兒侯珍騎上馬同着黃治氣也就捕奔平壤大路來了
好一個侯彌弱小英雄

他一心要上平壤躲災星　　在馬上不住胡叨念

53

289

繡像英雄淚卷之二

第六回　中日因韓定條約　王妃為國罹凶災

袁的是行路君子到街坊
走上前來問端詳
見一位老者氣昂昂
對我說說有何妨
那人不解其中的意
那人說我要說有何妨
那人說你要告訴我來替你辯
聽我對你說短長
兒子南學把書念
積下錢財治地方
一頭我自己家裡住
扔木頭壘倒我一堵墻
一連呆了三天整
那客人誰也不住我這鄉
到後我又把他問
試試這個老周芳
依我勸你拉倒吧
但是我生成以來就不懼強

老者說你休來管我的事
你何必似這樣的慌張
現在我是實則忙
老者說你要實則把我問
離此不遠我家鄉
這幾年間生意好
還有三間小草房
那一日鄰居周芳蓋房子
他言語立刻就與我修上
不與我修墻不要緊
恐怕丟了他行裝

老夫姓李名季用
老夫家中賣酒漿
賣了五頃山田地
那一頭裡招客商
當時老夫就把他問
他也未與我修墻
都說我的院墻破
他說老夫亂喊喊
我令上官府把他告
你何必告他到官場
那人說這個事本來不要緊
回家去還讓他與你來修墻
老者說我非是不能忍

52

弱這且不表單說這交涉局中有一位先生姓黃名伯雄他與侯彌八拜為交父母雙亡所以

在外邊當差當日得了這个信息暗說道侯彌是義士那能辦出這个事情呢其中必然有差

或者是他得罪了日本人想只要害他也有的我不如先與他送上一信免了這禍豈不是好

嗎於是拾道騎上坐馬可就奔仁里村走下來了。

好一个多端智謀黃伯雄
萬不能作出這樣惡事情
看起來那恨毒目人必將他害
他必然遭在日人毒手中
進了村屯轉个灣兒往東走
柳陰樹拴上他那馬能行
猛抬頭看見伯雄把屋進

一心要與那侯彌把信通
想必是他把日人得罪了
要使那義士一命歸陰城
你看他叨叨念念來的快
眼前裡就是元首大門庭
邁大步進了元首上房內
他這才站起那身形在了

說起來元首本是一義士
若不然怎能告他到官中
我今要不與他把信來送
仁里村不遠就在咫尺中
大門外吧鐙離鞍下了馬
正赶上元首那裡來用工
就道是賢弟幾時來到此

歇點不小你現日開望
齊兵的我快如本難賢
喘由弟交快令人說弟
馬我告此拾你想我
你無此道你在無在
們國道拾涉無禮故
再名把信局門失
走大朱行故路
火來當踪往上
飈送往告信沖
上山
手迎

一吩望再那他你慌
心咐兄往們忙
要一長忠說廢的拉
與聲千時已你着
那快萬時能伯
日點聚來雄
本躲走了此地
捍散這地中
把走裡道
命覺的
早霸
是道
黑中

說立侯你不因伯賢
到刻元伯久搶雄弟
此間首命的財說呀
處點一就傷兄不人
咱齊聽一日長你日
們五道就可保派可
往百往傷是他是
一農話了到們到
往備備的來的
兵那又那
陣不陣
風知風
你
名

那義士又買一口好棺槨　　成殮起你那妹夫死尸靈　　成殮後又埋在一塊平川地
全是那元首義士好恩情　　到後來又派兵丁把我送　　因此半路這才得安寗

話說安太太說罷員外被害的原由，又把那員外被害的原由一通，雲大人從那邊問道，

雲大人在那邊問一聲，

老安人說罷一些前後話

雲大人把那侯元首怎樣的除賊，怎樣的派人。可是在那呪夫人說道我已吩咐回去了。雲

大人又說道妹丈已死了。你們母子就在這住口罷，趕那外甥長大的時候與我那在岫兄弟跟

太太又說從令而後就免不了在你們這招擾啦。然後再治服那日本以與那妹丈報讐。雖然說的是那裡話呪。咱們雖然

落筆孩兒請上個先生讓他們一齊唸書學問成了。表妹你說的是那裡話呪。咱們雖然安

是表兄弟。也不亞如親兄弟。望表妹無存意見才好。安夫人說道那我甚感恩了。按下安

太太住在雲府不表單說那日本惡備隊他們可就想出道來說道這人若不除他後來必為我國之

害。於是這四個惡賊到了那黃海道交涉局裡告了侯彌。說他們是外國人與中

了一會才知是那侯彌的農備隊他們才打死了無數只逃走了四個賊。這四個人打聽

國人打官司地方。這四個人到了交涉局把侯彌告了。說他們是商人去上仁川買貨路過

那奇峰山被那仁里村侯彌領了些兵丁拿我們當作了賊。將我們打死了無數搶奪去我們

的財物錢幸虧我四人的腿快才跑出來望交涉局大老爺連連與我拿人這交涉局的總理

姓任名忠是那朴永孝的外甥。當日接了這張呈子忙派了劉陳二位衙役去上仁里村拿侯

繡像英雄淚　卷一　二十一

我夫妻才想逃難到這邊

日本在此山為賊寇

聽見那松林以內喊連天

用槍兒把你妹夫活打死

因這個我們母子把身穿

帶了些細軟東西把路上
打刼那來往客人賣踩錢
這一日到了那座奇峰山
正趕上我們車子從那走
那賊人此時已經出了山

雲大人聽着說道妹夫被賊打死真是悲痛可就哭起來了

慌忙的捏着車子往來跑

雲大人聞言淚紛紛

你看他家中老的老幼的幼
老幼無能甚難云

最不該傷他性命害他身

幼的未滿三四春
那人幼沒有一片忍

老的也有四十歲

扑皮挽眼報讐痕

日本害人好狠心

我妹夫與你何讐並何恨
救妹丈妹妹妹夫被賊打死你們母子怎麼逃出來的呢夫人說表

話說老大人傷感已畢遂又問道

兄不知聽我道來

安夫人未從開口淚盈盈

尊聲表兄你是聽
幸虧是步行沒有車子快
領了有人馬打退那些衆賊兵

那後邊賊人追趕不放

我們車子趕着頭裡跑
到後來來了一幫救命星
又將我母子留到他莊上

仁里村有義士保元首

因此才逃了活性命

雲大人說道元首到算個義士夫人說還有好處呢

49

老安人母子雙雙拜流平

望義士千萬不可不應允

贈與義士莫嫌輕

日本人奇峰山上為賊寇

外人要敢服就當把他攻

太太哪你快快把車上

老安人說不受拜來可不中

侯元首無奈這才上邊坐

拜罷起來又把話來講

賤人我現在還有一事情

鄙人奉送物一宗

我孩兒帶着一塊石如意

說道夫人你可不要把意生

說完了就將如意遞過去

這本是算不了甚麼恩情

無故的把咱韓國來陵

打他們本是我們應盡的職

趁這天道暖和奔前程

安人他使一禮來把車上

那車子順着大道走如風

侯義士送了一程才回去

到白天還是奔走前程

進了北門往南拐

晓行夜宿非一日

來到了雲府大門庭

到夜晚不過住在招商店

那四名護送庄丁隨後行

這一天到了平壤城

走安人二門以外把車下

話說安太太這日到平壤裡雲府進了大門裡拿出二十兩銀子賞了那四个護送人吩咐他們回去次又找着雲府進了大門下了車子內裡家人慌忙稟報雲老夫人老夫人急忙接出門外讓到座中坐下說道表妹一路勞苦哇又說甥兒長大了這个時候雲大人聽說也過來了大家見禮已畢雲大人問道妹子給何人穿的孝夫人答道要是問我穿這孝真其讓人一言難盡了老夫未從開口淚連連尊了一聲表兄夫人聽我言在京城因為日本常作亂

太太招呼的不住聲

話說安成招呼了多一會。只聽太太哼了一聲，從口中吐出了一塊濁痰，哎喲的一聲，說道可啞了我啞。眾人一見太太活了，一齊上前勸導，說太太不要悲啼了，人已經死也無益。侯粥又說道，太太不要悲傷，天道也不早了，先把員外的尸首抬上，買口棺林成殮。侯起來然後再送你母子上平壤當，不好麼。安人聞言說道，那們我母子可就感恩不盡。問道義士高姓大名。侯粥答道字表元首。

老安成招呼了多一會。只聽的安人那邊哼一哼。

士了。遂即拜了一拜。元首連忙還禮說道，請安人上車吧。於是安人送靈回來，又讓兵義命安成套上車子就要起身。元首堅留不住，他就派了四名人前去護送。安人對着元首說道，抬着員外的尸首，回到莊上，將安太到他的家裡安置好了，又命家人上街上買了一口棺林，把員外成殮了。到了次日，擇了一個吉地埋葬起來，又住了一宿第二日。

老安人未從開口淚盈盈
尊了一聲元首義士你是聽
我丈夫被那日人活打冤
才保全我母子的活性命
多虧了義士牽兵來搭救
還埋葬我的丈夫死尸靈
這恩德真是高如山來深似海
怎叫我生死存亡不感情
我夫妻帶着家財去逃命
我母子也是幾乎呢命坑
到後來又將我們收留下
請義士快來上邊坐
使我母子一拜盡盡這點誠
侯元首再三推辭說不可

跑我們的員外還在後邊呢。不知性命如何。你們快去救他吧。元首道。我正正是打賊。你們可

在此等着待我們打走了賊。然後再把你們送過山去吩咐已畢他可就率領着兵前進走不

多時只見那邊日本賊趕過來他們可就一齊開槍那將日賊打死了無數只跑了四个。於是

他又轉過山頭往前一看只見那道口躺着一个死尸。不是你的主人麼。安員外被賊打死了。急令人

抬着到安成的車前說道太太呀不好啦員外被賊打死了。老安人一聽這話慌忙把公子交與老媽

跑到車前說道太太呀你來看看這个死尸。老安人一看正是那員外急忙跳

下車子一看。可就哭起來了。

老安人一見員外丧了命

那知道中途路口把命坑

那管他日本作乱不作乱

尋思起那樣重那樣的輕

丈夫呀你死一生只顧你

我與你一同去枉死城

咕咚一聲倒在流平的地

他這才捶胸跺足放悲聲

太太叫你令若是歸陰去

不由的兩淚淋淋放悲聲

說道是只想逃難得好處

早知這樣事情也不能走

或者還不能宛在他手中

小嬰兒未滿三四歲

抛下了我們毋子苦令丁

老夫人越哭越痛如酒醉

那邊裡吓壞家人老安成

叫了聲太太你快醒來把

道不如在那漢城住幾冬

現如今躲還未能躲出去

是何人能勾教把名兒成

叫丈夫你在陰城等一等

忽然間一口濁痰到喉嚨

走上前一看安人閉了氣

多歸陽世少歸陰城

你看他前邊拍來後邊打

我們那公子可是誰照應

太陽一上冒鮮紅　　　　　中途外員外廢了命　　　那車子跑了個影無踪

這彀賊又把車子趕　　　　但見那西山以上來了兵　咕咚咕咚把槍來放

打死了日本賊四名　　　　他們才想往回來跑　　　在後邊人來了二百多兵

兩面夾攻把他來打　　　　僅僅跑了賊子四名　　　押下賊子逃命且不表

再把拿賊子的英雄明上一明

話說高麗黃海道仁里村出了一位英雄姓侯名弼字表元首從小父母雙亡有一哥哥名佐

字元良將他養活了七歲上學念書至十七歲聽說美國學堂甚好他就辭別哥嫂上了美國

在他那陸軍學堂學成了一身兵式體操之法滿腹出兵戰陣之方他回到家中也

不去作官就在這仁里村將他弟兄率領農備兵盡力勤出所以他那地方沒有賊匪光陰如

箭天天教他們下操臨近有賊他就率領農備兵盡力操練了二百餘人仍就的教練多

了好打外人趕上他那時運不好全操練好了又續了二百餘人仍就的教

不覺的就是三年之久那些少年他地下一個姪年方七歲他教

他念書自己也不要媳婦這日正在屋中看書忽見外邊有人來報說是離這十五里地有一

座奇峯山那塊有一夥日本強盜在那裡逢戶搶甚是兇惡特此報知侯弼一聽這個信息

就點齊了自己練的那些農備隊前去打賊正趕上那安成趕着車子跑過來他上前就問說

道你們跑甚麼安成說道我們是往平壤去的路過這個山出來了一夥日本賊人嚇的我就

45

297

只聽得後邊發喊聲
吩咐聲安成快著跑
那車兒好像一陣風
列位要問員外生與死
且等到下回書裡再說明

第五回
中途路員外逢凶災　仁里村元首施大義

西江月

自來雄傑之士　往往命運不強　空乏心志路途忙　盡是勞苦現象
文王囚於羑里　孔子陳蔡絕糧　生於憂患宛安康　才是聖賢模樣

不用人說知道了　　一定來了眾賊丁
再等一時就要把咱坑　安成聞言忙打馬
只聽得鎗兒一聲响　　那員外難保活性命

上場來西江月敘罷書歸上回。上回書說的是那安員外出了漢城這日來到黃海道地界看見前面有一座高山攔路以看這座山兩面盡是黑松林中有一條大道。老員外說道此山甚是凶惡必有強盜在此咱可快從那邊繞只走吧。於是安成趕車望那邊就跑方才走了一箭多地只聽那後面忽啦啦出來了一夥盜賊有二十多人老員外看事不好可就打馬跑起來了。

好一個員外安悅公　　他的那運氣算不通
不料想中途路上遇災星　日本人占山為賊寇
偏趕上員外運不好　　想只要平壤去避難
就遇見這夥日賊兵　　要搶來往行路的公
眾職兵步行隨後改　　老員外騎馬頭裡跑
端槍就把員外來打　　那職子這才動無名
咕咚一聲了不成　　　步行沒有騎馬快
把員外打落能行馬

44

繡像□□□　卷十

我們不久的也要往外走　不能勾常住這个是非扰
都說道員外令日避亂兵

這个說路逢以上加仔細　防備那胡匪職人把路橫　那个說要是住店看一看
千萬別存到那个賊店中　躲避着路逢以上受寒風

眾隣人一齊說道快走吧　不要担悮了你們好路程　老員外對着眾人使一禮
說道是有勞列住好心誠　現如今咱們雖然分了手　老員外騎着馬將來還要回城漢

說罷了趕起車子上了路　那隣人一个一个回家中　望後裡我將手拿鞭子緊着繞
轉眼間就走出了十里程　老員外騎在馬上回頭看　不由的一陣一陣好傷情

獨只為奸臣當道亂國政　才使我今日逃難離韓京　好難捨我那房間與地土
好難捨親戚朋友各西東　好難捨家人使女他鄉奔　好難捨仁德隣右惠難同

抛家業這才望那平壤去　出不知到在人家怎待咸　安悅公正在馬上胡叨念
看了看西方墜落太陽星　他這才趕着車子把店進　住了一宿明日又要行

走了些高高凹凹不平地　過了些三河路碼頭城　到晚間住在招商店
到白日還是把路登　這日正然望前走　看見了一座高山把路橫

黑珍珍密松林內無人走　靜悄悄百鳥林中吱吱鳴　老員外一見就心害怕
說道是這个地方可是凶　常言說遠山就有寇　看此處好像有賊踪

咱們不如繞着走　那安威拉過稍轉正東　方才走出一箭地

十八

43

這個人要是不除治

對着他們的皇上説分明　　必為我國的咕懂蟲　　事情辦完本國裡報

話説并上譬在高麗把事辦完高麗包他們十三萬元兵款作為二分半利。又把閔皇后怎么
樣的聰明想尸要除治了。這些事修了一封信。打到本國去了。這且不表單説高麗京城有一
家員外姓安名喚悅公。本是黃榜進士出身。娶妻張氏就是那雲在霄的表妹老安人四十餘
歲生了一子。名喚重根真是長得天庭寶滿地閣方圓年方三歲精神伶俐賽如七八歲的見
童夫婦二人愛如珍寶這一日老員外對着夫人説道現在咱們國裡屢次的起亂要常在這
住着恐怕難免刀兵之戲我想要上平壤投奔雲大人那處避難夫人你意下如何夫人道我
看這個地方。也不可久居。員外你説好便好。於是將家中細軟的東西收拾妥當又把那些
個家人使女。一處説道我家想要往平壤搬[不能把你們全帶去我與你們點東西各自
他鄉去吧遂把些個不帶着的東西全分給他們那些個家人使女各自叩頭謝恩去了。留一
個老家人安成。又留了一個老媽套上一輛小車老安人抱着重根上了車子安成趕着老媽
坐車車外老員外備上一匹馬。把門戶倉廪全都封了。出了大門可就上平壤大路走下來了。
好一個員外名叫安悅公。　　他一心要上平壤解悶星　　細軟的東西全都拾到淨
又把那房屋門戶上上封　　老安人抱着孩子把車上　　員外他也就上了馬能行
忽啦啦出了自已大門外　　又看那五街隣舍關哄哄　　一齊的走至跟前把行饒

42

繡像小說 卷一

你我今差使就在我國居官。豈不是好嗎。金玉均說道。那我可是感恩不盡了。這且不表單說

竹添一郎見了日皇。請敗軍之罪。日皇說這不干你事。回去休息去吧。日皇又把伊藤博文請

來說道現在咱們的兵。幫着高麗破中國打敗了。咱們可以怎麼對付他兩國呢。伊藤說要問

怎麼辦法為臣道來。　尊了一聲我皇萬歲臣主公

伊藤他未從開口帶春風　咱要是吞併朝鮮與中國

必須時時侵到他們權力中　想個道兒使喚跟他一般同

因着這個與那高麗立上約幾宗　讓他們賠上咱兵款十三萬

要瞭着遣教他們把利行　連辦交涉代把領事去充

派一位官員往他國中去　我主就當傳旨意

還須那位上上聲　上上聲奉了王命出了京

今日不把別人派　日皇這才傳下旨

讓他們好往高麗行　那些個親日黨們亂哄哄

這日到了韓國內　一個一個來告訴

齊說道我國裡頭不尚公　把我們這些個大臣一傍扔

并君一看他們這個樣　那些個政軍全歸女后主

就知道他們辦事必不成　次又看看他國裡的內治

諸般的要求全都應　到明日與那孝熙把交涉辦

不知道什嗎人來把政掌　不由的一見心內懵

他國內必定有賢能　這政治與前大不同

儻然有個維新的樣　不用人說知道了

一定是那王妃閔氏把政柄

41

一郎。敗到仁川。看看後邊追兵全回去了。他這才放心。慢慢的走。正走之間。忽聽後邊有馬蹄之聲回頭一看。只見從那邊來了幾匹馬。如飛的一般來至近前並不是別人。正是那金玉均。後跟着那一羣作亂之人彼此各道一些愛驚的話於是一齊坐上輪船可就勾奔日本走下來了。

好一个幼小無謀的金玉均

他自己坐在船上把思尋

那料想事情不成敗了軍
家中的老幼不知怎么樣

全家的老少若是要了命
豈不是我一人惹起這禍根

這都是自己作的怨何人
恨只恨目己作事無主意

他不住兩眼捕辭落淚痕
思想起怎不讓人痛傷心

事不成惹下外人胡議論
哭了聲生身父母難見面

又聽着跟人過來把話云
到不如身投大海去歸陰

話說金玉均正在船上
正是他自己要想尋短見

日本見了伊藤博文把上項之事說了一通伊藤說情道是難辦哪你先在我國住只吧我與

或尚未滅呢要是滅了也是無益不如咱到那日本往上幾年想介方法報仇也就是了金玉均說道咳事到如令也只得溜着關去吧於是止住淚痕往那日本進發這日到了

話說金玉均正在船上不住哭哭啼啼道念要去自盡跟人過來勸道。大人不要悲傷。咱家中

正遇着日本兵丁在那邊

兩下一見就開了戰

只聽哨子吱吱的响

彈子穿梭心胆寒

日本的兵將輸於咱

竹添一郎帶領兵丁敗下去

一連逃了二十里

日本兵已到了仁川邊

袁世凱一邊開了言

疾兎反嗟是定理

現在不如回去罷

好除治他們那作亂的男

人人得意面帶歡

人馬回到漢城地

話說吳提督代領人馬回到漢城吩咐聲大小將官一齊跟我去拿那作亂的金玉均眾將官應聲說道是於是來到玉均家裡把他一家子大大小小盡皆斬首可就是跑了个玉均吳長慶尋思一會說他可那裡去了尋找多時並無影跡可也就回了衙門了列明公有所不知只因他們殺了閔氏兄弟他又要上皇宮殺閔后這个時候國王李熙已經知道有亂讓護衛軍把宮門守住金玉均在那等着日兵來到好一齊闖進官裡不好了日本的兵破中國兵打敗啦金玉均一聽這个消息覺着不好可就想要逃難投奔日本於是走到一个地方幸與那些作亂之人遇在一處可就撲奔上東京大路逃跑押下此事不表單說那日本領事竹添

他這才帶領兵丁回裡走

又聽得提督一傍開了言

窮寇莫追是寔言

吳長慶還要望前趕

吳提督追趕在後邊

自晨打到正晌午

鎗砲之聲震耳炫

出離使館把皇宮奔

列位大人看看這事好不好　　　大家齊商量妥就去辨　　　那些人齊聲拍掌說是好

這才來到日本領事衙門前　　　對着那日本領事說一遍　　　那領事立刻與他兵二千

帶領着兵馬把皇宮奔　　　　　正趕那閔氏兄弟在那邊　　　他們一見就紅了眼

一个一个望上川　　鋼刀一舉忙落下　　最可惜二位英雄染黃泉

當下驚動那一个　　驚動了親王李應藩　　慌忙跑到我國的公使館

對着吳袁二公說一番　　吳提督帶領兵丁皇宮去　　這一回就出了亂子山

亂不亂的咱不管　　歇歇喘喘喫代煙

第四回

　　吳提督大戰漢城　　兄弟和睦家庭順

　　若是各人懷異志　　文武同心國勢興　　若是各人懷異志　　家國安得有太平

四句提綱敘過書接上回。上回說的是那金玉均。領着日本的兵將閔氏兄弟殺了。又要立逼

他們皇上頒布新法當下驚動了親王李應藩聽說有這個變動。急忙跑到中國的使館一說。

那提督吳長慶委員袁世凱帶領着三千兵馬可就勾奔皇宮殺駕來了。

好一个高麗親王李應藩　他一到中國使館把兵搬　他言說金玉均們作了亂

勾引那日本反了天　他這才領着日本到宮前

可憐那閔氏兄弟兒的苦　他還要立通皇上把法變　望大人速速發兵馬

一到那皇宮把日兵攔　吳提督聽說了這个話　立刻的點了兵三千

繪像英雄淚／卷一

十五

我好乘他的亂以行事豈不是好嗎。於是向玉均說道你們要變法。這也是好事。我就與我國

領事寫一封信。他那也有兵。讓他在那幫助你。不好嗎。玉均說道狠好。以後重重相謝當

下就辭別伊藤回國。到了國中見了滿朝文武說道。現在咱國甚是軟弱。必得藉外國扶助纔

能保存。咱們可是依靠日本呢。可是依靠中國呢。於是也有說中國軟弱不可靠的。也有說日

本說詐不可靠的。就是那朴永孝金玉均鄭東夏趙義淵禹範善李秉權榮

本願意靠日本的。當下就分出了事大親日兩黨。願意靠中國親日的黨。願意靠日

鎮那些人願意靠中國的。就是那閔泳翊閔泳駿儒臣。親王李應佐李秉藩諸人。當日金玉均

一提這議兩黨紛紛不一。各人說一個道。可也就杠倒啦。那金玉均總是想只變法。回到衙中

吩咐家人道。你去把朴大人鄭大人李大人他們請來。家人去了。不多一時他們全來到金玉

均的家中。讓至客廳坐下。三人說道。大人將些職請來有何話講。金玉均說道列位不知聽我說來

金玉均未從開口面帶歡。尊了一聲列位大人聽我言。咱的國現令寔是不得了

居於那日本中國兩大間。現如今日本盛强中國弱。要靠那中國恐怕是妄然

那閔氏兄弟把軍事掌。他妹子又在宮中弄大權。他們專倚勢力帮着咱

着起來這个江山就要完。伊藤博文願意讓咱們把法變。他言說要沒勢力帮着咱

此時中國與那法國開了戰。咱趁着這个時候就當把法變。先殺那閔氏兄弟哥兒兩

立遍着咱皇上把新法頒。別人不願意咱也不怕。有那日本領事保護着咱

37

寇儒臣領兵就往金府去，把他那全家綁了一个齊，拉着從那街上走。那個說這也是他自取的，不言那百姓開談論。勾了絕就把拐子披，說是一聲時晨到了西，那奸賊一命可就歸了。寇大人交旨已畢回府。提一提，再把那金玉均奉了國王之命去上日本賠罪。

不一時到了他那金府裡，這一回拿了八十單三口。又聽那庶民人等把話提，這个說往後不能把日本引，再表那監斬大臣名寇基，讓他們一齊跪倒椿桕下，劊子手魂頭大刀忙舉起，一家人个个全殺死，李熙皇帝也退回宮裡。

吩咐聲兵丁與我快來綁，一个也未跑出去，這个說奸賊令日惡貫滿，那个說再想要貪贓不容易，押着犯人到法場，劊子手提刀候之，只聽那追魂大砲三聲響，寇大人這繞回城交旨意，此事押下且不表。

話說金玉均奉了國王之命去上日本賠罪，這日到了日本，見了日皇，呈上謝罪書子。伊藤博文從旁說道：有勞貴國了。玉均說道：只因鄙國得罪了貴國，理應前來謝罪，豈敢言勞。各說了一些謙恭的話，可就散了朝啦。於是把金玉均送至驛館安歇。這金玉均到了驛館暗暗的想道：一些因變法的，現在我國也是很軟弱，朝裡用事的都是閔族，我不如向伊藤說說他，助我一勝之力，我也變法，強強我們高麗。他尋思了一回，說道就是這个主義。到了次日見了伊藤，可就把這意思說了。伊藤聞言暗想道：他們要變法讓我助他，他要一變法必定起內亂。

繡像英雄淚　卷一

事館駐兵還得派人到他國去謝罪高麗因為自己缺禮只得應許賠了五十五萬元的數現

在無錢作為借貸行上三分息指金山地方作保日本又新派了一位領事竹添一郎公使館

裡又安上二千兵我國看他公使館安兵我們也留了三千兵駐高麗高麗又打付金玉均去

往日本賠罪當下事情完了兩國餘兵全回國去了這且不表單說高麗大院君廢了李熙皇

帝本是個頓弱無能的人所以國事全靠着閔皇后去作這日閒暇無事閔后對着李熙可就

說講起來了。

閔皇后未從開口笑嘻嘻

尊了聲我主洗耳請聽之

咱高麗自從開國享安泰

為令計應當急急修國政

日本他欺侮咱國不為別的

大概是要奪咱國好土地

今日裡受了他們日本欺

好保護咱們江山與社稷

李熙說愛卿之言甚有理

咱這國就依着你去治理

皇后他這才整頓國內一切事

學堂巡警立了一个舜

審判廳諮議院全然安下

鑾桑局官錢號立在城西

喜壞了他們皇上名李熙

火藥場變成了工程局

飛虎營改作了陸軍隊

皇后說還有一件頂大事

說卿呀你能如此治國

歇月之間籌辦了一个

李熙說事事樣樣依着卿辦

就是那賣國奸賊金宏集

望後還怕的什麼外人欺

省着他倒賣咱國錦社稷

依奴看不如把奸臣除治了

他所以來到咱這裡

派了那內務大臣名寇基

你說怎的就怎的

全然是宏集奸臣引誘的

他這才刷了一道黃聖旨

三十四

他攻了日本的領事衙門
現如今日本派兵把高麗問
一心要凌虐他國的君與民
那日本不過區區三島地
所以生出來這樣狗狼心
伊藤博文也從畫過策
他要把中國與那高麗吞
想要吞併中國的東三省
不得不先在高麗把力伸
與高麗私自訂下通商約
又安上花房一位領事臣
因為攻了他們的領事館
又要在他國中把兵隊扎
半金忠殺了日本人幾個
讓高麗賠他們五十萬金
他們的勢力要是比咱大
那時節咱東省難保存
現令他們發兵高麗去
咱們也當發去多少軍
要有亂咱先與高麗平了
千萬可別讓日本進了身
日本原是個貪財的窮國
不可不防備他的虎狼心
大師哪你可別拿這事當兒戲
關係於咱中國實在是深
望大人速速發兵高麗去
先除治了他那作亂的人
然後與他國說和了結事
或者能勾保全了眾人民
這本是至理名言真情事
望大師仔細尋思一思尋
張樹聲看罷黎庶昌這封信
不由的肚內沉吟好幾沉吟
話說直隸總督張樹聲當
下看了黎庶昌這封信他思尋道
日本發兵去上高麗問罪這個事
情與我國關係非輕我要
不去救他將來不但於我目己不好
那萬人的罵也是挨不起的於
是派了提督丁汝昌與那馬建忠駕了兩隻快船領了五千兵望著渤海口進發一晝一夜到
了高麗這個時候日本兵也到了我國的兵先把那大院君廢了又殺了他那一同作亂的一
百七十多人日本一看咱國把高麗的亂平了他就要求高麗賠他們的欵並且許他們在領

繡像英雄淚　卷一

況且說他上趕着把咱尋
他不找咱咱還要把他找
於甚又派官員往高麗去
你領那第一鎮的大陸軍
為什麼攻了我的領事館
我國損去了五十多萬金
還得許我安兵在領事館
與我那兄的留下養家銀
你二人就照這樣對他講
這就坐上輪船起了身

且表我國駐日的公使臣
二人齊說是我們記住了

指那國地作保不認得人
還得差人上我國來賠罪
若不然我就與你動大軍
殺了我的商人不要緊
到那去問他那無道昏君
回頭又把英雄大山岩叫
要如此我們可就有了根

依我看是咱國的大福分
我常愁吞併他國沒有道
這官員的名字叫井上馨
跟井大人一齊往高麗去
為什麼賠殺了我的眾商人
令日必須賠了我們的欵
好保着我國領事與商人
賠欵無錢行息去借外債
看他有什麼話兒向咱云

日本與師問罪且不表

話說日本派了大山岩井上馨去上高麗問罪當下驚動了我們中國駐日的公使黎庶昌他聽這個消息說道高麗本是我國的屬國現在他要插手奪權與我中國狠有不便要是高麗歸了日本保護離我們東三省就近咧要到那個時候我們東三省也怕不好急忙的修了一封書子到電報局打到北洋大臣這來了這個時候北洋大臣李鴻章丁憂張樹聲署理當日按了黎庶昌這封電信拆開一看但見那上寫着

駐日領事黎氏庶昌把事陳

敬稟我國的北洋張大臣

大院君無故的作了禍亂

十三

這就是牛馬英雄一件事　　　泉明公你們好好聽一聽　　　扁毛畜生還有抗賊義

我們不保國怎對起畜生　　　國保就是我們的身家保　　　國破怎保身家性命存

要想保家總得先保國　　　家國原來是一宗　　　要等着國亡家也不能好

那時節父母妻子各西東　　　家業財產全歸外人手　　　想要不給也不行

從令後別把外國人來怕　　　要殺負咱就與他把命拚　　　外國人也是怕那好硬漢

咱要硬了他們就要放鬆　　　列位呀你們仔細想一想　　　我說這話全然不是胡蒙

上場來幾句開言書歸正　　　還把那日本花房明一明

上回書說的是日本領事花房

在海岸以前有大海後有追兵正在為難之際只見上稍

那船來至跟前一看是那英國的商船去上日本橫濱

來了一號輪船他慌忙招呼道救人哪

單說牛全忠趕到海岸一見花房被人救去了他

作買賣的於是花房坐上這隻船歸國去了

剩下那些个殘軍關了一天也都安撫下

一看這個事情已經洩漏了他可就跑往美國去了

那大院君等關了一个。畫虎不成真是可笑這且不表單說花房來至國中見了伊藤公把

以上之事說了一遍伊藤說從令後我可有了對付高麗合中國的道了。

他懷着破壞高麗中國心　　　說高麗本是中國的屬國

他們不能保護咱們保護　　　不可失了這个的好機困

得了他就容易把滿洲吞　　　現令他攻了咱們領事館

好一個很毒的伊藤博文

他們不能好好的去保存

高麗緊靠着奉天吉林地

32

310

繪像英列法　卷一

上場來西江月罷內有古段相隨列明公尊坐聽在下道來

朝鮮王妃閨后　說起算是大賢　廢去院君把政担　國內稍微治安

表的是大清一統錦江紅
列位不知聽我明
林則徐燒了他們的煙土
攻破了我們那座寧波城
養活了一個牛來就一個馬
把冀老頭的家業搶個空
睐着那英人官長就一角
那頭牛左右東西四下衝
眾英賊一見事不好
嗚呼一命歸陰城
這匹馬特意打個前失跌
腦代上就用蹄子登
眾英賊一見說是不好
那座城所以得了安寧

出了那牛馬二英雄
道光年英國販賣大煙土
因為這個才起戰爭
寧波府轄有一個乍浦縣
專指着賣豆腐為他營生
接着又牽他那個牛合馬
把他的肚子頂個大窟籠
撞着一個頂一個
拿出鎗來與牛爭
那英人又騎上冀氏的馬
把那英賊跌下馬鞍龍
把英賊跌活扒冤
這牛馬八成是神靈

要聞牛馬英雄是怎回事
怒惱了那位林文忠
英國的大兵到了乍浦縣
縣中裡有一個老頭本姓冀
這一日英人到了乍浦縣
那頭牛可就起了愛國誠
眾英賊一齊的望上跑
一連頂死了人十幾名
快鎗一響就把牛打倒
順着江沿去攻那座鹽海城
這馬慌忙就踏住他的腹
他這才一撒懼兒影無踪
於是不把鹽海犯
又提了名兒叫他二忠
戴大人就把他們國蕃叫

好一個智廣謀多的牛全忠

扯起大旗就往外行

金宏集不解其中意

他這裡招呼一聲大小衆兵丁

衆兵丁一聽這句話

忽聽的門役報一聲

大人哪快快收拾跑了吧

吩咐一聲快與我備馬走龍

牛全忠一見花房他跑了

大料他不能出了這座城

不用人說知道了

那馬好像一陣風

前有那大水來攔路

何人敢保吉合凶

第三回　　廢院君王妃担國政　　謀變法新舊起衝突

世界和平公理　男女本是平權　各有責任在人間　豈可外重内偏

教軍塲點了三千人共馬

領着人馬捕正東

他一心要把那日本攻

出大營他不把皇宮奔

只得隨着他們望前行

前行在日本領事衙門地

你們令天與我把他攻

忽拉拉把衙門圍了個不透風

那花房正在屋中關談論

外邊裡不知什麼人發來

花房一聽這句話

順着後門扔了崩

把那別的日本子殺了好幾名

那花房正在慌忙往前跑

忽看着後面塵土飛了空

加加鞭子克克鐙

一看那汪洋大水把路橫

眼睜睜的就要把命喪

歇歇喘喘下回聽

再把李熙皇帝云一云

話說李熙現在已經二十歲。選了閔泳翊的妹子為皇后。這個娘娘讀過書。那三從四德。無有不知的。就算他們高麗國一個女聖人。這一日對李熙說道。陛下如今也是二十多歲了。什麼事情也不管。可到算一個什麼皇上呢。現今再要不親政將來咱國可就要不好咧他這幾句話不要緊。可就把李熙提醒了。到了次日會了那滿朝文武跟著大院君一說。大院君無可如何可就把政歸了。李熙皇帝登了大寶大赦天下。封閔泳翊為內閣侍郎。金炳之為總理大臣。金朴定晨為內務部大臣。李完用為外務部大臣。趙丙稷為軍務大臣。趙丙稷為法部大臣那金宏集諸人也未封也未眨。可是不大信用了事事全與那閔皇后商量。那皇后辦事也是甚有道理所以他國的民也是狠樂和的。這且不表單說大院君。自從歸政以後。看那國中用事的都是那閔皇后的家裡人。他心中甚是不願意這日見了金宏集說道。現在你看咱國那用事的全是閔族。把咱們都干閒起來了。我想只還要執政你看得想個其麼法呢。金宏集說道這事容易。現在那飛虎營的總兵牛全忠是我的親戚見他一說讓他帶著咱們。把那閔氏除治了。然後咱們再封他為那兵部尚書。他斷無不從之理。大院君說道此法甚好。於是把那大院君的意思說了一遍。牛全忠一聽。心中想道。現在我是狠煩惡的。不如籍著這個到飛虎營牛全忠接至帳中坐下說道。二位大人到此有何事相商呢。金宏集遂把大院君來事把他們除治了。豈不是好嗎。於是答應了大院君。點起兵馬。可就作起亂來了。

回我可能勾給日本辦事了。急忙對着大院君說道這個事情不要緊。他們幾天必來那個時候。咱們與他訂下通商條約可就扯倒啦。大院君說就是如此吧。說罷金宏集辭了院君回在衙下書童過來說道書房有日本客現在書房等候着呢。宏集聽說慌忙來在書房見了麥田春各道了寒溫。麥田春又與花房引見了。說道賢弟來到這裏八成是為的那華陽灣的事情。宏集說正是宏集說辭可也就收下了。說道賢弟就是我們的監國說了。將來許有個成若是成了的時候你二位就在道那商約的的事情。田春說我已經對我們的領事宏集假說更好了。當日天色已晚遂分付排筵這作領事吧。田春對面歡飲飲完田春就住在宏集的家中。一夜無話到了次日早朝帶他二人上朝對與田春對面歡飲飲完田春就住在宏集的家中。

著大院君就說起來了。

好一個奸賊宏集本姓金
人家傷了五百人
依臣看不如與他訂下通商約
我也早有這個心
立時開了兩個大商埠
與他修上一個犬衙門
明只就是作買賣
暗地裡就算扎下根

他作出事來竟欺君
現如今人家到此將咱閒
咱國內許他們安上領事人
金殿以上就把合同寫
就是那仁川元山津
自從日韓訂下通商約
那日本就往這裏來邊民
住下此事咱不表

他說道日本商船咱打壞
咱們可用什麼話來對他云
院君聞言說是對
畫上押來就算真
花房這裏為領事

繡像英烈傳／卷一

話說日本皇帝。那日早朝有皇門官奏道。現有試驗兵船的將官大山岩在午門外候音呢日

皇聞奏說道。將他喚進來吧。殿頭官傳旨那大山岩不多一時來至金殿參見一畢日皇問道。

你試驗那隻船快與不快呢。那朝鮮沿海形勢。可是怎麼個樣子呢。大山岩說道我主不要問。

了送把那船被高麗打破之事說了一遍。日皇聞言。心中大怒說好一個高麗真乃無禮就要

派兵前去問罪伊藤奏說。我主不要造次臣有一計。管教我主把這個仇報上日皇說愛卿有

何計策。快快的講來伊藤說。我主在上聽臣下道來。

伊藤他未從他開口笑欣欣　　尊了聲我主洗耳聽原因　　高麗他打破咱們船一號

秉着這個隙兒好把他尋　　　　　　不用兵來也不用將　　只在一個外交人

今日不把別人派　　　　　　還要派那麥田春　　命他帶帶銀子三千兩

好賄賂那宏集老奸臣　　　　商約領事朝着他一個人辦　　老奸賊見錢必定起壞心

立通他主把商約訂　　　　　那將咱們可就有了根　　這是微臣的一個拙見

望祈我主斟一斟

伊藤說了一片言語日皇說道。此事甚善遂又派了麥田春去上高麗修訂商約。又派了一別

往官員名叫花房說道他要許了咱們通商你就作那處的領事吧於是他二人各自領了音

意上高麗去了這且不在話下單說閔泳駿當日打退了那隻船後來才知道是日本的恐怕

惹出禍來就報進京城去了大院君一聽這個消息忙問那金宏集宏集心中暗暗的說道這

不要再讓他那个樣子。也就是了。李鴻章聞言說道。高麗雖然是我國的屬國。但是他國的政事。我們是一點也不管。要是與那國開仗那國和約都由著他們自巳的便。法美二國的使臣聞聽此言。面面相覷說道既然如此咱們二人回去吧。說罷辭別李鴻章回國去了。列明公你們聽聽都說是咱們國軟弱像這个樣辦事的人。那有不壞呢。高麗本是咱們的屬國不能勾好好的保護人家來告訴那辦事的人還拿著當年傍風因著這个人家。人家可就下了手了。

好一个老而無謀的李鴻章
說出話來太荒唐
他以為人家竟發狂
他說道高麗雖然服我管
和戰由著他們自己的便
那裡頭靡有我們一點糧
到後來傳到日本耳朵裡
日本聽見這个話
派人去問那華陽砲擊事
硬逼著那大院君來通商
他這些百姓可就遭了殃
看起來高麗滅亡這件事
那朝鮮現今已經滅亡了
我中國不久的也是就要亡
法美國本來是好意
向來的政治我們不主張
他說這話不要緊
拿朝鮮就當作了獨立邦
通商後日本入了朝鮮地
金是我國辦事的人兒無主張
說明公呀們們思一思來想一想
可別再讓那些個奸臣賊子胡亂揚
來了咱們就把他們打
再把那日本詳一詳
可是用一個什麼方法保此邦
大清國本是咱們大畧的大清國
咱們人人都想一個謀生道
咱們各家裡都預備幾捍鎗
或者是能勾保全咱這方
我說這話你們若不信
押下此事且不表
回到家去躺在炕頭上好好思量

聲子落下響咕咚

頭一砲來未打上　　二一砲來未成功
三一砲來打的准　　正正打在船頭中

那船頭炸了一个大窟窿

炸壞船頭不要緊
補上船頭不要緊

只聽炸子咯哪一聲響
傷了兵丁五百名
日皇殿前奏一本
再說我國名大清

大山岩一見事不好
他那裡就要發大兵
他發兵不發的咱不表

話說我國大清當光緒皇帝元年。那個時候李鴻章作直隸總督。兼北洋大臣辦通商事務住在天津所有一概外國的事情全歸他辦。這一日美國來了个商務大臣名叫福世德法國來了個交涉委員名叫狄士年。一齊到了李鴻章的衙門求見李鴻章聽說了慌忙讓至客廳坐下。他說我國到此有何事商議呢兩國的使臣齊聲說道無事不敢到此招擾只因前幾年。日本明治維新就想只要吞併高麗侵占你們中國以為他們要把高麗吞了並且你們中國的東三省也恐怕不能勾保於我們的商業上。寔在是有妨礙。所以我們派了幾百耶穌教徒去上他們那邊教化他們那些愚民他們的民要開了知識可也就能勾保他們的國了。他國的民到是些个好民。惟有他那个攝政王寔在是不知道什麼人與兵間他去嗎他又間計讓他們那無知的百姓哪被我們人與兵間他去嗎他又偷着放砲把我們船擊沉了一隻。我們倒不是怕他不敢與他開仗都因高麗是你們的屬國。我們要跟他開仗於貴國的臉上也是不好看所以我們的皇上讓我兩人來告訴告訴往後

25

317

采法美被雲在霄打敗大院君恐怕他們再來遂攔讓他回去就讓他永久在那把守着這一

日正在海岸上拿着千里眼看呢只見六七十里外有一號船如箭打的是前來那位說啊隔

着六七十里地怎麼能勾看見呢列往有所不知那千里眼慢說六七十里就是六七百里

地地全能看得見那關泳駿看着來了一號船也靡看見來了這話又差了怎麼船上還有旗

子呢不知那外國的船上都有旗子那關泳駿就以為法美的船呢他可就走進大帳下令來了

一天風大他們靡掛旗子那關泳駿所以一見旗子就知道是那國的船日本這支船因為這

好一個關氏泳駿小英雄

看見了兵船吃一驚 急忙忙來在大帳裡

拿起令箭就點兵 先點了五百大砲隊 又點了五千飛虎營

桿子馬隊二千整 准備對敵打衝鋒 陸軍並隊隨後點

點好條子就出營 頭裡走着一幫軍樂隊 後跟着馬步眾兵丁

洋號吹的吱吱響 洋鼓打的響捕咚 鎗嘴子好條一片高粱桀

剌刀照的曜眼明 人馬來到海岸上 一個一個曜眼睛

那位爺說了他們曜眼睛幹什麼呢不是別的望海中眇那隻船呢看那船雖此不過二十里地中 一個一個來用工

關泳駿又拿起千里眼來用目睜 看那船離官說尊命 分付聲砲隊各兵將

你們與我快快改 你們先聽我道來 一個一個來用工

先開了砲門裝上藥 炸子彈隨後就往裡邊扔 聲子絞起咯吱響

繡像英烈傳　卷一

單說日本自麥田春回國以後打聽著朝鮮已經將那蘇敎趕出國去又與法美開使知道這

個事情全是麥田春的功勞於是封為外務部侍郎壓下此事不表再說日本的工塲造出了

一號輪船能戴二千多兵這一日日皇陛下殿伊藤出班奏道我主在上臣有本奏

好一个才高智廣伊藤君　他作事盡是蠶食高麗的心　他說道我國造成船一號

看此船能盛二千人　臣有心將此船兒放在海門　去上那高麗海岸巡一巡

一來是試試此船有多麼快　二來是看看高麗沿海門　他那沿海形勢要是全知道

一旦有事咱們好進身　望我主千萬准了微臣　臣好上陸軍部裡去挑人

日皇說道愛卿之言寡人無有不從之理愛卿你酌量之辦去吧

伊藤侯一見日皇准了他的言　不由的滿心喜氣上眉尖　急忙忙來到陸軍部

挑了五百強壯男　内裡派了一首領　他的名子就叫大山岩

大山岩代領著兵丁把船上　升上火來就冒烟　氣管兒放氣犇犇響

輪子兒扒水上下翻　轉眼之間就是七八里　坐到上頭穩如山

外國的人兒有多麼巧　作出物來賽神仙　日本到高麗也有一萬里

坐輪船僅僅走了十來天　這日進了高麗境　來到了他們的華陽灣

押下日本兵船不表　說回來把那閔泳駿來言一言

話說閔泳駿鎮守黃海道這日接了國王的旨意命他把守華陽灣預備著擋法美的兵船後

23

319

閔泳駿鎮守在黃海道中

讓在霄帶兵把守仁川境

隔岸就用大砲轟

祈我王快快刷了旨兩封

急忙忙刷了旨兩封

雲在霄接了皇聖旨

海岸以上扎下營

這一日兩國的兵船一齊到

但見那海水一飛紅

兩國一見勢不好

再把在霄得勝明一明

話說雲大人在仁川打了一個勝仗點了點自己的兵才傷了三十來人又在海中撈上法國那支破船得了他大砲三尊小鎗子無數於是代了兵將回到平壤將得勝的表章打到漢城大院君一見在霄打了勝仗滿心歡喜遂降旨封在霄為十三道的提督什麼叫作十三道呢到明有所不知那十三道跟咱們中國二十二省一個樣子這個時候金宏集聽說雲在霄打了勝仗又封了官他原先本想只要害他不誠想人家卻得好處心中實在是不樂這且不題

他二人現在皆有兵十萬

讓泳駿帶兵把守華陽東

不怕他有兵多少萬

讓他們二人就用兵

一道下在平壤去

他這才點聲了人馬仁川行

大砲安上三十座

他這裡就用砲來轟

一連放了三十砲

他這才弔過船頭回了京

打法美他們二人就能行

法美二國的兵船要求到

管保教他盡宛在大海中

院君聞言心歡喜

這一日大兵到了仁川地

專等法美二國兵

只聽大砲咕咚一聲響

打沉了法國一船兵

法美回國咱且不表

22

說是要有人殺了耶穌人一個　國王就賞他五兩銀
就與他九兩零十分　無知的百姓一見心歡喜
十來天殺了無數耶穌教　手拿着人頭去領銀
一個個可就慌了神　急忙忙不分晝夜望外跑
這一日來到了本國地　各向國王奏了本一份
急派大將可就點了軍　教軍塲上選了三萬人共馬
大兵發到朝鮮地　殺了個山崩土裂天地昏
等一等下回書裡聽緣因

立刻就不讓他在國内存
有人要是殺了人兩個
他這纔拿刀動槍來殺人
耶穌教一見事不好
可一下子出了這座門
法美皇上見了這一本
大炮拉了三百多尊
列明公要問後來一切事

第二回

朝鮮院君無道　　定商約院君歸政
信任宏集賣法　　作事甚是昏庸
江山轉眼就扔

攻使館日本興師
耶穌傳教在國中　他還以為無用
還在朝中作夢
法美二國發來兵

西江月罷書歸正傳。上回書說的是法美二國兵伐高麗外邊告急急的文書打到了漢城那大
院君只叚的魂飛膽裂對着金宏集說道這可如何是好金宏集說道我王勿憂臣有一條拙
見可以將法美二國兵擋回大院君說道愛卿有何高見快快的講來金宏集說道我王不
聽為臣的道來
金宏集未從開口笑盈盈　尊了聲我王不知聽臣明　雲在霄現今鎮守平壤地

21

閒大人你可用什麼道兒制服他

依我看着不如將他們全趕出去

你望上必能與你把官加

我說此話你要不信

他這才㸃頭喪氣把話答

那時節恐怕你們的富貴不能保

省着他在賣國以內把亂發

然後再與我國把商約訂

令日就與你把押畫

那時節恐怕你們的腦袋搬了家

次將那雲在宵老兒調在外

我情願每年與你三千銀子花

金宏集聽罷了前後一些話

話說金宏集聽罷了麥田春一片言語嚇的魂不附體的說道我不誠想這耶穌教還如此利
害嗎我必定將他趕出國去至於商約之事我定然與賣國辦成望祈多等幾日才好麥田春
說道望大人在意也就是了於是麥田春辭別宏集坐上輪船歸國去了眾明公你們聽聽方
才麥田春所說的這些個話全是那伊藤附耳低言之語不可不知道哇這且不提單說金宏
集復又到了大院君府內見了大院君將麥田春的話對他細細的說了一遍大院君說這是
雲在宵的主意大院君道依臣愚見明日咱出上一張告示讓那耶穌教徒全都出去他若不走
怎麼辦呢金宏集道依臣愚見明日咱出上一張告示讓那耶穌教徒全都出去他若不走
咱們再讓那百姓殺一個耶穌教咱們賞錢多少那時節他們怕殺也就走了大院君說
就是這個主意到了次日先將雲在宵打付鎮守平壤去然後又出了一張趕耶穌教的告示
那百姓一見這張告示可就虐待起那耶穌教來了

好一個無道昏王大院君　　　他一心要虐待耶穌教人　　　出一張告示就把他們趕

繪像英雄淚　卷一

我國做買賣我國上你國作買賣兩家定下一個合同的意思再說麥田春奪定約的事情說

完遂獻出明珠五十顆佩刀兩把軍衣一身說道這是敝國一點薄禮望大人收下若事成以

後將來還有重謝金宏集並不推辭收下了禮物說道鄙人自能盡心去辦明日聽信吧說罷

麥田春辭別了金宏集回旅館去了第二日清晨早朝金宏集將此事奏與大院君大院君問

各大臣曰你們看這個事情怎麼樣了金宏集答道不妥被那雲在霄老兒給破壞了麥田春聽

咱國的商權所以來修訂商約此事斷不可行呢見眾視其人乃兵部尚書雲在霄也大院君既

是不可行就讓他回去吧即捲簾退朝金宏集回到衙門麥田春早已在那裏候着呢見金宏

集回來起身說道事情怎麼樣了金宏集答道哎呀這個人的意思可實在不好哇金宏集說道怎麼呢

說雲在霄的名字他可就沉吟半晌自忖道說我此來正為這老兒何不乘機會將他間離於

外呢主意已定遂向金宏集說道此雲在你國傳教的那們人嗎金宏集答道

麥田春聞言道　尊聲大人哪　提起耶穌教實在不好哇　耶穌教雖然以傳教為名目

實在是說神道見竟瞎叫　全仗着人多勢眾來作亂　動不動就要欺侮那國家

那英國的皇上也曾被他們更換　法國的大臣也曾遭過他們毒手　英法國的人民也曾經過他們塗炭

英法國的社稷幾乎未亡於他　這耶穌教專講究與那政府作對　這耶穌教專看官家錯見就要殺

現如今貴國也有了耶穌教　不久的就要把你們來欺壓　漸漸的你們國的人民全信了教

二

19

伊藤正在那說經營朝鮮的政策。只見那皇門官進來禀道：外邊有九州商人吉隆言說有要事來見大人。伊藤說將他喚進來吧。不一時皇門官將吉隆帶進來跕在殿下。伊藤離坐問道：你有何事來告呢。吉隆道：小人無事不敢到此，只因前幾年小人在歐美各國貿易，見他國的那蘇教徒漸漸的東來，至今年小人又在高麗仁川貿易，看耶蘇教徒在他們那邊傳教，小人他們信教的也狠多。後來打聽者人說是什麼雲在霄願意讓耶蘇教徒在他處的甚是不少。想朝鮮人若是全信了智識，咱們要經營他們的地方豈不是難啦嗎。望大人想個方法以處之。伊藤聞言點首會意，遂命人拿過十五圓錢來賞吉隆。受錢而去。衆明公你們看日本一個商人全有愛國的心思，望諸公往後作事都着照吉隆這樣才好。閒話少說，單說日皇聞聽此言問伊藤曰：愛卿有何方法。伊藤道：我主勿憂，臣自有方法。當日天色已晚，各大臣歸府去了。伊藤來到府中，叫家人伊祿說：你上木大人府中將小弟喚來有何事相商。伊祿走至身前附耳低言說道如此如此。麥田春會意辭別伊藤去了。這且不題。單說韓國的宰相金宏集這日正在屋中閒坐，忽有家人來報說道：外邊有日本使臣麥田春先生來見。金宏集聞言，忙忙頂冠束帶迎出門外，讓至客廳分賓主落坐說道：貴國來到小邦有何事辦呢。麥田春說道：鄙人奉了我國皇帝旨意，特來貴國修訂商約。列明公有所不知，這個商約就是你國上

18

繡像英雄淚　卷一

看之也。不大離就依曖卿你酌量之辦去吧。雲在宵下了銀安殿，來在朝門以外，看見那耶穌教徒金在那裏候着呢。雲在宵來至近前，那些教徒皆行了舉手禮，大人還說道：我主傳下旨命，你們自由傳教，望諸君熱心教化，可不要讓那無知的百姓藉事生端。眾教徒唯唯而走，大人亦坐上轎子歸府去了。話分兩頭，單說日本自維新以來，光陰似箭，日月如梭，不知不覺的也就是十拉年。這一日正是他國立憲的一個紀念會，皇帝可就開了一個大會，叫作紀念會。飲酒之間，明治可就對伊藤說了：那滿朝文武跟他們的皇帝。寡人嘗悲咱國人滿，民氣已狠強啦。為惠想只要在外侵佔點土地，又怕本國根本不固，現令憲法已經都完全啦，民氣已狠強啦。寡人要經營朝鮮與中國，可得什麼政策呢？

伊藤開言道：萬歲臣主公，想要圖朝鮮，臣有計幾宗。第一先要與他定下通約，使喚着他們商業不能與各商人全讓他往高麗去，使喚他全讓他往高麗去。將領事安在他們的京城，使喚他巡警財政皆在咱手中，然後再想個別的方法。使喚他利權漸漸外溢了，於領事館安上咱們團的兵，雖有那沖天手段讓他不中用，雖有那撥雲的武藝讓他不能行。管教他數萬人民歸我管，管教他十三道的土地一齊扔，管教那朝鮮地圖變了色。那時節誰來干涉也不怕，若不然咱們就與他動刀兵。得了高麗然後咱再瓜分東三省，教的主你看這個方法中不用，正是這伊藤殿前來劃策。又聽那皇門官進來稟一聲，那歐美諸邦胆戰驚。

耶穌教要在咱國傳教。現在午門外候旨呢。大院君聞聽此言。問諸大臣曰。他們前來傳教這

個事。可是讓他傳。不讓他傳呢。只見班部中轉出兵部尚書雲在霄來上前奏道。說他傳教是

好意。我主斷不可拒絕大院君又曰。他們既是好意。與咱有何好處呢。霄愛卿你說一說與本

監國聽雲在霄道。我主不知聽臣道來

雲尚書未從開口面帶歡
全仗着傳教天下化愚頑
英美的國民那樣強盛
有何人知道保國求治安
望我皇不要狐疑把旨下
不久的就要通商到此間
利權要是到了外人手
那能勾替着咱們求治安
國家強全仗着數多的老百姓
不開民智全仗什麼方法也是妄然
雲尚書說罷了前後一些語

尊了聲我主不知聽臣言
所說的俱是忠君愛國大寶話
也都是那耶穌教徒化的覽
耶穌教令日替咱把民化
讓他們速速傳教在這邊
那時節我們的人民要是不開化
想只要圖存保國難上難
為令計其若速速開民智
百姓強那國家也就穩如山
勸君王快快的想個新民策

耶穌教本是上帝一分子
我國民現令實在不開化
那恩情豈不真是重如山
開人說日本現在大變法
是何人與那日本爭利權
而且說中國現令也是狠軟弱
若不然國家不久的就若完
想已要為世界上一個獨立國
可千萬不要仗着人家保護咱

話說雲在霄。說罷了耶穌教傳教有多少好處大院君說愛卿你方才說的這些話本監國我

蕭象鳴先生傳／卷一

綉像新英雄淚　卷一

子法皇接過書子拆開一看。但只見上寫着。

駐日領事札林三頓首。

維新變法民氣甚是雄

望我皇速速想個對待策

叩稟我皇萬歲玉闕中

他一心要取高麗為殖民地

萬不可讓他侵占咱們的利權中

現如今日本用了伊藤為宰相

他又要侵占中國省闋東

法皇看罷了札林這封信

不由的他腹內叮嚀好幾叮嚀

話說法皇看罷了書信。對各大臣說道。日本明治維新。甚是雄猛咱們可是如何對待他呢內

有外務部大臣阿根奏道說是我主不要犯愁咱們候上幾天聽聽美國有什麼方法然後咱

再跟他合着去辦豈不妙嗎。法皇聞言說道嗳卿之言甚合朕意。急上外務部選了幾個人去

上美國打聽消息打聽消息的人回來說道那日美國接着他們駐日領事的電報。

他國在議院中開了一議會出一個道來想要派些這個耶穌教徒上高麗國以傳教為名好開

化他們的民智他們的民智一開那日本就不能怎的了。法皇聞言說道此方甚好。於是也就派

了些個耶穌教徒去往高麗傳教這且不表單說我朝同治初年高麗國王晏駕無有太子大

臣們商量着把大院君李昰應的兒子李熙立了年方七歲同治初年方七歲同治初年

國攝政王金宏集為宰相這金宏集本是一個貪贓賣法的奸臣他鷹舉了一些個小人為官。

就是那鄭秉夏朴永孝金玉鈞這一黨人大院君又荒淫無道不修國政因此那全國的百姓

靡有一個不怨恨他的這一天早朝有監門官奏道啟奏我王得知外面有法美來的五百餘

15

合計整整費了十年功　十年來採取了十餘國的政　他這才坐上火船奔正東

回朝來在日皇殿前奏一本　他言說臣要變法把日本與　明治說寰人早有維新意

令日就讓愛卿你實行　實人封你為個全朝大牽相　你須要真心無二來盡忠

諸般政治隨你政　　因此才維新大變法

但見那國勢日日增　那樣不好任你更　那知道人家作事與咱大不同

有了賢人家人就要用　衆明公你們都說日本他強盛　事事都要隨民意

那衆我國那此贓官污吏胡溝虫　有了好事人家就要行　那有那一件事兒順民情

勸大家從今後別把官府靠　作出事盡是一派强壓力　押了此事咱們且不表

再表法美駐日的領事公　各人家謀點本業是正經

話說明治用了伊藤維新變法。當下驚動了法國的領事札林美國的領事安泥氏這一日兩國的領事會在一處札林說道賢弟你看日本現今維新變法民氣日增將來東亞的利權必為他們占了咱們何不往本國打電呢那位說得啦你不用說了法國跟美國本是兩國本也不是一個樣字也不同他兩個人怎麼能勾說話呢現在這個時候各國辦大事情全是用英國語他兩國語雖是不同全是說英國語呀往後無論那國全是這個樣列位不要疑惑再說那安泥氏說道長兄之言甚是有理於是他二人各自修了一封書子到了電報局打到本國去了這且不表單說法國皇上那日早朝只見外務部大臣呈上了一封書

14

繡像英雄淚　卷二

中看書家人說道禀爺爺得知外面有麥田春先生來訪。伊藤聞言慌忙走出門外。

二人對面行舉手禮。命家人將僕人馬匹安置別處。次將麥田春讓到上房。分賓主坐下各道

數年不見的思情。又見家人獻上茶來。茶罷攔盂。伊藤道令日可是那陣風把賢弟吹來的

呢。麥田春道兄長有所不知。因國王見了兄長之詩。甚有愛才之意。故命小弟前來相請。現

有國書信並聘禮在此。乞兄長過目。伊藤接過書信一看。甚是謙恭卑禮。命家人收拾行裝。明日隨着

話說道了一遍。說道既蒙國家見愛。小弟敢不盡犬馬之勞。即命家人收拾行裝。明日隨着

麥田春出了家門。撲奔東京。夜宿曉行非只一日。這日到了東京。見了國王說道久聞先

生大名。如春雷貫耳。今日之見。乃三生有幸。先生何以教寡人治日本呢。伊藤道。我主願聽待

臣下道來。

伊藤那滿面和氣帶春風

都因為憲政完全那一宗

有學問然後才能作大事

說愛卿呀的見識與王同

書要斷提方為妙

君臣們餞行在十里長亭

在美國住了一年整

尊了聲萬歲臣的主公

臣有心先上西洋訪政策

若不然咱國可得何日興

你明日就可束裝歐美往

嘰嘟囉嗦困明公

伊藤他辭別在朝諸元老

又到那英國住了五六冬

現如今歐洲諸邦那們强盛

考察政治往列國遊行

日皇聞言心歡喜

伊藤說臣我尊命明日就行

這一日伊藤將要赴美國

他這才坐上火船赴美京

俄法義與遊聽各遍

俯伏在地口尊萬歲喚小人那邊差使國王說道這有一封書子細錦千疋黃金五百兩你拿着去上西京請那伊藤博文前來居官明日就要前去不要遲延麥田春就說尊命於是帶了書子拿了金帛歸本府去了日皇又命打點退朝諸大臣各歸府下不表單說麥田君來在木府歇了一宿第二日清晨起來用了早膳收拾了行裝拿了盤費帶了二个跟人備上三匹快馬行辛聘禮捎在馬後上了坐騎可就撲奔西京走下來了

好一個為國求賢麥田春
他不住馬上暗沈吟
說道是我皇令日下個求賢詔
若出世必能為國建功勳

他命我西京去請伊藤君
伊藤博文本是當今一豪傑

麥田君正在馬上胡叨念
又見那百般紅紫鬪芳春
見幾處隱邊綠柳垂金線

見幾處朧朧佳禾色色新
又聽那百鳥林中音百囀
千家的婦女笑言頻

漁子河邊來垂鈞
走過了三里桃花鎮
桃花鎮裡出美人

又過了五里杏花村
椎夫深山動斧斤
杏花村裏有美酒

一路有花也有酒
花酒難留有事人

這一日來到伊府門
簡斷捷說來的快
用鐙離鞍下了馬
又只見院中走出一個人

話說麥田春這一日來到伊藤門首撇鞍下馬正要上前去問只見從院中走出一個人田春擺手問道此是伊家嗎那人應道正是你們是那方來的客人呢麥田春道你且其要訊問快去房中稟報就說有東京麥田春來訪那人聞聽急急忙忙跑到了上房正趕伊藤在屋

12

們國王的名下國王一看這首詩乃召文武百官來到金鑾殿上三呼禮畢國

王命常隨官搬過幾把椅子來賜各大臣坐下眾臣謝恩已畢一齊坐下說道我主將臣等喚

來有何吩咐國王道無事不敢勞動眾卿今日寡人有一件要事眾卿不知聽寡人道來

明治皇來從開口笑欣欣叫了一聲眾卿不知聽王云

想只要增長國勢必用賢人

現如今中國昏昏在夢裡

東三省亦可接著往前問

聞聽說伊藤博文學問好

回來時籌備立憲固邦根

因此才寡人來把眾卿問

又聽那內閣尚書尊聲聖君

望眾卿各抒所見向王陳

這君王說罷了前後一些話

日本國不過區區彈丸地

殖民之地咱們何處去尋

我看那朝鮮咱們將來能為我有

然必須本國內先立住根

先命他歐美各國訪政治

那時節不怕無地就怕無人

若等到數年以後人滿為患

那朝鮮不修內政竟忝容易

這兩樣事情雖是甚愚民

王有心用他為個外交人

日皇說了一片言語內閣尚書木戶起身奏道我主既願用伊藤為官此事甚容易微臣府下

有一先生名喚麥田春此人素與伊藤博文有舊也嘗在臣跟前誇講伊藤之才我主今日可

備些聘禮命麥田明日就去請他那伊藤斷無不來之理日皇聞言哈哈大笑說道事情可

也真湊巧寡人正愁聘請無人怎麼就有這麥田春呢急命常隨官備下千足細錦五百兩黃

金國王親自修了一封聘賢的書子又命人上木戶府中喚來麥田春麥田春來在金闕之下

繼儒英故法　卷一　二

11

分出來九州疆土安萬民

這帝舜見禹功勞大　　才將天下讓他為君

夏家天下四百載　　成湯起義南巢放

桀王無道信奸臣　　出了一君叫紂辛

一統山河屬於殷　　作威殺戮毒四海

商家天下六百載　　將其子祿父封於殷

紂王寵妲姬女　　到後來箕子封於朝鮮地

刲剔孕婦剖賢人心　　將來又管高麗叫韓民

牧野以誓武誅紂

一心不為周家臣

周武觀兵到孟津　　由此世世服中國

漢武時高麗為那三韓箕

斬其大將名蓋金

紂王有個庶兄叫箕子　　論起來高麗也是黃帝後

才留下高麗這國人　　他與我國本是同種又同文

唐太宗伐遼過東海　　這本是高麗已往實情事

年年進貢歲稱臣　　眾明公聽着怎歷不關心

現今高麗滅亡人人曉　　表表日本伊藤君

要聽還得開正文　　今日不把別人表

話說日本國明治初年間。在西京地界出了一位英雄名唤伊藤博文此人勤時讀書勤力。

成了滿腹經綸嘗抱勤王開國之志氣吞宇宙之心每逢鄉中有可辦之事情他勇往直前不

顧性命的去作有一日在屋中悶悶不樂遂拿起筆來照着自己的志向題了一首詩。

詩曰　豪氣堂堂橫太空　日東誰使帝威隆　高樓傾盡三杯酒　天下英雄在眼中

他題這一首詩不要緊可就被各處念書的人知道了一個傳兩個傳三傳來傳去傳到他

10

繪像□□說　卷一

完啦高麗當亡國的時候那些英雄豪傑忘身狥國的狠多。我們現在雖然未分也當酸心落淚怎麼說呢日本一下手就想要滅咱這兩下。如今高麗亡了。他未來分咱們是怎麼的呢還是有點怕咱們這些民要是咱們還拿着高麗滅亡。一點不關心人家可就要下啦。我們這個時候要是尋思尋思怎麼應當不酸心而落淚呢還有一件。我們東三省人都喜歡俄國煩這個都說是日本是個窮國俄羅斯是富國俄國以到我們這邊求不大離的人都有了錢化那知道俄國那是邊買人心的計策有一部國事悲諸公看一看可也就知道他們都是一個樣子了。要看見那國事悲跟現在咱們所說這部書一聽日俄對待亡國人那個毒辣的樣子。真是讓人說不愛說聽不愛聽回首想我們的國家這個危急的樣法。咱們當百姓的想個什麼法子。以後讓我們聽書的列位知道一知道亡國的慘狀也就是了閒話少說書歸正傳。別的意思不過隨俄國那國也是不好哇以上所說這些話雖

列明公侭言落坐聽在下喉嚨啞嗓瓜吊宇慢慢的道來

表的是混沌初開天地分　陰陽交泰生出人

人皇氏才留下穿衣袴　伏羲氏創下烹飪火食法　盟古時人間披樹葉

黃帝時間文物備　衣冠禮樂煥然新　神農氏嘗草傳醫到如今

所以我們漢人稱曰黃帝子孫　黃帝以後曰唐虞　歷代帝王都是他的後

堯舜之世洪水為患　注注大地無處存身　揖讓天下重人倫

後有那兩王治水山川走

9

繡像英雄淚卷一

第一回　大院君虐待耶穌教　閔泳駿誤擊日兵船

莽莽星球亘太空　古來不與現今同　圖存固國無他策　只在人民鐵血

人民各負責任　豈可苟且偷安　若皆事事委權奸　必兆滅亡之漸

朝鮮覆轍在先　前車後車之鑑　圖存首重鼓民權　不然危亡立現

西江月罷引場詩句開內引出一部書來此書名曰英雄淚就是那高麗國這些年間受日本的欺侮跟令日隨了日本的事情內裡有忠臣孝子為國損身的故事奸臣賊子賣國求榮的的故忠孝節義有不全的列明公你們想咱們中國人素常日子都管人家高麗人叫小國人你看這小國的人當亡國的時候尚有這一班愛國英雄要到那個時候人家該管咱們中國怎麼還要上人家那小國人要到那個時候人家該管省眼睛看看就要讓日俄瓜分了恐其不能趕上人家那列位不知你們沒聽見這幾年間日本與門亡國人啦那位說啦日俄瓜分中國嗎怎麼叫作瓜分呢就是拿咱中國當作一個瓜切成外面傳言說是外國要瓜分咱們中國嗎怎麼叫作瓜分呢就是拿咱中國當作一個瓜切成幾塊人家外國一家分一塊的意思想咱東三省緊靠著日本跟俄國要是分的時候必讓日本跟俄國分了他們必定容易因為這個日本滅高麗緊接著要分咱東三省現時日本與得高麗望這邊發兵必定容易因為這個日本滅高麗緊接著要分咱東三省高麗已經讓日本滅啦東三省也就快俄國人和了好了他們一和好就是要合著分東三省高麗已經讓日本滅啦東三省也就快

337

新刻醒世奇文英雄淚小説目錄

叙

欲新一國之民不可不先新一國之小說蓋小說所以

振人之志氣動人之隱微也康戌仲和日韓合併

其事固保奉省之命中國之存亡錐而且急莫甚於

國志士電激於腦想溢於胸急求保全之策吾儕國人有

感於此遂立同志會命余編輯小說以鼓吹民氣保自愧海

隨車不堪勝任因同志責之甚殷遂採韓國滅亡之

原因編輯成篇步卬石印吾國中滿同志瀏

亮生書必可激發愛國之熱誠有戚然也

　　　　冷血生自序

1

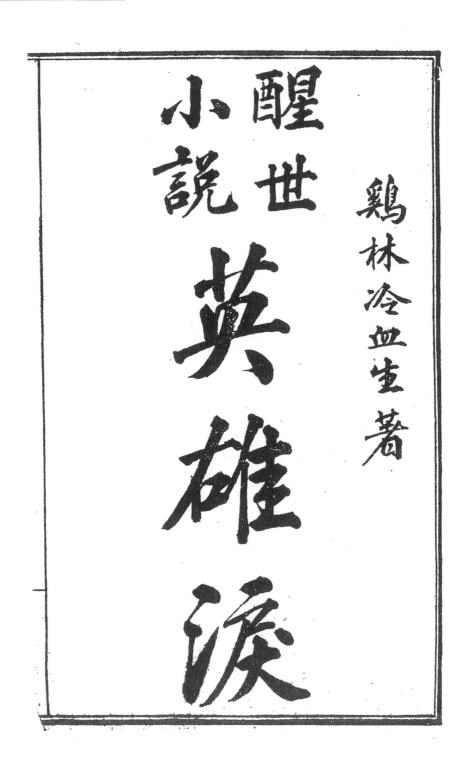

醒世小說

英雄淚

鷄林冷血生著

중국인 집필 안중근 소설 I

-영웅의 눈물

원본(原本)

중국인 집필 안중근 소설 I

원본(原本)